JN035140

総合判例研究叢書

民　法 (25)

不法占拠……………………………椿　寿夫

有　斐　閣

民法・編集委員

谷口知平

有泉亨

序

フランスにおいて、自由法学の名とともに判例の研究が異常な発達を遂げているのは、その民法典が百五十余年の齢を重ねたからだといわれている。それに比較すると、わが国の諸法典は、まだ若い。最も古いものでも、六、七十年の年月を経たに過ぎない。しかし、わが国の諸法典は、いずれも、近代的法制を全く知らなかつたところに輸入されたものである。そのことを思えば、この六十年の間に極めて重要な判例の変遷があつたであろうことは、容易に想像がつく。事実、わが国の諸法典は、それに関連する判例の研究でこれを補充しなければ、その正確な意味を理解し得ないようになつている。

判例が法源であるかどうかの理論については、今日なお議論の余地があろう。しかし、実際問題として、多くの条項が判例によつてその具体的な意義を明らかにされているばかりでなく、判例によつて特殊の制度が創造されている例も、決して少なくはない。判例研究の重要なことについては、何人も異議のないことであろう。

判例の創造した特殊の制度の内容を明らかにするためにはもちろんのこと、判例によつて明らかにされた条項の意義を探るためにも、判例の総合的な研究が必要である。同一の事項についてのすべての判決を探り、取り扱われた事実の微妙な差異に注意しながら、総合的・発展的に研究するのでなければ、判例の研究は、決して終局の目的を達することはできない。そしてそれには、時間をかけた克明な努力を必要とする。

幸なことには、わが国でも、十数年来、そうした研究の必要が感じられ、優れた成果も少なくないようになつた。いまや、この成果を集め、足らざるを補い、欠けたるを充たし、全分野にわたる研究を完成すべき時期に際会している。

かようにして、われわれは、全国の学者を動員し、すでに優れた研究のできているものについては、その補訂を乞い、まだ研究の尽されていないものについては、新たに適任者にお願いして、ここに「総合判例研究叢書」を編むことにした。第一回に発表したものは、各法域に亘る重要な問題のうち、研究成果の比較的早くでき上ると予想されるものである。これに洩れた事項でさらに重要なもののあることは、われわれもよく知つている。やがて、第二回、第三回と編集を継続して、完全な総合判例法の完成を期するつもりである。ここに、編集に当つての所信を述べ、協力される諸学者に深甚の謝意を表するとともに、同学の士の援助を願う次第である。

昭和三十一年五月

編集代表

小野清一郎　宮沢俊義

末川　博　我妻　栄

中川善之助

凡例

一　判例の重要なものについては、判旨、事実、上告論旨等を引用し、各件毎に一連番号を附した。

二　判例年月日、巻数、頁数等を示すには、おおむね左の略号を用いた。

大判大五・一一・八民録二二・二〇七七　（大審院判決録）

（大正五年十一月八日、大審院判決、大審院民事判決録二十二輯二〇七七頁）

大判大一四・四・二三刑集四・二六二　（大審院判例集）

最判昭二二・一二・一五刑集一・一・八〇　（最高裁判所判例集）

（昭和二十二年十二月十五日、最高裁判所判決、最高裁判所刑事判例集一巻一号八〇頁）

大判昭二・一二・六新聞二七九一・一五　（法律新聞）

大判昭三・九・二〇評論一八民法五七五　（法律評論）

大判昭四・五・二二裁判例三刑法五五　（大審院裁判例）

福岡高判昭二六・一二・一四刑集四・一四・二一一四　（高等裁判所判例集）

大阪高判昭二八・七・四下級民集四・七・九七一　（下級裁判所民事裁判例集）

最判昭二八・二・二〇行政例集四・二・二三一　（行政事件裁判例集）

名古屋高判昭二五・五・八特一〇・七〇　（高等裁判所刑事判決特報）

東京高判昭三〇・一〇・二四東京高時報六・二民二四九　（東京高等裁判所判決時報）

札幌高決昭二九・七・二三高裁特報一・二・七一　（高等裁判所刑事裁判特報）

前橋地決昭三〇・六・三〇労民集六・四・三八九　（労働関係民事裁判例集）

その他に、例えば次のような略語を用いた。

裁判所時報＝裁　時　家庭裁判所月報＝家裁月報
判例時報＝判　時　判例タイムズ＝判　タ

目次

不法占拠　　椿寿夫

不法占拠

椿寿夫

はしがき

本書の前身は、関学在任中の試作「不法占拠判例法」（法と政治一三巻三号四号、一四巻一号三号）であるが、当時は本務先五講時その他へ七、八講時の出講という状況だつたため、判例の収集・整理・検討すべてが思いどおりにならなかつた。今回、本叢書へ入れてもらうのを機に、項目や判例の配置に変更を加え、少しは判例を追加するとともに、判例内容にはかなり突込んだ再吟味を試み、また評釈その他学説を補ない、いちおうの私見も述べてみた。この結果、私自身は、旧稿とは相当趣きを異にするにいたつたと考えている。なお、末尾には、後日の判決が先例にどう対処しているか（略して先例応接）のメモを掲げておいた。

判例の取扱い方は、四年前、本叢書の「連帯債務」で実験的に接近したところの、判例民事法型（と私なりに理解しているもの）の方向を、主観的には、その当時より徹底させた。また、判例の評価に際しては、「判例（群）相互間の有機的関連」と「発展」のモメントに相当意を払つたつもりである。

判例検索は、最高民集については一七巻九号まで。下級審に関しては、戦前のものは引用せず、また、判例集発刊後のケースも網羅することは考えていないが、いちおう下級民集一四巻二号、高裁民集一六巻六号までをあたつた。そのほか、約束として、(イ)記号Ｘは当該審級での積極的当事者（たとえば上告人）、Ｙはその相手方、ＡＢＣは訴外をさす。(ロ)大きい見出しの**一**、**二**は節、小さいそれは款と表示する。(ハ)引用文の傍点や改行は、原典に関係なく私が行なつたものである（なお初校時に、物権法講義（創文社）の貴重な校正刷を快よくお貸し下さつた鈴木禄弥教授に、十分引用できなかつたお詫びとともに厚くお礼申し上げる）。

一九六四年九月一四日稿了

一　民事不法占拠序説

一　問題性と本書の範囲

（一）「不法占拠」という言葉は、旧稿の欧文要旨を求められた際に „der unrechtmässige Liegenschaftsbesitz“ と造語してみたりしたが、もともと日常語から出発したものらしく、判例や学説でしばしば用いられているわりに、技術概念化されていない。われわれは、刑法的な用語法（たとえば高橋「不動産侵奪罪と境界毀損罪」法曹時報一二巻六号六八〇頁参照）や動産についてもこの語を用いる特異な見解（舟橋・物権法二二六頁・二九三頁）は別とするが、留置権を否定する際には悪意占有すなわち不法占有といいつつ、損害賠償の場合には悪意占有必ずしも不法占有ならずとする例、賃貸借終了後に賃借人が退去しない場合も不法占拠なら、勝手に入り込んできた場合も不法占拠と呼ぶ例、回復請求では何ともいわず賠償請求の場合だけわざわざ不法占拠によるとする例、などを幾つもみつけることができる。

かように不明確で多義的な言葉は、もし術語化しようとすれば、それが問題となっている各場合を洗いざらいピック・アップし、そういう概念（ともいえない用語）の意味内容ないし射程距離を確定し吟味する作業が必要となる。だが、今の私には、新しい観察角度からの帰納によってであっても、抽象度の高い概念を再構築する力がなく、またさような仕事にどれくらいの意義があるのかに若干疑念も感じている。そこで、とりあえず最もゆるやかな概念規定——およそ正権原のない占有が不法占有である——を仮設して（ただし、これは、たとえば不法侵奪と無断転貸の現実的差異に言及する見解（鈴木・民商二七巻三五七頁）などを知ったうえで）、さような用語で把えられる諸場合を拾い出し整理しておくことにしたい。この作業は同時に、不法（無権原）占拠という生活類型で既成の六法的体系をいわば横断することにもなるが、その結果として本叢書の既刊項目とかなり重複する場合を生ずる点は諒承して頂きたい。

（二）　次に、現在の時点で、私が本書の対象とする素材に対してもっている解釈論的関心の主なものは、(イ)転貸借論の盲点ともいえる適法転貸借に関する若干の問題、(ロ)民法一七七条の適用領域を枠づけること、いいかえれば「対抗」と「責任」の分離に関する問題、(ハ)占有（を媒介とする損害）賠償法の生成過程と現状を、具体的な諸場合の総合から確定してみること、(ニ)賃借権にもとづく妨害排除請求をめぐる議論への仲間入り、この四つであり、これらに(ホ)物権的請求権論と(ヘ)占有論の二つが交錯している（ただし、一気にすべてを整理できるほどには、私の頭は複雑になっていないので、後の二つは、本書では独立してまとまった形の整理が行なわれておらず、バラバラに現われている）。もっとも、これら——ことに前の四点だけへ必ずしも直線は引いておらず、解釈上の論点たりうると考えたものも、ほかに幾つか採り上げている。たとえば、例の背信行為論先例が生み出した新たな問題（＝賃貸借解除が認められない場合の無断転借人の地位）や、特殊＝日本的な問題（＝借地上建物の賃貸借）など。

これら全部に通じていえるのは、いずれも問題性（Problematik）が、判例の分析によって始めて明確に認識されうることであり、本書の整理はそのための素材となろう。

（三）　最後に、本書は、なるべく主観的な問題設定から判例を取捨選択しないよう努めたが、右に述べたごとく、旧稿より強調点がはっきり出てきてしまったので、個別性・特殊性の強いケースは、いきおい継子的に取り扱われるようになった。それに、先例（Precedent）の確定作業に関心が傾いたので、どうしても下級審判決のウェイトは軽くならざるをえない。――かような次第で、旧稿より収録判例が若干ふえたとはいい、条、判示事項で掲げると、たとえば「不法占拠当時附加した造作と造作買取請求権の成否」（東京地判昭二八・四・二七下級民集四・四・六二六）、「賃借人が賃貸地に隣接する賃貸人の所有土地を不法占拠している場合と賃貸人からする賃貸借契約の解除の成否」（東京地判昭三五・一一・二六下級民集一一・一一・二五七七）、「不法占有者が本権を有する占有取得者に対してする占有回収の訴の許否」（越谷簡判昭三六・二・八下級民集一二・二・二五七）など若干のものは、無視しがたい問題を含むのに、かえつて姿を消す結果となつた。

さらに、不法占拠成立の一場合たる占有侵奪の諸例（たとえば大判昭一五・九・九新聞四六二二・七参照）も割愛し、また、訴訟関係のケースは、収集したままになつていて、何とか利用したいとは考えたけれども、結局、現在の力では無理なので、原則として引用しないことにした。

二　判例法理の概観

これは、後述の内容を幾群かにまとめて概説することにより、以前に書いた「不法占拠」（末川編・民事法学辞典・下）を補訂し、かつバラバラともみえる本書の目次に少しでも連繫をつけようとする意図から出た。だから、本書所掲の事項や判決例のうちで「まとめ」に適した主な場合を記述するものにすぎず、また必ずしも私の判例解釈より生じた「あるべき位置づけ」によつていない。

まず、不法占拠の成否に関する一場合として、最近も比較的よく目につくのは、原賃貸借関係が終了した場合における適法転借人の地位如何である。判例によれば、原賃貸借の期間満了（近時は、これの性質上、問題にならない）と解除は、特別事情がないかぎり（具体的に何を指すかは不明だが【3】【5】）適法転借人の占有正権原を失なわせる（↓彼は不法占拠者になる）。ことに、問題となる契約解除の場合、転借人に対する催告ないし支払チャンスの付与は、全く必要でない（【8】【7】）。これらと異なり、原賃貸借の合意解約にあつては、旧先例の見解（【12】【11】）が改められて、特別事情のある場合（【19】【18】）を除き、解約の効果を転借人に対抗できなくなつている（【14】【13】）。もつとも旧先例【12】は、借地上建物の賃貸借を転貸借として把えており、この二つの法律関係は違うともいえるわけだが（【46】の一般論）、最高裁は、特殊なケース（【47】参照）を別として、借地契約の合意解約も借家人に対抗できない、とするにいたつた（【49】）。つまり、かかる場合の転借人や借地上建物賃借人は不法占拠者でないが、その後における彼らの地位は未解決である。

ところで、無断の賃借権譲受人や転借人は、伝統的判例法に従うかぎり、もちろん不法占拠者であつて（たとえば【50】【51】）、彼らに対して明渡・退去を訴求する際に、賃貸借契約を解除しておく必要はない（最高裁の【73】【74】（傍論なら【72】も））。賠償請求に関しては、賃貸借契約を解除しないかぎり賃貸人に損害は発生していない（けだし、賃借人に対する賃料請求権があるから）、とする大審院の非公式先例があつたが（【76】【75】）、最高裁は、単に賃料請求権をもつだけでは賃貸人に損害なしとはいえない（↓解除しなくても、賃借人が支払わぬ以上、無断利用者に賠償請求できる）とするにいたつた（【32】）。――かように、「責任」のみが問題となつてきた無断転借人も、例の「背信行為とならない特段の事情」先例の登場によって、不法占拠者とならない余地が認められることとなった。その先駆は、賃借人と転借人が実質的には同一とみられる案件に関する下級審（【52】など）だったが、最高裁は、完全な第三者が無断転借人たる事件において、彼の利用（＝占有正権原）を認める判決を出した（【53】参照）。この判旨の射程距離は確定困難だが、他のいろいろな問題へも影響する重要先例であることは疑いない。

次に、無断の転貸譲渡といえば、借地上の建物を買った者や競落した者も、敷地利用について地主の承諾がなければ、やはり不法占拠者となって、地主は土地明渡や損害賠償を請求することができる（買受人につき【26】【27】、競落人につき【33】【34】など）。ただし、この場合は建物買取請求権（借地一〇）があるので、建物買受人は、それを行使すれば家屋代金を地主が支払うまで建物の引渡を拒みえ、敷地についても不法占拠による賠償責任を負わないが（【28】）、不当利得の償還義務を負うのは別問題であり（【29】【30】【32】）、また買取請求前には原則として過失による損害賠償責任を認むべきである（【30】の破棄理由）。この関係は借地法四条の場合でも同様（【31】）。――なお、この場合に限らないが、不当利得となる場合に当事者が損害賠償という表現を用いても、それは補正転用できる（【117】【118】【149】参照）。

前にも出てきた「借地上建物の賃貸借」の場合（今後は、こういう形の建物新築は消失の一途をたどろう）、借家人の敷地利用は違法とされない（＝不法占拠責任を生じない）が、利用できる範囲などには問題があろう（【38】以下参照）。もちろん、建物自体が敷地利用権をともなっていない場合には、借家人も不法占拠者であって、妨害排除ないし予防請求の被告たりうる(【43】)。他に二、三点挙げると、借地上建物の賃借人は、建物留置権で敷地まで留置できない(【148】)。彼が空地に無断増築した場合、それが背信行為にあたらぬときには、借地人＝建物賃貸人は地主に代位して明渡請求をすることができない(【42】)。なお、建物所有者が買取請求をした場合、借家人に借家法一条の保護を与える(↓もちろん不法占拠者にならないわけである)大審院先例【45】があるが、その先例的妥当性はかなり疑われている。

以上、不法占拠の成否として問題にしたものは、ほとんどが賃貸借の事件であったが、民事不法占拠も、権限消滅の場合に限らず、純然たる不法侵入・侵奪だって問題となっている。ただ、それらは、ここから後つまり責任追求要件とか効果の場面で出てくるのである。たとえば、占有正権原の立証を被告に負わせている判例法理(【59】以下参照)の少なからぬ事案は、何ら権限のない場合である。

さて、不法占拠は不動産について問題となるから、そこでは、「登記」が当事者資格や賠償期間の決定にとつて標準となるか否か、が争いとなつてきた。主要な場合は二つあり(ほかにも【55】参照)、いずれも、民法一七七条の第三者論として現われてきた問題だが、その一方、つまり無権原で他人の土地に建物を所有していた者が建物を売つてしまった場合については、「不法占拠者も建物を譲渡すれば、登記なくして第三者つまり地主に対抗できる」という奇妙な議論をしていたのが(【2320】【21】参照)、次第にそれを止揚し(【22】)、最高裁は、問題が「対抗」でなく「責任」に関することを明らかにした(【25】)。しかし、もう一つの問題、つまり所有者(賃借人たる場合もある【68】)が不法占拠者に責任を追求する際に登記しておく必要があるか否かについては、判例は、今まで一貫して「不法占拠者は、登記の欠缺を主張できる正当な利益を有する第三者に入らない」という構成により、消極説に立ってきている（【67】以下）。

次に、債権ないし賃借権にもとづく妨害排除請求の許否は、これまでほとんどの学者により、もっぱら、被害者の面ばかりが強調されているが、大審院時代のケースはすべて不法占拠（ないしそれに準ずる無権原占有）であり、最高裁になってから二重賃貸借ケースが入り込んできたものだ。ところで、かかる不法占拠に対する賃借人の救済手段には、まず占有訴権があり（【81】【89】の一般論や【93】の傍論）、また、きわめてゆるやかな枠でもって債権者代位権の利用が認められているが（【83】以下参照）、賃借権という債権自体にもとづいて妨害排除請求をする段階になると、判例は、大審院以来今日まで対立・紛糾・混乱をみせてきている（【89】以下参照）。――これを、どのように理解するか、が本書では論点とされている。

次に、不法占拠においては、既述のところからもわかるとおり、「回復請求」と「賠償請求」が二本の柱になっているが、無権原占有が賃貸借の終了や売買の解除などによって始まった場合には、回復請求については契約上の請求権か物権的請求権か、賠償請求については債務不履行によるのか不法行為によるのか、という問題を生ずる。しかし本書は、これらは除外し、民法一九〇条（＝占有規定）と民法七〇九条（＝不法行為規定）との関係を採り上げる。判例によれば、占有規定は、それの及ばぬ限度では（たとえば不法占拠訴訟のための費用）、不法行為規定の適用を排斥しない（【104】）。両規定が一般的に競合する旨の判示もみられるが（【106】）、これは傍論である。

およそ損害賠償において、違法性・故意過失・因果関係などは、常識といってよい要件である。故意過失に関しても数例あるが(【107】以下)、悪意占有とのあいまいな区別や、過失認定の微妙さを反映して、破棄判例がわりあい多い。因果関係の先例は、しばしば「判例解釈」をやらないと出てこないが(ことに【77】【104】。さらに【75】【76】【111】も参照)、最高裁が因果関係の問題としているものは、賠償責任者の範囲(【113】【114】)ないし賠償額(【138】【139】)につき、従属的・間接的な加害者の責任軽減の方向で機能しているようにみえる。この際に、一部占有と全部占有とか建物占有者の敷地占有といった議論が、理由づけとして登場してくる。

次に、不法占拠による損害額は、反証ないし特別事情のないかぎり、賃料相当額だとされている(【119】以下)。個別的な点を挙げると、借地人が利用を妨害されたときも、右の標準による(【121】)。転貸料額によっても可とする例もある(【125】)。換地の場合は、従前土地の坪数を基準として算定すべきでない(【151】)。地代家賃統制令関係(【126】以下)。不法占拠による損害賠償は、いわゆる「継続的不法行為」の範疇に入り、民法七二四条の起算は特殊性をもつ(【132】)。なお、不法占拠を理由とする慰藉料請求は、認められた例がない(【130】【131】)。

さらに、不法占拠には、複数人がいろいろな態容・程度で「関与」している場合も少なくはないが、ここでは、占有態容の如何が責任に影響する点をみおとしてはならない。使用人に関しては、大審院は代理占有とみて明渡請求の被告適格を認める反面で賠償責任を認めず、最高裁は彼の独立占有を否定して、いっさいの責任を負わせない(【77】【78】)。妻に関しても、同様に独立占有を否定し賠償責任は原則として負わないとした大審院先例があるが（【140】の一般論）、今日ならどういう先例が出るかは簡単に予測できない。——損害賠償面では、これらのほか共同不法行為ケースもみなければならぬ（【137】以下）。

最後に、不法占有は、留置権についても問題となる。大審院には、民法二九五条二項の表現にもかかわらず、賃貸借終了後の明渡と費用償還との引換給付を認めぬ先例があり（【144】【145】）、高裁上告審判決の「構成」は、留置権を認めぬという意味での不法占有を、過失ある善意者にまで拡大している（【147】）。

二　賃貸借の終了と適法転借人の地位

一　序　説

無断の転借人・賃借権譲受人と不法占拠の成否は**五節一**款で述べるが、適法に（＝賃貸人の承諾を得て）土地や建物の転貸借が行なわれた場合に、原賃貸借が(イ)期間満了、(ロ)法律上・特約上の解除権行使、(ハ)合意解約で終了するにいたったときは、さような転借人の地位はどうなるか。彼が目的物を占有使用しうべき権原を失う場合には、不法占拠者となるわけだが、その際に必要な枠づけ（＝要件・手続）は何か。逆に、不法占拠者にはならない場合がありとせば、その後の法律関係はどうなるか。——問題は以上のようであるが、かかる転貸借をめぐる法律関係は、借地人が自己所有の建物を第三者に賃貸した場合と近似し、接触している問題もあるので、注意を要する（本書七四頁以下）。

なお、転貸借のある場合に賃貸借が終了したとき、賃貸人が転貸物を取戻す方法について論じている棄却判決がある。ところが、その事案は、賃借人Xに対する賃貸人Yの「建物明渡請求事件」であり、しかも「Xノ主張ニ係ル転貸借ノ事実ハYノ否認ニ遭ヒナガラXニ於テ何等其ノ立証ヲ為サザル儘口頭弁論ノ終結ヲ見タ」というのだから、転借人に関する説示は、それこそ全くの傍論にすぎない(むしろ、判旨そのものの大部分が傍論ないし仮定的議論と評された判決だが)。そのうえ、賃貸借の終了は常にかつ当然転借人の占有権限を失わしめるか、という点がまさに問題なのであるが、転借人の従属的地位を当然視する発想法に着目して、またその限度でのみ、一般論を掲げておく。

【1】「賃貸人ガ賃貸物ノ所有者ナルトキハ、賃貸借終了シタル場合ニ賃貸人ニ於テ其ノ所有権ニ基キ、今ヤ已ニ無権原占有者ト為リ了リタル賃借人ニ対シ目的物ノ返還ヲ請求スルヲ得ルハ論ナシ。其ノ或ハ目的物ガ適法ニ転貸セラレ転借人現ニ之ヲ占有セル場合ハ、縦令転貸借ソノモノハ未ダ終了セザルトキト雖、賃貸人トシテ其ノ所有権ヲ主張シ転借人ニ対シ返還ヲ請求スルコト固ヨリ其ノ権利ニ属ス。何者、転貸借ノ承諾ハ賃貸人ノ解除権ヲ除却スルニ止マリ(民法六一二条二項)、賃貸人ト転借人間ニ何等ノ貸借関係ヲ生ズルコト無ク、而シテ賃貸借ノ終了ハ当然転貸借ヲ終了セシメザルト共ニ、賃貸借ニシテ一旦終了スル以上転借人ノ占有ハ又以テ賃貸人ノ所有権ニ対抗スルヲ得ザルニ至ルベケレバナリ」(大判昭九・一一・六民集一三・二一二二)(川島・判民一五一事件、坂・民商一巻一〇〇六頁)。

二　期間満了

賃貸人が適法転借人に収去・明渡を求めたケースは、次の【2】と【3】であり、かつ後者は、合意解除を第一次的原因として訴求しているあいだに、賃貸借の期間が満了した事案である。【4】は、期間満了と転貸借の終了時期について述べてはいるが、【2】【3】とは争点を異にしており、むしろ後出【9】との関連で引用する意味があるものだ。

【2】　転借人Xは、賃貸人Yと賃借人A間の賃貸借終了が常に転貸借をも終了させるならば、転借人は不測の損害を受けると上告したが、棄却。判旨が合意解除にも言及しているのは、上告理由に答えたまでで、事案には関係がない。つまり、その部分は、先例【13】に抵触しはするが、傍論である。

「適法ニ転貸借ガ行ハレタル後ニ於テ、転貸借ノ終了スルニ先チ、賃貸借ガ賃貸人ト賃借人トノ合意ニ因リ解除セラレ若ハ賃貸借ガ期間満了ニ因リ終了シタルトキハ、爾後転貸借ハ当然其ノ効力ヲ失フニ非ズシテ之ヲ賃貸人ニ対抗スルコトヲ得ザルニ過ギザルモノトス。故ニ原院ガ、Xハ本件土地三坪ヲ賃貸人タルYノ承諾ヲ得テ賃借人Aヨリ転借シタリトスルモ、AトYノ賃貸借ハ……日ヲ以テ終了シタル以上ハ、爾後右転貸借ハ当然無効トナルニ非ズシテ之ヲYニ対抗スルコトヲ得ザルモノナリ、ト判示シタルハ不法ニ非ズ」(大判昭一〇・九・三新聞三八九八・七)。

【3】　訴外Aは、同Bから本件建物を、いわゆる短期賃貸借の登記をして賃借し、即日これをX(上告人)に適法転貸していたが、後にY(被上告人)が右建物を競落し、Xに対して明渡と損害金の支払とを訴求。原審は、原賃貸借の合意解除を理由とするYの主張に対しては、転貸借が対抗力を失わぬ旨判示したが(なお後出【13】参照)、短期賃貸借の期間満了を採り上げて、Xを敗訴させた。大審院も次のごとく上告棄却。

「賃貸人タルY等ヨリ直接転借人タルXニ対シ右家屋明渡ノ訴訟ヲ提起シ、其ノ繋属中賃貸借ノ期間満了シタルコトノ明ナル本件ニ在リテハ、Xハ特別ノ事情ナキ限リ之ガ明渡ノ義務ヲ負フニ至ルベキコト勿論ナレバ、原審ガ……Xニ対シ本件家屋明渡ノ義務ヲ認メタルハ正当」(大判昭一五・六・一民集一九・一二・九五八)(山田・判民五三事件、後藤・民商一二巻一〇四五頁)。

【3】について、若干コメントする。(イ)本件では、原賃貸借そのものが、法定期間を限度としてのみ

(ただし寛厳の度合いは「価値権」「利用権」両者の調節点をどこに求めるかで多少ズレるが)抵当権に対抗できるところの短期賃貸借(民三九五)であり、その期間満了による利用権の否定は、一般の場合よりも強く働くのではないか。(ロ)判旨にいわゆる特別事情として、山田評釈は留置権がある場合を挙げるが、この点は後日の判例で具体化されていない。ただ、【2】と異なり、本判決が、期間満了の場合に明渡拒絶の余地を認めたことは、転貸借を原貸借へ強く依存・従属させてきた伝統的評価態度が緩和されるようになれば、「当然失権ないし対抗力消失」論に対する突破口的機能を発揮できるものであろう。(ハ)なお【3】の要旨は、適法転貸ある場合に賃貸借の期間が満了したときは「賃貸人ヨリ転借人ニ対シ直接其ノ引渡ヲ請求スルコトヲ得」とされ、後藤批評は【11】もあるから目新しくないと述べるが、判旨の先例的内容は、原賃貸借(＝短期賃貸借)の期間満了は転借人の明渡義務を生ぜしめるというのであって、転借人に対する直接的請求が許されるという点は当然自明の前提である。だから、要旨の書き方は不正確・不適切といわねばなるまい。

【4】　Yから賃借せる家屋をAに転貸していたXは、賃貸借の期間満了後、Yとの調停で満了日に明け渡した旨を確認したが、争いは家主Y対転借人Aの間で起ったのでなく、Yが借家人Xに対し、XがAから受領している敷金を、転付にもとづいて支払えと訴えた事件である。——判旨は、貸借終了前には敷金の返還を求めえないので、転貸借の終了を判示しないかぎり、右返還請求を認容できないが、原審認定程度の事実では転貸終了とはいえない(↓本訴請求を認めた原判決は違法)とした。その際に、次のような理由づけを述べて、転貸借終了の条件を示したのである。すなわち、

「蓋転貸借ハ賃貸借トハ別個ノ債権関係ニシテ、必ズシモ賃貸借ノ存続期間ノ満了ニ依リ之ト共ニ終了スルモノニハ非ズ、賃貸借終了ノ結果賃貸人ガ転借人ヲシテ使用収益ヲ為サシムルコト不能トナルコトアルベキモ、其ノ履行不能ニ因ル解除ナキ限リ転貸借ハ終了スルモノニ非ザレバナリ」（大判昭六・五・一五新聞三二七六・一四）。

三　契約解除

（一）　序言　　はじめに事案の個性を一言しておくと、まず、【5】が特約にもとづく解除権行使であるほかは、いずれも賃借人の賃料不払による法定解除が問題となつている。また、転貸の目的物は建物でなくて土地だが、土地明渡・建物収去請求の相手方は転借人に限らず、【5】では転借人所有建物の賃借人が転借人とともに、また【9】では前者（＝建物賃借人）のみが単独で、訴訟当事者となつている。さらに、各判決とも、転貸借の従属的性格を認める点では共通するとはいえ、争点は順次みていくとおり種々である。なお、【10】はそもそも不法占拠ケースではないが、【9】との関連で掲げる。

（二）　判決例　　最初は、原賃貸借の解除によって転借人は無権原占有者になるので、適法転貸か否かを判断せずに、彼に対し明渡を命じても違法ではない、とする棄却判決。

【5】　AはBから、建物を無断で質・抵当に入れたりしたら契約を解除する、という特約をして本件土地を賃借し、そこに建てた家の一軒をX_1先代に貸したが、震災で家が焼けたので、X_1先代は焼跡土地を改めて適法に転借して家を建て、X_2ら三名にそれを賃貸した。ところが、Aが借地上の自己所有家屋を抵当に入れ競売されたので、Bは、特約にもとづき賃貸借（X_1転借地を含む）を解除した。被上告人とBとの関係は不明だが、X側の上告は次のごとく棄却。

「建物ヲ所有スル為一筆ノ土地ヲ賃借シタル者ガ、其ノ一部ヲ賃貸人ノ承諾ヲ得テ他人ニ転貸シタル場合ニ於テハ、転借人ハ其ノ転借ニ係ル部分ニ付テハ民法六一三条一項ノ規定ニ基キ賃貸人ニ対シテ直接ニ義務ヲ負担スベキモノナリト雖、所論ノ如ク其ノ部分ニ付賃貸人ト転借人トノ間ニ直接賃貸借関係ガ成立スルモノニ非ズ。従テ賃貸人ト賃借人トノ間ニ於ケル特約ニ基キ賃貸借ガ解除セラレタル以上ハ、特別ノ事情ナキ限リ転借人モ亦其ノ効果ヲ受ケ、該土地ヲ占有スルニ於テハ其ノ占有ハ全ク無権原ニ基クモノト謂ハザル可ラズ」（大判昭七・九・三〇新聞三四八〇・一一）。

次は、原賃貸借の解除により転借人はその占有正権原をもって賃貸人に対抗できなくなるとの一般論をたて、賃借人への解除手続に関する原審の釈明権不行使を非難した破棄判例。

【6】　農地賃貸人Xは、転借人Yに対し、賃借人Aとの合意解除およびYの小作料不払にもとづくYAへの解除を理由に、明渡を訴求した。その際、Yに対してははっきり履行を催告しているが、Aへの催告は不明であった。原審は、合意解除だけを採り上げ、Xの請求を認めなかったので、Xは、【13】と異なり単なる合意解約だけでない、Yの不払により本件土地の賃貸借を解除するといえば十分である、と上告。

「案ズルニ転貸借アル場合ニ於テ、賃貸人ガ賃借人（転貸人）ノ債務不履行ヲ原因トシテ適法ニ賃貸借ノ解除ヲ為シタル以上、縦令右転貸借ノ締結ニ付賃貸人ノ承諾ヲ得タリトスルモ、転借人ハ爾後賃貸人ニ対シテハ其転借物ノ占有ヲ保持スベキ権原ナキニ至ルモノト解スルヲ相当トス。本件ニ付観ルニ……合意解除ニ因リテハXニ於テYニ対シ本件土地ノ明渡ヲ請求シ得ザルモノトスルモ、原審ハ更ニ、右X主張ノ不履行ニ基ク本件賃貸借契約解除ノ主張ニ対シ須ク考慮ヲ払ハザルベカラザルヤ蓋シ多言ヲ俟タズ。……（Yに対し催告がある以上、賃借人Aにも同様な催告があったとも推測できるから、原審は釈明権を行使して事実関係を明らかにしたうえで）不履行ニ因ル本件契約解除ノ有無並ニ其効力従テ又之ニ因ル本訴請求ノ当否ニ付審理判断ヲ加ヘザルベカラザル筋合ナルニ拘ラズ、原審ノ措置茲ニ出デズ単ニ合意解除ノ効力ノミヲ云為シテ、前示法定解除ニ関スル主張ヲ顧ルトコロナク、輙クXノ本訴請求ヲ排斥シ去リタルハ失当」（大判昭一〇・二・二三裁判例(九)民事三五、判決全集二・一五・一一）。

ところで、賃借人の賃料延滞にもとづく解除の場合、転借人に土地明渡を求めるには、右判例に出てきたような転借人への催告ないし支払機会の付与は、これを必要とするか。裁判所は、大審院時代にも、

【7】「賃借人ガ適法ニ賃借物ヲ転貸シタルトキハ転借人ハ賃貸人ニ対シテ直接ニ義務ヲ負フモノナルコト所論ノ如シト雖モ、斯クノ如キハ賃貸借契約ノ直接ノ効果ニモ非ズ亦転貸借契約ノ直接ノ効果ニモ非ズシテ、特ニ賃貸人ヲ保護センガ為ノ目的ニ出デタル民法六一三条一項前段ノ規定ヲ待チテ始メテ生ズルモノナレバ、之アルガ為ニ賃借人ニ対シ賃貸人ノ有シタル従来ノ権利ニ何等消長ヲ来スベキ理由ナシ。則チ前同条二項ニ於テ賃貸人ガ賃借人ニ対シテ其権利ヲ行使スルコトヲ妨ゲザル旨ヲ規定シタル所以ナリ」との一般論をたて、すぐ続いて「従テ賃貸人ガ賃料ノ延滞ヲ理由トシテ賃貸借契約ヲ解除スルニ当リテハ賃借人ニ対シ解除ノ前提タル法定ノ催告ヲ為スヲ以テ足リ、転借人ニ対シテモ之ガ催告ヲ為シタル後ニ非ザレバ賃貸借契約ヲ適法ニ解除シ得ザルモノニ非ズ。然ラバ原判決ガ、本件賃貸借ハ催告ヲ受ケナガラ尚ホ賃借人ガ賃料ヲ延滞シタル故ヲ以テ適法ニ解除セラレタリト做シ、転借人ニ対シ賃料ノ支払ヲ催告シタル事実アリヤ否ニ付何等顧慮スルトコロナカリシハ正当」（大判昭六・三・一八新聞三二五八・一六）

とし転借人の上告を棄却したが、最高裁も「賃借人に対して催告すれば足り、転借人に対して右（賃

借人の―筆者附加）延滞賃料の支払の機会を与えなければならないものではない」（判決要旨）との見解を示す。すなわち、

【8】 Aの土地をBが地代毎月払いの約束で賃借していたが（もっとも実際には半年分後払いとなっていた）、敗戦後Bの伯父Xが適法に転借。昭和二九年六月以後Bが地代を支払わぬので、Aは約一年後に三日間の期間つきで催告したが、Bは履行せず、Aの相続人YらはXに対して建物収去・土地明渡・損害賠償を訴求。――原審は「賃貸人と賃借人が通謀の上、転借権を覆滅せしめる意図のもとに賃貸借契約を解除するがごとき場合は、転借人に対する権利濫用及び信義則違反のそしりを免れないこともあり得るが、かかる特別の事情なく賃借人が賃料を延滞したときは、賃貸人は賃借人（引用者註→転借人）にその支払をなす機会を与える義務を負うものでない」とし、本件では右のような意図はなく、Xは土地使用料を払わぬなどB一家に不義理を重ねたために転借権保全の機会を失なつたのだと述べて、Xの控訴を棄却。

Xは、催告期間の不当性を非難するとともに、後出【88】のごとく適法転借人に妨害排除請求権の代位の代位まで許すときには、賃貸人と転借人の間にも、代位の限度で直接的関係を認めたこととなるから、転借人への賃料催告を賃貸人に義務づけるのが自然だと上告。これに対し、

「しかし、原判決は、所論転貸借の基本である訴外Bと亡Aとの間の賃貸借契約は、同人の賃料延滞を理由として、催告の手続を経て、昭和三〇年七月四日解除された事実を確定し、かかる場合には、賃貸人は賃借人に対して催告するをもつて足り、さらに転借人に対してその支払いの機会を与えなければならないというものではなく、また賃借人に対する催告期間がたとえ三日間であつたとしても、これをもつて直ちに不当とすべきではないとして、Xの権利濫用、信義則違反等の抗弁を排斥した原判決は、その確定した事実関係及び事情の下において正当といわざるを得ない。引用の各判例は、本件と事案を異にし、本件に適切でない」

（最判昭三七・三・二九民集一六・三・六六二）（椿・民商四七巻八〇三頁、中川・法曹時報一四巻七五八頁）。

中川解説は、立法論でなく現行法の解釈としては、転借人への催告義務を認むべき明文上の根拠なく、また賃貸人の介入・関係がない解除の場合にまで転借人の地位を考えよというのは「規定との釣合からみて、転借人を保護しようとするあまり、信義則を強調しすぎ」だし、本件Xの行状からみても保護に値いせぬとする。私は、本件が賃借権譲渡でなく転貸借と認定されており、しかも伝統的構成では転貸借は原貸借に強く従属せしめられているので、判示結論は当然だろうが、借地上建物の賃貸借と対比させて問題だとし、また認定を慎重にと評した。なお、【8】における先例応接に関しては後述する（本書二一九頁）。

最後に、原賃貸借の解除があった場合、適法転貸借はどういう消え方をするか。期間満了ケースで、解除が必要だと述べる非公式先例【4】もあったが、最高裁判例【9】は、後掲先例【10】の立場を踏襲して「賃貸借の終了によって転貸借は当然にその効力を失うものではないが、賃借人の債務不履行により賃貸借が解除された場合には、その結果転貸人としての義務に履行不能を生じ、よって転貸借は右賃貸借の終了と同時に終了する」（判決要旨）としている（【10】に対する【9】の先例応接については、本書二一九頁参照）。

【9】　Bは、Yら所有地の賃借人Aから、その一部を本件建物の敷地として転借し、建物をXに賃貸した。借地人Aの地代滞納により、Yらは、Aとの賃貸借契約を解除し、さらに転借地人Bに対しても建物収去・土地明渡の勝訴判決を得て、強制執行をしようとした。これに対してXは建物賃借権を理由に第三者異議の

訴を起こし、Yらは、さらに、Bの土地使用権がYらに対抗しえぬ以上、XもYらに対抗できぬと反訴に及んだ。――原審は、右認定にもとづいて、他に正当理由なきかぎりXの明渡義務は明らかだとし、AがBに負う転貸義務を理由とするXの抗弁に対しても、先例【10】を引いて当然転貸借は終了すると判示。そこでXは、【2】【4】【10】を引いて、解除がなければ転貸借は存続し、当然には終了しないと上告。しかし、

「原判決……は正当である。そして、所論は、原判決が【10】を引用したのは同判決を誤解したものであるというが、同判決は、転貸借の終了するに先だち賃貸借が終了したときは爾後転貸借は当然にその効力を失うことはないが、これをもつて賃貸人に対抗し得ないこととなるものであつて、賃貸人より転貸人に対し返還請求があれば転貸人はこれを拒否すべき理由なく、これに応じなければならないのであるから、その結果転貸人は、転貸人としての義務を履行することが不能となり、その結果として転貸借は終了に帰するものである旨を判示していることは、同判例の判文上明らかである。しからば、右判例は、本件につき原審の確定した事実関係には適切なものであつて、原審がこれを引用したことには、何ら所論の違法はない」（最判昭三六・一二・二一民集一五・一二・三二四三）（金山・民商四七巻一四三頁、安倍・法曹時報一四巻五六八頁、椿・法と政治一四巻二七一頁）。

ここで、ついでに、右【9】が、その案件に適切だとした大審院先例をみておこう。ただし、不法占拠ケースでなく、かつ転貸目的物の返還請求事件でもない。

【10】　Aは、本件電話使用権をXへ売渡抵当に入れて賃借していたが、転貸許可特約にもとづいてYに転貸し、Yはさらに敷金を取つてBに再転貸した。後にAは買戻権を喪失しXとの賃貸借も終了。XはBから、BがYに差し入れていた敷金返還請求権の譲渡を受け、Yに対して右敷金の返還を訴求する。転貸借の終了時期は敷金返還請求権の発生時期を左右し、かつYの主張した終了時期はXのそれよりも三年後だったの

で、返還額は全部か零かの違いを生ずるが、【4】に従つた原審に対し、大審院は【2】の見解に立つて原判決を破棄。すなわち、

「賃借人ガ賃貸人ノ承諾ヲ得テ適法ニ賃借物ヲ第三者ニ転貸シタル場合ニ於テ、其ノ転貸借ノ終了スルニ先立チ賃貸借終了シタルトキハ、爾後転貸借ハ当然其ノ効力ヲ失フコト無キモ之ヲ賃貸人ニ対抗スルコトヲ得ザルニ至ルモノト謂フベク(【2】参照)、従テ……Xヨリ返還請求アレバBハ之ヲ拒否スベキ理由ヲ有セズ之ニ応ゼザルベカラザルガ為、Yトシテハ賃貸人トシテノ義務ヲ履行スルコト不能トナリ、其ノ結果トシテ其ノ間ノ転貸借ハ終了ニ帰スルモノト謂ハザルベカラズ。……従テYハ賃料ノ延滞ナキ限リBヨリ差入レタル敷金ヲ返還スベキコト明ナリ」(大判昭一〇・一一・一八民集一四・二〇・一八四五)(山中・判民一二〇事件、薬師寺・民商三巻七八一頁)。

この【10】をめぐつて、薬師寺批評は判旨に反対で、当然終了するといい(ほかに、転貸借と併存的債務引受の関係につき、私には興味ある構成を述べる)、山中評釈は逆に判旨に賛成しつつ「継続的債権関係に於ては履行の後発的なる全部不能と雖、将来に対する関係に於ては原始的不能である」と理由を補足するなど(【9】の金山批評・安倍解説はこれを支持。なお、我妻・債権各論・中I四六四頁も参照)、論ずべき点もあるが、ここでは【9】の先例的内容についてだけ少し検討しておこう。

【9】の判決要旨(本書一九頁)は、転貸借当事者間の後始末や、【4】【10】で問題となつた敷金返還請求権発生の時期決定にとつては、たしかに必要な前提論である。しかし、転借地人Bことに転借地上建物の賃借人Xに対する地主Yの明渡請求を是認するかどうかに関しては、【2】→【10】の線(=転貸借は賃貸人に対抗できなくなる)を先例として承継するかぎり、どういう形を採つて転貸借が終了したところで、問題にとつて何の差異もないはずである(【10】の山中評釈が、当然には転貸借は消滅しないといいつつ「それは以て賃貸人に対抗し得べからざるものなる事も亦当然」と述べる点に注意せよ)。

とすれば、判決要旨したがつて判決理由の大部分は、本件にとつて不必要・無意味な揚げ足取りをやつた上告に対し丁寧にも答えただけの末梢的説示＝傍論であるというべく、「原判決は正当」という部分が【2】→【10】と結びついてレイシオ・デシデンダイになる。補足すれば、判決理由は「賃貸借が（解除によつて）終了した以上、転借人はその占有権限をもつて賃貸人に対抗できなくなるのであり（【2】【10】参照）、所論主張のような点は、本件では審理判断する必要がない。その限度で【10】は本件に適切でない」とすべきであつたと考えられ、かえつて原判決のほうが明確であろう。——ともあれ、以上のように解してくると、この【9】も、ここで採り上げるに適した典型的な不法占拠ケースの一つとなるわけである。

（三）若干の検討　大審院の一般論や前提論によつて「転借人の地位」に関するその評価態度をうかがえば、法は転借人に対する賃貸人の直接的権利を認めるが（民六一三Ⅰ）、これはひとえに賃貸人のために（für）与えられた権利で、それがあるからといつて両者の間には何ら直接の契約関係を生ずるものでない（→問題は、もつぱら賃貸借の当事者を基準にして考えたらよい）、としているのは明らかである。かように、転借人を、賃貸人に対して片面的法定責任を負う以外では、彼と全く無関係な・賃借人の従属者だとみる発想から、一方では、債務不履行の問題について転借人を履行補助者にたとえる一般論だつて生まれようし（大判昭四・六・一九―大庭「履行不能」本叢書民法7【38】参照）（上記については、椿・民商四四巻二一八頁も参照）、他方われわれの問題でも、原賃貸借の解除は当然に転借人の占有正権原を失なわせる（【5】【6】）、転借人に催告して支払の機会を与える必要はない（〔87〕）、とする解釈的構成が引き出されてくる。

催告の要否に言及する学説はほとんどないが（広中・債権各論講義Ⅱ六九頁のみ（不要説））、転貸借を従属的関係と解し原貸借解除により転借人の占有権限がなくなるとみる点は、通説的見解らしい（我妻・債権各論（中）Ⅰ四六三―四頁、吾妻・債権法二〇一頁、来栖・債権各論七二頁、山主・債権法各論一四九頁など）。ただし、末川説は、賃料不払などの場合に賃貸借を解除して適法転借人に対し返還請求できるかという問題をたて、「一般には肯定すべきであらうが、賃貸人は転借人に対して直接に権利を行使し得るのであり且つ承諾を与へたことでもあるから、転借人の適法な地位を危うくすることは信義誠実に反すると認められて、賃貸人が解除を為し得ないと解すべきことも少くあるまい」と答える（末川・債権各論Ⅰ二二六頁）。また、広瀬説も、転貸借には賃貸人の意思（＝承諾）も加わっていること、転借人には債務不履行の責任がないことを挙げ、借家法四条の精神ないし信義則から、賃貸人側の主張を制限してもよいのではないか、とする（広瀬・借地借家法の諸問題一四三頁）。

まず、判例・通説の考え方では妥当ないし適切ではない、と思われる点を掲げる。

（イ）この三款で出てきた事例は、【6】を別とすれば宅地の転貸ケースであるが、いかなる場合――かかる場合であれ、建物の一部転貸（＝間貸）であれ――にも対処できる抽象的包括的な段階での評価・構成をたてるのは、類型的把握が賃貸借法においても必要だとすれば（なお、この点に関しては、無断転貸の問題であったが、椿・民商三四巻（一九五七年）九九一頁も参照）、そもそも、その当否が問題となろう。ことに、建物転借人と異なり、自己所有の建物がある転借地人の場合には、建物の処理が無視できない問題となるが、直接地主に対して買取を請求できるか否かは、難問に属するだけでなく、必ずしも肯定するほうへ傾斜しない解釈が行なわれている（薄根「借地法上の更新・買取請求権」（本叢書民法11二四九—二五〇頁参照）。だから、今の場合におけるこの買取請求問題の結論如何では、「賃貸借の解除によって転貸借も原則として終了する」という判例的命題は、転借人に酷な結果を生じはしまいか。（ロ）次に、賃貸借の合意解約に関しては、法定解除と鮮やかな対比をみせて、特別事情のないかぎり転借人に対抗できないと解されているが（次述四款）、そうなれば賃貸人側としては、右の特別事情ないし例外だ（【18】【19】）と主張する以外に、実体は合意解除であるものを法定解除の形で主張する場合も十分ありえよう。その際に、【8】の原審のごとく、さような詐害的解除は許されないといってみたところで、偽装的法定解除か否かの判別は、実際問題として容易でない（これらは、椿・民商四七巻八一一頁をみよ）。ことに、いわゆる特別事情はそれを主張する者に全面的に挙証負担をかぶせるとすれば、通謀の証明（↓転借人の勝訴）はかなり困難となろう。（ハ）さらに、賃貸借法における基調の変化という観点からしても、伝統的発想法への固執は問題だ。無断転貸（民六一二）でさえ解除の無条件的許容に対する制約を認めざるをえなくなつている今日では、今から三、四〇年前の形成にかかる評価と構成を、転貸借の不変的な概念属性と理解し続ける（＝先例価値を無条件に認める）ことで、はたして十分だろうか（なお一般に、判例内容の確定と将来への予測とを、判例研究に際して強調しすぎると、発展のモメントないしそのための批判がボケやすい点に留意すべきである）。性質は同一でないけれど、最近は、本来なら文字どおり全く無関係なはずの、地主と借地上建物賃借人との間にさえ、一種の法的「関係」を認めるにいたったのだから（後出【49】）、地主の承諾に、単なる違法阻却的な意味しか与えぬ段階から、もっと積極的な内容を付与する方向へと進んでもよくはないか。ただ、こういう場合には、構成（Konstruktion）上の無理という慎重論が予想されうるが、既存の構成を唯一の公理として絶対服従の態度を採るようなことさえしなければ、この程度の解釈的構成問題は、法的評価（rechtliche Bewertung）の所在如何で、或る程度動きうるものであろう。合意解除も法定解除と同じく転貸借終了原因であるとしていた旧先例【11】の理論構成（ことに前提論の部分）を、変更先例【13】のそれと比較されたい。【11】は、まさしく法定解除ケースで用いられる一般論を堂々と述べているのである。

では、右述のような評価態度における反省を、どういう解釈的構成で受けとめうるか。――最も手っとり早く、しかも根本的な解決策は、少なくとも宅地に関するかぎり、第三者の利用関係を、賃借権譲渡と賃借人による併存的債務引受または保証負担との結合だと「構成」してしまうことである（そうすれば、地主も単なる譲渡の場合のように対価徴収に対する不安はなくなるが、今の問題に関していえば、土地の現実利用者に賃料不払がないかぎり彼を追い出せず、催告ももちろん彼に対してなすべきこととなる）。しかし、さような主張は、突飛な点でまず相手にされないとすれば（なお本書八八頁参照）、現状では、予測の確実性では欠ける所があるけれども、法的評価の所在をはっきり確認したうえで（つまり、おずおずと遠慮をしないで）、末川説・広瀬説の一般条項的解決に頼るほうが無難である。一般条項の濫用には警戒すべきだが、それの主機能は、法的評価に変動を来たしたにもかかわらず、在来の法的構成の安定度が高すぎる場合に、まさに両方の顔をたてうる点にあると考えられるので、この解決法も今の場合には適切だろう。

右以外には、転借人への催告を賃貸人に義務づける（これも信義則を根拠として）ことが考えられるが、それも構成上無理だとすれば、せめて、(イ)往々訴外である賃借人への催告およびその前提たる地代不払の事実を、下級審が慎重かつ十分に審理しておくこと、(ロ)賃借人以外の者の土地使用はほとんどすべて転貸借になるはずだ、というふうなドグマに陥らぬこと、に注意すべきであろう。

四　合意解約

（一）　序言　事例は借地と借家の両方にみられるが、旧先例の見解を改めた画期的な判例【13】を起点として、合意解約は、期間満了・解除権行使の場合と袂をわかち、転借人の地位を原則として（例外は本款（四）（【18】【19】））覆えせないこととなつた。もつとも、その後の法律関係ことに転借人の地位をどうみるか、はまだ解決ずみといえぬ状況にあるが（本款（三）参照）、それはともかくとして、右の判例法命題には、教科書的見解も、(イ)正当に成立した他人の権利を害する権利放棄は許されないから（我妻・債権各論（中）I四六四頁）、(ロ)賃貸人は転貸に承諾を与えていることだし、また信義則からいっても（石田・債権各論一四四頁、末川・債権各論I二二六―七頁、広瀬・借地借家法の諸問題七四頁）、(ハ)かようなことは当事者の意思（「恣意」と読み換えてもよいか？）の結果だから（吾妻・債権法二〇一頁）、(ニ)信義則上（来栖・債権各論七二頁、広中・債権各論講義II六九一―七〇頁）、といった理由で賛成している。――なお、後出【47】が民法五四五条一項但書を問題にしたところから、合意解除（解約）論との関係も登場してくる都合だが、これに言及する「契約総論」体系書においても、取扱い方はきわめてあっさりしている（末川・契約法・上（総論）一三七頁、我妻・債権各論（上）三六頁、柚木・債権各論（契約総論）三三七頁、三〇〇頁参照）。

次に、「適法転借人」でなく「賃借地上の建物の賃借人」について、最近、前者で形成された法理に従う判例【49】が現われているが、（二）で掲げる【12】は、これら二つの違いを、この問題の判断に重要（relevant）な事実とみるならば、四節三款中へ移すべきものとなる（なお【47】の加藤評釈参照）。

（二）　判例法理の形成　最初は、合意解除（裁判所は合意解約という表現を用いない）によって転借人は無権原占有者になる、とした非公式先例。

【11】　原審が「賃借人Aト賃貸人Y間ノ賃貸借ノ消滅シタル結果、転借人Xハ本件家屋ノ所有者タルYニ対スル関係ニ於テハ、爾後右家屋ヲ占拠スル権限ナキニ至リタルモノ」と判示したので、Xから、賃貸借終了を理由に家屋明渡を認容するには、転貸借の終了事実についても説示すべきだと上告した事件。大審院は、転貸に対する賃貸人の承諾は彼と転借人との間に何か或る貸借関係を生ぜしめるものではなく、民法六一三条一項が賃貸人に与えた直接的権利は彼の不便を避けるため特に認められたのであるから、賃貸借が終了した場合、転貸借は当然消滅しないけれども、賃貸人が「物ヲ占有セル転借人ニ対シ直接其ノ返還ヲ請求スルヲ得ルハ多言ヲ要」しない、とした。そして、XY間に何ら貸借は成立しておらず、かつYA間の賃貸借は合意解除で終了したので、たしかにYは転貸に承諾を与えはしたが「右合意解除ノ時以後ニ於テハ、XハYニ対シ本件家屋ヲ占有スベキ権限ヲ有セザルニ至リタルコト甚明白」（大判大一四・一二・二六新聞二五三三・一三）だと、上告を棄却。次の【12】も同旨判決であるが、転借人が土地明渡を訴求されたのではなく、震災後バラックを建てて居住していた借地上建物の賃借人が追い出されたものだ。

【12】　借家人は、借地借家臨時処理法六条と転貸が適法なりしことを理由に土地占有の正権原ありと主張し、地主のほうは、借地人との合意解約前から借家人が無権原でバラックを建てていたと反論したが、原審は、借家人主張の事実があるとしても、原賃貸借が解約された以上、それだけで正権原を失なつたと判示。そこで、借家人は右法律が転借人保護を目的にすると上告したが、大審院は、右条文は無断転貸の場合だけ

に関すると蹴り、今の問題に関しても次のごとく述べて上告棄却。

「賃貸人ト賃借人トノ合意ニ因ル賃貸借ノ解除モ亦同条ノ禁止セル所ニアラザレバ、其ノ解除ハ当事者間ニ有効ナルハ勿論、転借人ニ対シテモ之ヲ対抗シ得ルモノトス。而シテ転貸借ハ賃貸借ヲ前提トスルモノナレバ、賃貸借ニシテ有効ニ解除セラレタル以上、転借人ガ目的物ヲ占有シ得ル権利モ亦当然消滅ニ帰スルモノト謂ハザルベカラズ」（大判昭四・三・一三民集八・三・一六一、新聞二九八四・一〇）（新井・判民一五事件）。

新井評釈は、本件借家人を転借人とみることについては別段疑わなかったが、判旨は次の【13】の直後で紹介する先例（大判大一一・一一・二四民集一・一二・七三八）に比して「著しく形式的であり、空疎である」と反対している。

以上二判決に対して、異なる立場を打ち出したのが、昭和九年の公式先例【13】である。

【13】　Yが所有する本件農地を賃借していたAは、人手不足のため、Yの承諾を得てXに転貸した（もっとも実状は賃借権の譲渡に近い）。Yは、Xが小作料を支払わないので催告したが、Xこれに応ぜず。そこで、Aと合意で賃貸借を解約してから、Xに対して本件農地の明渡を訴求。一、二審とも敗訴したXは、YA間の右のような解約は信義則に違反すると上告し、容れられた。

「甲ガ其ノ所有物ヲ乙ニ賃貸シ乙ガ甲ノ承諾ヲ得テ之ヲ丙ニ転貸シタルトキハ、丙ハ其ノ転貸借契約ノ内容ニ従ヒテ右物件ノ使用収益ヲ為ス権利ヲ有シ、其ノ使用収益ハ甲ニ於テモ之ヲ認容セザルベカラザルモノニシテ、乃チ丙ハ甲ニ対シテモ右ノ権利ヲ主張シ得ルモノナルコト云フヲ俟タザル所ナルヲ以テ、其ノ権利ハ甲単独ノ意思ヲ以テ任意ニ之ヲ消滅セシメ得ベキ道理ナキハ勿論、甲乙間ノ合意ヲ以テスルモ之ヲ消滅セシメ得ベキ理由ナキモノト云フベク、此ノ結論タルヤ信義ノ原則ヨリシテ観ルモ洵ニ当然ノコトナリト云フベシ（尚当院大一一・一一・二四判決並大一四・七・一八判決参照）。故ニ縦令甲ト乙トガ右ノ賃貸借解除ノ合意ヲ為スモ、其ノ合意ハ乙丙間ノ転貸借ニ影響シテ丙ノ権利ヲ消滅セシムベキ理由ナキモノ」（大判昭九・三・七民集一三・四・二七八）（来栖・判民二七事件、石田・論叢三一巻九一六頁、板木・法と経済二巻四六〇頁）。

右判文中の参照判例は、借地人が自己所有建物を抵当に入れ競売されたケースだが、前者（大判大一一・一一・二四民集一・一二・七三八）（鳩山・判民一一〇事件―賛成）では、建物所有者（＝借地人）が敷地買受人の買受前に借地権を放棄し、後者（大判大一四・七・一八評論一四民法七〇五）でも、建物所有者（＝借地人）が地主とのあいだで賃貸借契約を合意解除している。大審院は、前者にあっては、競落人に対する土地買受人（＝新地主）の家屋収去・損害賠償請求を斥け、後者にあっては、競落人を不法占拠者だと判示した原判決を破棄した。保護された者は転借人（【13】の場合）か建物競落人かの違いがあるが、「権利者を恣意から守る」という抽象的な共通項でもって、一括りしたものだろう。

評釈をみると、まず来栖評釈は、先例【12】に無挨拶な点や理由不足を非難したが、転借人保護の見地から、本判決が具体的事情（＝Xの債務不履行）を離れた一般的命題としてもつ意義を積極的に評価し、以後の判例でこの態度を持し理由づけを明確にすることを望んだ。石田批評は、債務不履行による解除をしなかった、という方法の不備に即して判旨に賛成する。これらと異なり板木批評は、依存性こそが転借権の本質に属し、合意解除の場合にも転借権は消滅するというのが論理的だと解して、本件は解約自由を正当に行使したもので、【12】の立場がきわめて妥当だ、と反対論を展開した。この板木説は、本件事案（＝賃借権譲受人に近似する転借人Xの小作料不払）だけについてなら適切だろうが、一般的場合に妥当させる「構成」として今日これを眺めるときには、とうてい維持・是認さるべくもない硬直した議論である（もちろん、今から三〇年前の主張だという点は、割引きしなければならないが、それにしても、来栖評釈に比較すれば、古典的ドグマを前面化・一般化させすぎていよう）。

ところで、後日の大審院は、前出【6】だけが傍論として右【13】の立場を踏襲したにすぎず、同じく傍論でも【2】のごときは、かえって反対の見解を示していた。だが、最高裁は、特殊な（＝先例【13】が妥当しないとみられる）ケースに対する判決【18】を経た後、左掲【14】において、事実上右の【13】を承継している（もっとも【13】は、「借地上建物の賃貸借」に関する最近の先例【49】において、【14】とともに、参照判例とされている）。すなわち（なお大阪高判昭三四・六・三〇下級民集一〇・六・一四四九参照）、

【14】　Xは本件家屋をA会社に賃貸し、Aはこれを社員寮に使っていたが、後日その必要がなくなり管理人Yに使用させるにいたったらしい。この関係は、Xの暗黙の承諾があった転貸借と認められているが、問題の合意解除は、A会社側が、自分は使う必要がないので返してもよいけれど、Yが居住しているから直接Yに話してくれ、といったことのようである。XはYに明渡を訴求したが、原審で敗訴し、幾点かを挙げて上告。結果は棄却。関係部分を掲げると、

「賃借人が賃借家屋を第三者に転貸し、賃貸人がこれを承諾した場合には、転借人に不信な行為があるなどして賃貸人と賃借人との間で賃貸借を合意解除することが信義誠実の原則に反しないような特段の事由がある場合のほか、賃貸人と賃借人とが賃貸借解除の合意をしても、そのため転借人の権利は消滅しない旨の原判決の見解は、これを正当として是認する」（最判昭三七・二・一裁判集五八・四四一）。

(三)　適法転借権の運命　右述のように、原賃貸借の合意解約によっては、適法転借人の占有正権原を覆えすことができないと解する場合にも、そのことから、転借権の運命までが必然的自働的に

決定されるものではない。なかんずく、存続の条件・枠は、右とは別個の問題である。——こういった点を取り扱った最高裁先例はまだないようであるが、二、三の下級審判決は、建物賃貸借のケースにつき、いろいろな観点からの判断を示しており、学説にも、この点に言及する見解が若干ある。

まず、【13】の来栖評釈は（非常に慎重かつ控え目だけれど）、転貸一般を対象として（＝土地・建物のいずれか一方には限定せずに）、転貸借の存続期間中は賃貸人が転貸人たる地位を承継する、という解釈的構成の可能性を説き（判民七七頁末尾）、【3】（家屋のケース）の山田評釈は、信義則を根拠として、はじめに約定された賃貸借の期間が満了した時から転貸借は賃貸人に対抗できなくなると解したが（判民二一六頁）、最近の高裁判決にも、転貸借当事者の一方が、賃借人（＝転貸人）から賃貸人へ移行する、と述べているものがある（なお、この【15】は、検索基準時点より後の判決である）。もっとも、この判決の結論は、賃貸人からの有効な解除（支払わねば解除するという条件付催告があったのにかかわらず、転借人のほうは訴訟で何らその点を主張しなかった）によって、賃貸人と転借人のあいだにおける賃貸借関係が終了した（→転借人は明渡義務を負う）、となっているのに注意されよ。つまり、左に掲げる理由は、本件結論に直接関係がないのである。ともあれ、次のようにいわれる。

【15】「家屋の賃借人において該家屋の全部又は一部を賃貸人の承諾をえて他人に転貸したのち、右賃貸借が賃貸人と賃借人（転貸人）の合意によって解除された場合には、他に特段の定めがない限り、賃貸人は右賃貸借の消滅を理由として転借人の該家屋に対する使用収益権を否定することができない反面、爾後転貸人（賃借人）と転借人間に存した転貸借関係は当然賃貸人と転借人間に移行し、賃借人であったものは右転貸人たる地位から離脱し、賃貸人において右地位を承継することになるものと解するのが相当である」（東京高判昭三八・四・一九下級民集一四・四・七五五）。

しかし、これに対しては、無雑作に借家法四条を類推適用する（＝転借人への終了通知後六カ月だけ転借権の命脈を保たせる）下級審（大阪地判昭二六・四・九下級民集二・四・四九七）や、これを支持する見解があり（広瀬・借地借家法二二七―八頁、広中・債権各論講義II一〇二頁）、さらには、正当事由と結びつけて転借権の消滅を帰結する高裁判決も二件ある（これらは、前述(二)の判例法理に対する例外(次述(四)参照)として把えることもできるが、ここでは、転借権の消滅の仕方という角度から眺める）。その一つは、

【16】　Aは明治末ごろ以来Xの父Bから本件家屋を賃借居住しているが、昭和の初めY女の父Cに一部を転貸し（Bの暗黙の承諾があつたと認定されている）、CYはそこで豆腐の製造販売業を営んでいた。Cの死後はYが引続き転借して営業を継続。ところが、引揚者のXは、父Bから係争家屋を含む土地家屋の贈与を受け、転住する気持があつたAとのあいだで賃貸借を合意解除して（Aは退去）、Yに明渡を訴求。一審ではX敗訴。控訴審は、右合意解除が正当事由によると判定。そして、Yが明渡を約しながら履行せず、また代替家屋の斡旋を受けたのに拒絶したことなどを考え合わせて、Xの明渡請求を認容したが、さような結論を導く際に、次のごとく理由づけている。

「賃貸人と賃借人とが賃貸借を合意解除した場合、その合意解除が既存の転貸借に対しいかなる影響を及ぼすかに関しては、法の明規するところがないけれども、少くとも、それが信義の原則に遵い正当事由によるものと解される限り借家法四条の規定を準用し、賃貸人が合意解除による賃貸借の終了を、転借人に通知したときから六月を経過することによつて、転貸借は終了すると解する」（福岡高判昭二七・一一・二七下級民集三・一一・一六七〇）。

もう一つは、【13】の理を一般論としては認めつつ、やはり正当事由ありとして、「控訴会社（＝転借人）は……家屋を権原なく占有することに帰し、これを被控訴人（＝賃貸人）に明渡す義務がある」

としているが、次のごとく理由づけた。すなわち、

【17】「家屋賃貸借の当事者間における解約の合意は当然には転借人に対抗しうるものではないが賃貸人が右解約につき正当の事由があるときは、借家法四条を準用して、転貸借は右合意の事実を転借人に告知した日から六ケ月を経過した時に終了し、この場合転借人側に存する事情はこれを顧慮すべきものでないと解するのが相当である」（大阪高判昭三六・七・一八下級民集一二・七・一七四四）。

これらについて、若干の論評を加える。(イ)いつまで転借人が占有利用できるかに関しては、(a)原賃貸借が存続すべかりし期間中、(b)転貸借の存続期間中、(c)借家法四条による期間内、という三つの考え方があり、前二者に対しては、賃貸借（(a)の場合）ないし転貸借（(b)の場合）に期間の定めがない場合不都合を生ずる、と評されている（広瀬・借地借家法の諸問題七七頁参照）。――この問題は、解釈論理というよりも多分に利益調節に依拠するので、評価の仕方如何によって、右のような若干のズレを生じても当然だが、思うに、「転借人に解除を対抗できない」「転借権は消滅しない」といってみたところで、転借人がそっくり賃借人そのままになれるという程度にまで、強く――いわば従属性からの脱却を徹底させて――理解するのは、ことに建物賃貸借の場合、過当であるまいか（なお、借地の場合は、第三者が土地を利用する関係の認定を、「終了」にまで従属性がつきまとう転貸借のほうへ流し込もうとすること自体に、そもそも問題がある）。この点、【15】も、説示が結論を左右せぬ気楽なケースだとはいえ、表現が無制約すぎる。といって、ただちに借家法四条にもっていく(c)の見解は、明渡正当事由を認定してから同条を類推する【16】【17】に比して保護が薄すぎ、またバランスを失する。さらに、従属性で(c)の解決を基礎づけるのは（広瀬・借地借家法

（二二八頁参照）、従属性への固執がすぎはしまいか（転貸借のさような性格規定も、しょせんは或る解決を導き出すための一つのドグマ（独断の意ではない）であって、絶対的かつ不変の公理でないことは、既述のとおりである（本書二四頁））。私は、(b)説が妥当であり、それでは困る場合があれば、正当事由を改めて問題とするか、原賃貸借の期間を補充的に用いるか、でよいと思う。(ロ)次に、【15】は、特段の定めがないかぎり云々というが、その「定め」が特約（ことに賃貸人と賃借人との）を意味するならば、若干問題であろう。けだし、もし【15】の立場が最高裁で採用されると、いわば予防措置として、常にさような条項が約定されるようになり、ひいては当事者意思の名のもとで恣意がまかり通れる余地を含むからである。(ハ)このほか、【16】【17】のように、正当事由をも問題とするケースでは、これまた転貸借の「従属性」という命題が、正当事由の認定標準を低下させぬよう注意すべきであるが（でないと、通常のケースでは、いくら認定を厳正にしても、ここで「抜け穴」が用意されることになるから）、その意味で、【17】の末段の説示は、本件の事案（＝無断転貸を賃貸人が黙認した、と認定されている）についてなら格別、適法転借人＝一般に関する議論として眺めるときには、やはり問題であろう。

（四）判例法理に対する例外ケース　一つは、前記先例【13】が本件に適切でないとする棄却判決で、要旨は「家屋の賃貸人が、家屋の一部の転貸借につき近く予想される賃借人の家屋退去に至るまでの間をかぎって承諾を与えたものであり、転借人もそのことを知っていたときは、右転借権は賃借人の家屋退去と同時に消滅する……」となっている。

【18】　簡約して事実をいうと、A（一二審まで当事者）は、本件建物を家主Yから賃借し、父たちの住居としていたが、Xが、人を介してYに、右家屋の一部をAから転借したいと承諾を求めてきた。右家屋を処分

したい意図もあったYは、近々に予想されていたAの退去までならば、という条件で承諾を与えたが、権利金の支払などで当初から紛争となり、Aの転任による退去とともにXが家屋全部を占拠使用するに及び、本訴明渡請求事件になった。原審は、YA間の合意解除により転貸借も消滅した(→Xは不法占拠者になった)と判示し、XAからの権利濫用抗弁も認めなかった。かくてXは、【13】をも引用して上告。合意解除に関する部分を掲げると、

「原審の認定した事実によれば、Yは、近く予想せられたAの本件家屋退去に至るまでの間を限って、その家屋の一部の転借につき、Xの代理人に対し承諾を与えたものであって、X側も当初より右事実関係を了承していたものであることがうかがえるから、Xの転借権が、YとAとの賃貸借の終了により消滅するとした原判決には、所論のような経験則違背はなく、また民法一条違反も認められない。なお、所論引用の判例は、本件には適切でない」(最判昭三一・四・五民集一〇・四・三三〇)(山中・民商三四巻三号九二九頁、岡本・法協七四巻三号三四四頁、大場・最高裁判例解説四二頁)。

山中批評は、この【18】が【13】の立場を肯定するとしたうえで、本件では要旨記載の特別事情(期限つき承諾とX側の了承)があったため【13】が適切でないとしたのである、とみる。岡本評釈は、承諾が完全か条件ないし期限つきかで、両者を区別する。大場解説も同旨であって、目的物の差異(土地か建物か)よりも承諾内容の違いを、法律上重要な事案の相違点と解するが、さらに進んで、適法転貸に関する自己の解釈的主張と関連させて、【18】が【13】を不適切としたことに疑問を投げている。

もう一件も建物賃貸借ケースであって、「賃借建物で鉄工場を経営していた賃借人が、その事業を自己が代表取締役となって会社組織にした結果、その建物を右会社に転貸するに至った場合において

は、賃貸人は賃貸借の合意解除の効果を転借人に対抗できる」(判決要旨)とされている。

【19】　本件建物の所有者Yと賃借人Aおよび居住者Bとの間で、明渡の調停・和解が成立したが、X会社が適法転借権を主張して明渡執行を拒んだので、YからXに対し提訴。本件では、ABXの関係が重要な意味をもつから、原審認定事実よりそれを摘示しておくと、Aは、Yから賃借した本件建物でボルトナットの個人製造業を営んでいたが、後これを有限会社に改め、さらに他の二会社と合併してX株式会社を設立した。そして、Aはその代表取締役となり、彼と家族が株式の七〇%をもち、本件家屋は右会社の工場の一つとされた。Bは、本件建物の工場長となり、数年間そこに居住していた者である。

原審(名古屋高裁)は【13】を引いて、合意解除によつて適法転借人の権利は消滅しないと述べはした。しかし、(イ)X会社設立の経緯や同族会社的構成、さらにはAが右会社の代表者なのでA名義で供託してもかまわぬと思つていたこと、(ロ)Bは本件家屋に数年間居住し明渡調停へも五回出席していること、(ハ)本件建物にはX会社の機械類が少し残つている程度であること、などの諸事実から、「X会社も前記調停及び和解によつて、その当時Yと右Aとの間の賃貸借が終了になつて居る事実関係を了承していたものであることがうかがえる。……信義則上X会社の転借権が……消滅して居ること明か」だとXの控訴を棄却。そこでXは、(イ)【13】の解釈を挙げて、合意解除により自分が影響を受けるべき理由なし、(ロ)転借人が賃貸借の終了を知つておれば、なぜ転借権は消滅させられるのか、理由を欠く、また了知の有無は転借権の消長に関係がない、(ハ)X会社とAとは全く別個の法主体であつて、同一ないし近似の主体ではない、と上告。しかし、次のごとく棄却。

「原判決の確定した事実によれば、本件賃借人と転借人とは判示のような密接な関係をもち、転借人は、賃貸人と賃借人との間の明渡に関する調停および明渡猶予の調停に立会い、賃貸借が終了している事実関係を了承していたというのであるから、原判決が、本件転貸借は賃貸借の終了と同時に終了すると判断したのは正当であって、所論の違法は認められない」(最判昭三八・四・一二民集一七・三・四六〇)(篠塚・民商四九巻八六七頁、瀬戸・法曹時報一五巻八八四頁、椿・法と政治一四巻六一五頁)。

(イ)この【19】は、原審と異なり、先例に全く言及していないが、【14】では転借人に不信行為のあった場合が「特段の事由」の設例とされており、【13】では例外を全く認めないかのような強い一般論が示されているために、引用を避けたとも考えられるのであって、【19】はやはりこれら判例法理の例外をなす場合の一つである。(ロ)次に、篠塚批評は、X会社(＝転借人)の「了承」という言葉を、いわば承諾・受諾の意に解し(本件を、実質的には三者間の合意解除があった場合と理解する)、かかる了承のあった事実が判示結論の決め手だ、とみるようである。たしかに、家屋利用状況に関する原審認定などは、明渡の了承→準備とも読めよう。しかし、判文は両審とも「……事実関係を了承し」云々というだけであり、かつ上告審判決では肝心の了承主体たる「転借人」の語に混乱がみられるのであって(椿・右掲六二〇頁参照)、いわゆる了承に、そこまで強い意味内容を付与するのは、判例理解としては無理だろう。本判旨のレイシオ・デシデンダイは、すなおにみて、やはり判決要旨記載の事項、つまり、XA間に少なくとも今の問題では同一主体に準ぜしめられうる「密接な関係」が存する点にあり(これを irrelevant な事実として捨象してしまうと、【19】の先例内容は非常に抽象化されて、他の先例との関連も全く切断されよう)、Xの了知はその補強的説明にすぎぬというべきであるまいか(ただし、同批評を解釈的主張としてみれば、転借人の地位の独立化をはかり、法定解除における解決の修正をも展望させるなど、示唆に富む)。(ハ)ところで、本件のごとく、賃借人と転借人の「密接な関係」が組織変更・営業形態変更にもとづく場合には、民法六一二条適用や借家明渡正当事由の有無、ことに前者に関する前提的判断として、転貸になるか否かが問題になるが(鈴木「賃借権の無断譲渡と転貸」本叢書民法11九二頁以下、一六五頁以下参照。なお後出【52】【53】も、そういう事案)、これは今のテーマにも関連する。——瀬戸解説は、公平の要求（無断転貸の制裁はない代わりに、合意解除にも当然転借人への対抗力を認めよ、とのバランス論の表現らしい）を論拠に否定説の可能性を認めるが、【19】の事案の個性を別とすれば、肯定説も存在資格はあるだろう（くわしくは、椿・右掲判批六一九—二〇頁参照）。

三　建物所有と敷地の不法占拠

一　序　説

すでに指摘されているとおり、わが「民法上家屋はその敷地とは別個の所有権の客体とせられるので、その法律的運命に於ても家屋独自の法律関係が成立する。然し、事実上家屋は土地を離れて存在し得ず、家屋の利用は敷地の利用を伴ふ。ここに於てか、家屋と敷地との法律関係は極めて多岐に亘り、又極めて複雑なものとなる」が（我妻＝広瀬「賃貸借判例法4」法律時報一二巻五〇七頁参照）、本書は、かような事態から生じうべき諸問題のうちで、建物所有ないし建物占有が、敷地の利用権限（＝占有正権原）をめぐって「不法占拠の成否・効果」に関わり合う幾つかの場合を採り上げたい（建物占有（＝賃借）の問題は四節で別に説く）。本節では、以下の諸点を問題とする。

(イ) まず、建物所有者に敷地利用権が欠けている場合には、彼は、もちろん敷地不法占拠者として「責任」を負わねばならぬが、彼が建物を売却してしまったときには、建物登記名義の所在如何によって、不法占拠責任の負担者が決せられるか否か。——体系書的には、物権法総論で、登記なくして対抗できる第三者ごとに不法行為者と関連させて説かれている問題であるが、二款が、さような位置づけの当否に関する検討も兼ねて、これを扱う。**(ロ)**また、借地上に建物を所有する賃借人からその建物を買った者は、敷地の第三利用者として民法六一二条の問題に引っかかるが（なお、無断の転貸・譲渡に関しては**五**節一款も参照）、かような建物買受人は、地主が「賃借権ノ譲渡又ハ転貸ヲ承諾セサルトキハ」いわゆる建物買取請求権を有する（借地一〇）。——この点に関する判例は、すでに整理ずみであるけれども（我妻＝広瀬・法律時報一二巻六三一頁以下、薄根「借地法上の更新・買取請求権」本叢書民法11二三九頁以下）、不法占拠賠償法・利得返還法の形成に関する一場合として、判例法理の発展を**三**款で今一度ふり返っておきたい（効果は同じなため、借地法四条二項のケースに言及することもある）。**(ハ)**さらに、建物競落は、やはり敷地利用について問題を生じ（「制度」的解決として民法三八八条、その適用限界などは林（千）「法定地上権」本叢書民法5参照）、ほかにも、そういうケースは幾つかみられるが、それらをまとめるのが**四**款である。

二　地上建物の譲渡人

（一）　判例の状況

動産や証書の物権的返還請求にあっては、現在の物権侵害者・占有者を相手方とすべし（＝現在もはや侵害・占有しておらぬ者は被告適格なし）とされており（大判大六・三・二三民録二三・五六〇（年金証書）、大判大九・七・一五民録二六・九七三（造作）、大判昭一二・一〇・二六新聞四二〇二・一五（恩給証書））、地主が、無権限で所有地上に存する建物の収去を訴求する場合において「物上請求権ノ行使ニ因ルトキハ、該家屋ニ付管理権及処分権ヲ有スル者ニ対シテ為サザル可ラズ。蓋シ右家屋ニ付管理権及処分権ヲ有スル者ニ非ザレバ、土地所有権ノ侵害者ナリト云フヲ得ザルヲ以テナリ」という一般論のもとで、旧所有者の被告適格を否定した非公式先例（大判昭五・一〇・二九新聞三二〇四・一〇）もあるが（ただし、異なるものとして後出【143】がある）、ここでの問題たる登記如何に関しては次の諸事例がある。

最初の判例は、事案・争点がはっきりしていないが、借地上建物の譲渡人は賃貸借終了後の損害につき賠償義務を負わぬ旨の判示とみられている（後出【22】の川島評釈）。

【20】「民法一七七条ハ、不動産ニ関スル物権ノ得喪又ハ変更アルモ其登記ヲ為スニ非ザレバ之ヲ以テ第三者ニ対抗スルコトヲ得ザル旨ノ規定ニシテ、登記ヲ為サザル限リ得喪又ハ変更ナシトスルモノニ非ズ。故ニ建物ヲ所有スル為メ地所ヲ賃借セル者ガ其建物ヲ他人ニ売却シタル場合ニ於テ、登記ヲ為サザル限リハ其売買ニ因ル所有権ノ移転ヲ以テ第三者ニ対抗スルヲ得ザルコト勿論ナルモ、仮令登記ヲ為サザルニセヨ売買ノ成立ナキモノト謂フ可カラズ。而シテ既ニ売買ガ成立シ買主ニ於テ建物ヲ占拠使用セル以上ハ、特別ノ事由アルニ非ザレバ賃借人ニ於テ地所ヲ使用スルノ要ナキ筋合ナルヲ以テ、単ニ建物売買ノ登記ナキヲ理由トシテ賃貸借期間経過後尚ホ賃借人ガ地所ヲ使用スルモノト断言ス可カラズ。」そして本件借地人Yは地主Xとの賃貸借期間満了後、建物を他人に売却して該宅地を使用していないから「建物ノ売買ニ付登記ナキニセヨ是唯所有権ノ移転ヲ以テXニ対抗スルヲ得ザルニ過ギザレバ、之ヲ理由トシテYニ於テ賃貸借期間満了後モ引続キ宅地ヲ使用スルモノナリト断言ス可カラザルコト前段説明ノ如シ」（大判大六・一〇・二二民録二三・一六七四）。

次は、地主Xの建物収去・地所明渡請求を認めなかった棄却判決。

【21】Yは「謂ハレナク」Xの所有地に本件建物を建てていたが、Xの請求に対して、右建物には仮登記をし、後にAに売却して移転登記をすませたから、自分には明渡請求の被告適格性がない、と抗弁。原審は、仮登記からただちに移転登記をなすことも権利移転の実状に符合する以上有効とした（【20】と対比して、移転登記まで終ればYの無責任は確実となろう）。大審院は、登記の有効性に関する原審見解を誤まりとしたが、

Xを民法一七七条の第三者から除外する（＝登記なくして売買を主張できる）として、結局は上告棄却。すなわち、

「民法一七七条ノ規定ハ、同一ノ不動産ニ関シテ正当ノ権利又ハ利益ヲ有スル第三者ヲシテ、登記ニ依リテ物権ノ得喪及変更ノ事情ヲ知悉シ以テ不慮ノ損害ヲ免カレシメンガ為メニ設ケタルモノニシテ、……彼我利害相反スル者ノ利益ヲ保護スルノ趣旨ニ出デタルモノナルコトハ、従来当院判例ノ示スガ如クナルヲ以テ、本件事案ノ如ク叙上同一ノ建物ニ付キ正当ノ権利又ハ利益ヲ有スル第三者ニ該当セザルXニ対シテ、前記所有権移転ノ事実ヲ主張セントスルニハ固ヨリ登記ヲ要スルモノニ非ズ。而テ原判決ハ、本件建物ハ既ニYヨリ訴外Aニ売却セラレYハ現時其所有者ニ非ザル事実ヲ認定シ、依テ以テXノ提起シタル建物収去並ニ地所明渡ノ請求ヲ否定シタルモノナルガ故ニ、原判決ハ此点ニ於テ維持スルニ足ル」（大判大九・二・二五民録二六・一五二）。

次は、「建物明渡及損害賠償請求事件」において、先例【20】を引いて「他人ノ所有地上ニ建物ヲ所有シタル者ガ該建物ヲ他ニ譲渡シタルトキハ、其ノ移転登記ノ有無如何ヲ問ハズ右敷地ヲ不法ニ占有スルモノト云フヲ得ザルモノトス」（判決要旨）とする破棄判例。

【22】　借地人Aは校舎建築代金が払えず、請負人Xを建物所有者にしていたが、地主Yは昭和四年一二月一四日賃貸借契約を解除し、Xに対して、建物収去・土地明渡ならびに解除の翌日から昭和八年三月二九日まで（同年三月末にXからAへ所有権移転登記がなされている）の損害賠償を訴求。収去明渡を命ぜられたことには別段苦情もなかつたようだが、Xはいつまでの損害を賠償すべきかが争点となつている。つまり、Xは、昭和四年一一月二五日Aに所有権を移転し引渡もすませたので、その日以後は建物を所有していないと主張したが、原審は、登記がなければYに対抗できないとして、前記移転登記の前までの賠償を命じた。

そこで、Xは【20】【21】を引いて上告し、次のように容れられた。

「凡ソ他人ノ所有地上ニ何等ノ権原ナク建物ヲ所有シ該土地ヲ不法ニ占拠シタル者ト雖、一旦右地上建物ノ所有権ヲ他ニ譲渡シタルトキハ、其ノ移転登記ノ有無如何ヲ問ハズ右建物ノ譲受人ニ於テ該土地ヲ占有セルモノニシテ、譲渡人ハ既ニ地上ニ建物ヲ所有セザル結果土地ヲ占有セザルモノト云フベク、従テ土地所有者ハ斯ル譲渡人即チ地上ニ建物ヲ所有セザル者ニ対シ、不法占有者トシテ其ノ収去若クハ右譲渡後ニ於ケル損害賠償ノ請求ヲ為シ得ザルヤ論ヲ俟タズ。蓋シ地上建物ノ所有権ノ譲渡ニ付其ノ登記ナキ限リ第三者ニ譲渡ヲ以テ対抗シ得ザルコト勿論ナルモ、譲渡当事者ニ於ケル建物所有権移転ノ効果ハ固ヨリ之ヲ否定シ得ザルヲ以テ、譲渡人ハ右譲渡ニ因リ其ノ所有権ヲ喪失シタルモノト云ハザルヲ得ズ。若シ夫レ地上建物ノ所有権移転ノ事実ヲ其ノ登記手続未了ノ故ヲ以テ土地所有者ニ対抗シ得ザルモノトセンカ、或ハ土地所有者ノ請求ニ依リ、地上建物ノ所有者ニ非ザル譲渡人ガ、譲受人所有ノ建物ヲ収去シ若クハ他人所有ノ建物ガ地上ニ存在スル為メ依然不法占有者トシテ損害賠償ノ義務ヲ負担セザルベカラザルト共ニ、却テ真実ノ建物所有者タル譲受人ハ、前示収去若クハ損害賠償ノ義務ヲ免脱スルガ如キ結果ヲ招来スルニ至ルベケレバナリ。故ニ地上建物ヲ譲渡シ土地ヲ占有セザルニ至リタル者ハ、縦令其ノ所有権移転登記手続ヲ了セザルトキト雖、土地所有者ニ対シ右譲渡ニ因リ土地ヲ占有セザル事実ヲ主張シテ、前示収去若クハ不法占有ニ因ル損害賠償ノ義務ヲ拒否シ得ベキモノト解セザルベカラズ（【20】参照）。

原審弁論ノ結果ニ依レバ……（Xは）Y主張ノ期間内、本件土地ヲ占有セザル旨主張セルコト明白ナリ。左レバ原審ハ須ラクY等主張ノ如キ期間内Xガ地上ニ建物ヲ所有シ本件土地ヲ不法ニ占拠シタリヤ否ヤノ事実ニ付審査セザルベカラザルニ拘ラズ……登記ヲ為シタル旨ノ主張立証ナキヲ以テ……Y等ニ対スル関係ニ於テハ依然Xハ地上ニ建物ヲ所有……セルモノナル旨即断シ」たのは違法（大判昭一三・一二・二民集一七・二二六九）（川島・判民一三九事件、岩田・民商九巻八九四頁）。

【21】を先例とする非公式先例もある。

【23】 地主Xより賃貸借を解除された借地人Yが、その直後に所有建物を補助参加人Aらに売却した案件。原審は、Yの明渡義務を肯定し、かつ右売買が登記未了であると認めたが、Xを民法一七七条の第三者から除外。大審院もXの上告を次のごとく棄却した。

「民法一七七条ニ所謂第三者トハ、同一不動産ニ関シ所有権・抵当権其他ノ物権ヲ取得シタル者又ハ同一不動産ヲ差押ヘタル債権者ノ如ク、同一不動産ニ関シテ登記ノ欠缺ヲ主張スルニ付正当ノ権利又ハ利益ヲ有スル第三者ヲ指称シ、建物ノ敷地ノ所有者ノ如キハ、建物ノ所有権移転ニ付登記ノ欠缺ヲ主張スルニ付正当ノ権利又ハ利益ヲ有スル第三者ニ該当セザルモノナルコト当院ノ判例トスル所ニシテ(【21】)、今猶之ヲ変更スル要ヲ見ズ」(大判昭一四・一二・二六判決全集七・三・二〇)。

これら一連の判例法理に対し、反対の見解を示す非公式先例が一つある。「建物収去土地明渡等請求事件」であること以上には争点はわからない。

【24】 原審認定によれば、Yは、Xが本件土地をA銀行から買う以前には、Aから右土地を賃借し、建物を所有しており、またBは右建物につき所有権取得登記をしていない。原審は、Bが本件建物の所有者であり「其ノ所有権ヲ以テXニ対抗シ得ル」とした。これに対して大審院は、

「然レドモBノ所有権取得ガ真実ニシテ、即YヨリBニ所有権ノ移転アリタルモノトセバ、Xニ於テBノ所有権ヲ認ムレバ格別然ラズシテXガ之ヲ争フ限リBハ須ク……其ノ登記ヲ為スニ非ザレバ、之ヲ以テXニ対抗シ得ザルモノト謂ハザルベカラズ。蓋Xハ該建物ノ存在スル土地ノ所有権者ナレバ、右登記ノ欠缺ヲ主張スルニ付正当ノ利益ヲ有スル第三者ナリト謂フベキヲ以テナリ。既ニBニシテ然ル以上Yニ於テモ亦爾ラザ

ルヲ得ズ。然ルニ原審ガ……登記ナキコト争ナキニ拘ラズBノ建物所有権ヲ以テ対抗シ得ルモノト做シ、Xノ本訴請求ヲ排斥シタルハ、民法一七七条ヲ適用セザル違法アルモノ」（大判昭一六・一二・二〇法学一一・七一九）。

最高裁になつてからは、後出【114】の上告理由第一ノ二に対する判示で、【20】【21】【22】を引く上告（＝原判決は、登記の有無・時期を離れ、対物支配の事実状態に即して審理判断すべきなのに、そうしてない）が、原審もそうしていると蹴られているが、この点は「要旨」とされておらず、次掲【25】が正面から問題を扱った最初の先例になる。建物収去・土地明渡の部分に、小谷・河村両判事の少数意見と奥野判事の補足意見を伴う判決で、「従来の判例学説の分かれているところが、そのままあらわれている」（次掲金山批評）、三意見「いずれもどこかに難点があることを免れない」（次掲長利解説）ともいわれている（先例応接は本書二二〇頁）。

【25】　Xは、Aから本件土地を買い移転登記もすませたが、Yが何らの権限なく右地上に建物（＝未登記の二階建倉庫）を建築所有し敷地を不法に占拠しているとして、所有権にもとづく建物収去・敷地明渡と、所有権の侵害による損害賠償とを訴求。これに対しYのほうは、Xが土地を買うより以前にBに本件建物を譲渡したので、現在所有者でも占有者でもないと抗弁（なお、Xの仮処分申請により、本件建物にはY名義の保存登記がなされた）。――第一審はYの主張をそのまま容れてXの請求を棄却し、第二審もそれを支持したので、Xは、民法一七七条で問題は決まるのであつて、不当な先例【22】に依拠する原判決は違法だと上告。しかし、次のごとく棄却。

「土地の所有権にもとづく物上請求権の訴訟においては、現実に家屋を所有することによつて現実にその土地を占拠して土地の所有権を侵害しているものを被告としなければならないのである。しかるに、本件においては、Yは、かつて右家屋の所有者ではあつたが、Xが本件土地を買い取る以前に（もとより、Xのした所論仮処分より前に）右家屋を未登記のまま第三者に譲渡し現在は家屋の所有者でないことは原判決の確定するところである。すなわちYは現在においては右家屋に対しては何等管理処分等の権能もなければ、事実上これを支配しているものでもなく、また、登記ある地上家屋の所有者というにもあたらない。（現在登記簿上本件家屋について、Y名義の保存登記が存在するけれども、これはYが本件家屋を未登記のまま譲渡した後に、Xの仮処分申請にもとづいて、裁判所の嘱託によつて為されたものであつて、Yの関知するところでないことは原判決の確定するところである。）従つて、Yは現実にXの土地を占拠してXの土地の所有権を侵害しているものということはできないのであつて、かかるYに対して、物上請求権を行使して地上建物の収去をもとめることは許されないものと解すべきであり、（【22】参照）また、YはXが本件土地の所有権を取得する以前に右家屋を未登記のまま譲渡したこと前叙のごとくであるから、Xの所有権の侵害を原因とする本訴損害賠償の請求も理由のないものといわなければならない。

〔少数意見〕　われわれは、移転登記未了の譲渡人は物権変動（所有権喪失）を以て第三者に対抗できず、完全無権利者とならないものと考えるし、かつ、建物所有権の変動について、その敷地の所有者は民法一七七条の第三者に該当するものと解する……。本件においてXの主張する如くYに土地使用の権限がなかつたものとすれば、XはY所有の建物に対し収去明渡の請求権を有し、Xの土地所有権の行使は建物所有権の消滅を招来する結果となるから、Xは土地所有者としてその地上建物に対し正当な利害関係を有する者というべく、さればその建物所有権の変動については民法一七七条の第三者に該当しその登記欠缺を主張してYの所有権喪失、Bの所有権譲受を否認し得る地位にあるものといわなければならない。すなわちXはYに対し同人が建物を所有することによりXの土地所有権を侵害するものとして建物収去土地明渡の請求権を有するものと解するを相当とする。（なお、原判決のような見解をとると、此種の土地明渡請求事件における保全処分の実効を薄弱にし、かつたやすく建物所有権の移転を主張して明渡請求を困難ならしめる……。）……原判決は破棄するを相当と思料する。

〔補足意見〕　建物の所有者が自ら保存登記をしながらその後所有権を他に移転したにかかわらず、これが移転登記を懈怠している場合……は、移転登記を怠つている現在の登記名義人は、その所有権の喪失を第三者に対抗することができない結果、土地所有者から建物の現在の所有者として土地の不法占拠者としての責任を問われることは是認できるところであるとしても、本件の如く未登記の建物の過去の所有者が何ら自己の意思に基かないで、他から仮処分の前提として自己名義に保存登記がなされた場合には、固よりその者はこれがため現在の建物所有者になるわけのものではなく、また、現在の所有者のために移転登記をしようとしても仮処分によつて禁止されているのであるから、登記懈怠の責を負わしめることもできないのである。従つて、かかる過去の建物所有者を被告として建物収去を求める本訴請求は理由がない」（最判昭三五・六・一七民集一四・八・一三九六）（金山・民商四四巻九一頁、長利・法曹時報一二巻一〇六一頁）。

なお、右の少数意見は、自説を理由づける際に「未登記不動産の譲渡後、仮処分決定に基く裁判所の嘱託により譲渡人のためになされた保存登記も、一般の保存登記と同一の効力を有する」（判決要旨）とした最高裁の先例（最判昭三一・五・二五民集一〇・五・五五四）（乾・民商三四巻一〇二四頁、村上・法協七四巻三九五頁—両者とも賛成）を問題とし、金山批評は、【25】がいわゆる「対抗問題」ではないとみる立場から、少数意見に反対しているが（右最判の事案は、嘱託による債務者名義の所有権保存登記後、同一不動産につき別人の保存登記がなされたもの）、この論点には深入りしないでおく。

（二）　学説および若干の整理　大審院判例（非公式先例【24】のみは、例外である）が導き出した「建物所有により敷地を不法に占拠していた者も、右建物の譲渡後は、建物移転登記の如何にかかわらず、物権的(収去・明渡)請求の被告とならず、また損害賠償の義務を負わない」という結論は、最高裁の多数意見(＝判例)によつても承継されたが、我妻説は、公示原則を強調し尊重する立場から(【22】の川島・判民五二九頁参照)、地主が、登記のない譲受人のほか(選択的?)、に登記が残っている譲渡人をなお建物所有者→不法占拠者と認めうる、とする(我妻・物権法一〇四頁)。これに反し、多くの学者は判例に賛成しているが(ただし鈴木・物権法講義二三八頁参照)、その説くところは種々である。まず、【22】の岩田批評は、判旨結論に賛成しつつ、民法一七七条の解釈をもつてしては本件の問題を解決しがたいと評した(ただし、自説は、かなり主観的な視角設定にもとづくもので、明快に解いたとはみがたい)。しかし、同じ【22】の川島評釈によれば、問題は一七七条の解釈に関するものであり、かつ「登記なしでも不法占拠者には対抗できる」とする後出【67】以下の、まさに逆の(これの法律的意味内容は不明確だが)場合である、とみられる。そして、問題を「非権利者が責任を負う結果の不当」と「公示原則の尊重」の比較・較量に還元し、後者の限界を【21】の「彼我利害相反」という線に求めて、「この意味において判旨並にその先例の解釈は、一七七条の他の場合の原則の一発展・一適用として理解せられることになる」とした。体系書的見解をみると、柚木説は、【22】の結果論に加えて、不法占拠が登記の有無には直接関係しない「事実上の観念」だという理由により、譲渡人に対する収去や賠償の請求を許さない(柚木・判例物権法総論二一三頁)。林説は、第三者論の個所で解説しているが、近代法では「責任」関係は「対抗」関係と別個の法領域を形成するので、物権的請求権の被告適格は登記の有無によらぬと説いた(林・物権法八一頁)。舟橋説は、誰が現に妨害を加えているかが問題であり、かつ今の場合には「対抗問題」でないとし、これまた判例に賛成するが、【22】を物権的請求権の解説においても掲げた（舟橋・物権法一九八―九頁、四三頁）。金山説も、問題が「対抗関係」ではないからとして判例・多数説の立場を支持するが、それと同時に、この問題が、いわゆる第三者論でなく物権的請求権の当事者に関するものとして処理さるべき旨を強調している（金山・物権法総論六八頁、二七八頁）。これは注目に値いする提言である。

ここで、少し検討を加えよう。【20】よりも九年前、有名な民事連合部判決【65】は、多義的かつ抽象的な表現だけれど、「対抗トハ彼此利害相反スル時ニ於テ始メテ発生スル事項」であるとして、民法一七七条に関する周知の解釈論をすでに打ち出していた。ところが、【20】以下の判例は、物権的（収去・明渡）請求および不法占拠賠償請求、いわば「責任」の被告適格性が問題となった事件である。また、現在の侵害者が物権的請求の被告になるという点は、本款（一）の冒頭でも紹介したとおり、われわれのケースに少しずつ先行しながら承認されてきていた。――かような諸点の認識がはっきりしていたなら、当事者の主張などがどうあろうとも、「本件は一七七条の問題でない」と簡単に蹴ることができたはずである。しかしながら、学説の推移・展開をみてもわかるように、これら諸ケースがいかなる問題であるかは、案外最近まで明確な形での主張をみなかった（林説（一九五一年）が端緒か）。また、前掲連合部判決の抽象的命題がもつ射程距離は、後日の判例により、具体的諸場合について確定される必要があった。さらに、「現在の」侵害者といっても、動産と異なり不動産では、「登記」のほうが判断基準用具としてむしろ重視されているので（たとえば不動産の権利推定（本書一〇〇頁）参照）、今の場合はたして占有を標準としてもよいかは、吟味の対象たりうる。

かかる状況のもとでは、大正中期の【20】や【21】が当面した「一七七条の第三者」論との対決は、当然であったのみか、当該事件の解決にとって必要な前提論であったとさえもいえよう。だが、その点（＝差異）を両先例が答えた以上、次には、この種ケースそのものの実体如何が、問題として登場しよう。むろん非公式先例【23】のように先例踏襲を続けても、不都合な結論にはならないが（なお【24】は、譲渡人の責任を認むべき事情が別段なかったのであれば、「対抗」に関する原審の表現だけを先例に背反して云々したもので、まさに柚木教授が述べる意味において公式判例集から除外されて然るべき理由があったと思う）、公式先例【22】は、(イ)両先例のようには一七七条を正面から採り上げていない点、(ロ)建物収去と損害賠償――すなわち「責任」の問題を前面化させている点で、第二の段階へ足を踏み入れようとしていたのであるまいか。そして、かような方向は、最高裁先例【25】が敢行した意識的かつ全面的な一七七条論の無視によって、その貫徹が確認されうる。私はこれを全く正当と思う。今の問題での一七七条論議は、敷地不法占拠責任の被告適格に関する一場合（建物譲渡人に即していうならば、責任の終期）につき、「対抗」と「責任」の分化を基礎とする判例理論の形成過程で行なわれた借用とみられうるからである（【25】の少数意見が掲げる明渡訴訟の困難化は、十分考えてみる必要があるが、だからといって、正当利益の「拡大」まで試みて一七七条に固着するのは、疑問に思う）。――また、かようにみてくるなら、これらの判例は、体系書的位置（少なくとも重点）を、判旨の文章にこだわらず、物権的請求権のほうへ移すのが適切でないだろうか。

なお、ここでの判例は、既述のところから明らかなとおり、損害賠償責任にも関係しているが、これと物権的明渡請求とは、被告適格に関し絶対に合致しなければならぬものだろうか。我妻説をかような観点からみなおす余地はないだろうか。今は成案がないけれども、問題としておきたい。

三　借地上建物の買受人

（一）　敷地不法占拠の肯定事例　中心問題へ入る前に、借地上の建物を買った者は、敷地利用に関する地主の承諾がないかぎり、敷地の不法占拠者になる、とする判例を二つ掲げておく（ほかにも大判大一三・六・二七新聞二二八五・二〇（土地譲受人と、借地契約満了後の建物買受人）、大判昭六・五・一六新聞三二七七・一四（地主と、無断転借地人からの建物買受人）などあり）。民法六一二条を前提としていえば、このことは当然だが、建物買取請求後の関係と対比して、いちじるしすぎる（と評価される）較差は問題とされている（次述（二）参照）。また、例の「背信とならぬ特段の事情があるとき」には無断の転貸・賃借権譲渡があっても賃貸借を解除できない、とする判例理論との関連で、借地上建物の譲渡とともに敷地賃借権の譲渡や転貸がなされた場合には、「背信」行為なしという一応の推定が働くとする解釈的主張が現われるにいたったが（広中・債権各論講義Ⅱ七八頁）、これは【53】と結びつければ、建物買受人（＝無断の土地転借人・賃借権譲受人）の地位にも影響しよう。

【26】　Xは、係争宅地上の建物を買い、地主Yに承諾を求めたが、Yはこれを拒絶して建物収去・損害賠償を訴求。原審は、Xが不法占拠者であり、建物保護法でも対抗力は与えられぬと判示したので、X上告。

「然レドモ、賃貸人ノ承諾ヲ経ザル転貸借……ハ之ヲ以テ賃貸人ニ対抗シ得ザルガ故ニ、其ノ目的物ヲ転借人ニ於テ占有スル限リ、賃貸人ニ対スル関係ニ於テハ何等正権限ナクシテ之ヲ占有スルモノトシテ、不法占拠者ヲ以テ目ス可キハ当然ナリ」（大判大一〇・六・一五新聞三八五九・一〇）。

【27】　Aは、B所有の本件土地を賃借し建物を所有していたが、右建物をXに譲渡。その際、土地転貸に

つき、Bの承諾はなかつたと認定されている。後日Yは、Bから右土地を譲り受けてAに告知し、Aに対しては、AがXに対してもつ土地返還請求権の譲渡を、またXに対しては、不法占拠にもとづく建物収去・土地明渡を、訴求。Y勝訴となり、Aはそのままで訴訟から離脱するが、Xは、Yは土地買受によつてBA間の賃貸借関係を承継したのであり、土地使用権はAに専属するから、Xに対するYの引渡請求は認められぬと控訴。が、無断転貸は賃貸人ならびに新所有者に対抗できないとされた。そこで、さらに上告。

「然レドモ、賃貸人ノ承諾ナキ転貸借ハ賃貸人ニ対抗シ得ザルコト原判示ノ如クナルヲ以テ、仮ニYニ於テ所論ノ如クBトA間ノ賃貸借ヲ承継シタルモノトスルモ、XハYニ対スル関係ニ於テハ本件土地ノ占有ヲ正当ナラシムル事由ヲ有セザルモノト云フベク、Yハ其ノ所有権ニ基キ之ガ引渡（原文は「引受」となつている）ヲ請求シ得ベキハ勿論ニシテ、XハYトA間ニ賃貸借関係アルノ事実ニ藉口シテYノ請求ヲ拒否シ得ベキ限ニアラズ」（大判昭一五・二・二三民集一九・六・四三三）（四宮・判民二三事件、薬師寺・民商一二巻五〇九頁）。

なお、これら【26】や【27】では、借地上建物買受人に対する地主ないし新地主の収去・明渡請求が、当然のこととして認められているが、最高裁先例【100】によれば、借地人は、転借地上建物の買受人に対して、後者が前者の賃借権を侵害しているとしても、特別の事情がないかぎり明渡請求ができない、と解されている。もつとも、これは直接的請求のことであつて、代位請求は別問題である（七節二款(二)参照）。

（二）　建物買取請求権をめぐつて　借地法で与えられたこの権利については、その「要件」がいろいろ問題となつており、「効果」に関しても論ずべき点はあるが、本書では、その性質上、建物買取請求権があることを前提とし（なお、後出【148】の建物買受人Zは、借地人Aの賃借権がすでに消滅していたため、買取請求権行使を認められなかつた）、請求前と請求後における敷地占有は不法占拠になるかどうか、を採り上げる（買取請求の問題が出てこなければ、かかる買受人はもちろん不法占拠者（前出【26】【27】））。この「成否」は、順次明らかになるとおり、損害賠償と利得償還の問題（なお留置権を有する借家人の利得償還義務については一〇節二款(三)）に関係するものであるが、ひいては不法占拠の概念構成にも影響しよう。——判例をみていく。

最初は、買取請求後の建物買受人（事案では競落人から買った）は敷地不法占拠者でないから損害賠償義務を負わない、とする棄却判決（なお本件Cの競落が借地の無断転貸譲渡であると、Yは買取請求ができるか問題になるが、後日の判例は、数次の敷地賃借権無断譲渡につき肯定している（大判昭九・四・二四民集一三・七・五五一））。

【28】　Xは所有地をAに賃貸し、Aはそこに建物を建築所有していたが、後Xの承諾を得てBに借地権と建物を譲渡。この建物が競落によってCの所有となり、さらに大正一四年Yに売却された。Yは借地権譲渡の承諾を求めたがXこれを拒絶し、昭和二年六月Yは買取請求権を行使。Xは建物収去・土地明渡・損害賠償を訴求。原院が右昭和二年六月以後の賠償請求を排斥したので、Xは、買取請求にもとづく抗弁権があるからといって敷地占有権を与える要なく、無償で土地が使えるのは不公平だと上告。これに対し、大審院は、買取請求の法律関係ことに所有権の即時移転と同時履行抗弁権の存在を説示し、次いで、

「売主タル第三者ハ地上物件取得後買取請求ノ意思表示ヲ為ス迄ハ、土地所有者タル賃貸人ニ対シ地上物件ノ敷地ヲ占有スベキ権原ヲ有セザルモノナルガ故ニ、其ノ間ニ於ケル右敷地ノ占有ニ依リ土地所有者ニ被ラシメタル損害ヲ賠償スベキ義務アルコト勿論ナリト雖、買取請求権ノ行使ト同時ニ地上物件ノ所有権ハ賃貸人ニ移転シ、売主タル第三者ハ其ノ所有権ヲ喪失スルモノナルコト前示ノ如クナルヲ以テ、買取請求権行使後ニ於テハ右第三者ハ、地上物件ヲ所有スルコトニ依リテ其ノ敷地ヲ占有スルモノニ非ズ、寧ロ同時履行ノ抗弁権ニ依リテ地上物件ノ引渡ヲ拒絶シ得ルガ故ニ、其ノ反射的効力トシテ当然其ノ敷地ノ引渡ヲモ拒絶シ得ルモノト謂ハザルベカラズ。果シテ然ラバ、買取請求権行使後ニ於テハ売主タル第三者ハ、地上物件ノ

敷地ノ引渡ヲ拒絶スル正当ノ権原ヲ有スルモノニシテ、毫モ該敷地ヲ不法ニ占拠スルモノニ非ザルヲ以テ、土地所有者タル賃貸人ニ対シ不法占拠ニ依ル損害賠償ノ義務ナキモノトス」（大判昭七・一一・二六民集一一・三・一六九）（末弘・判民一七事件）。

この判決に対して末弘評釈は、建物取得者に「建物存置の権利」を認めなければ、彼と地主との関係を合理的に解決できないが、だからといつて無償の存置は許されない（↓不当利得として返還させよ）と評した。そして判例の側でも、家屋留置権者の目的物占有に関する【149】は、不当利得とみるほかがない償還義務を肯定し、続いて次掲【29】も、当面のケースについて、不当利得の成立を認めるにいたつた（吾妻評釈も薄根批評も判旨に賛成。ただ前者は因果関係を云々する要なしとする。なお不当利得における【29】の位置は、松坂・不当利得論二九五頁）。

【29】　Xは、Aが地主Yから借地して建てた建物をAから買い、Yに賃借権譲受の承諾を求めたが、拒絶されたため建物買取請求権を行使し、かつYの代金未払のため引渡を拒んでいた家屋を第三者に賃貸した。Xからの代金支払訴求に対し、Yが敷地利用を不当利得だとして相殺抗弁を出したため、不当利得の問題に発展したが、原審は、Xが「右建物ノ占有ニ必要ナル範囲ノ敷地ヲ利用シテ其ノ地代相当ノ金額ヲ不当ニ利得シ」たと判示。そこでXは、前出【28】を引いて、自分には、同時履行抗弁権によつて地上物件の引渡を拒絶しうる反射的効力として、敷地の引渡を拒む正当権原がある（↓不当利得にはならぬ）、地上建物の用益ないし賃貸と敷地の使用収益とは別個の問題である、と上告。しかし、次のごとく棄却。

「Xガ同時履行ノ抗弁ニヨリ本件家屋ノ引渡ヲ拒絶シ、其ノ反射作用トシテ其ノ敷地ノ明渡ヲ為サズ之ヲ抑留スルハ、即自己ノ為ニスル意思ヲ以テ該土地ニ対スル事実上ノ支配ヲ為スモノニシテ占有ニ外ナラズ（所論判例モ占有ニ非ズトナス趣旨ニ非ルハ勿論ナリ）、又地上家屋ノ利用ヲ為シ乍ラ其ノ敷地ヲ利用セズト云フガ如キハ考フベカラザル処ナルヲ以テ、Xガ本件土地ヲ占有セズ若ハ之ガ利用ヲ為サズト云フガ如キ論旨ハ総テ採ルニ足ラズ。

而シテXハ前示同時履行ノ抗弁ノ反射作用トシテ本件土地ヲ占有シ得ルニ止マリ、其ノ使用収益ヲ為シ得ベキ権限ヲ有スルモノニ非ルヲ以テ、Xガ原判示ノ如ク該土地ヲ利用シテ利得ヲ為シタリトセバ、之レ法律上ノ原因ナクシテ利得ヲ為シタルニ外ナラズ。家屋ノ使用収益ト土地ノ使用収益トハ夫々別個ノ観念ニ属スルコトハ固ヨリ所論ノ如シト雖、家ヲ其ノ敷地ト共ニ他人ニ使用セシメテ其ノ対価ヲ得ル場合ニ於テハ、其ノ対価中ニハ敷地使用ノ対価ヲモ包含スルコト勿論ナルガ故ニ、Xガ本件家屋ヲ第三者ニ賃貸シテ得タル賃料中ニハ其ノ敷地タルY所有ノ土地使用ニ対スル対価ヲ包含スルモノト云フベク、此ノ部分ハ即Xガ権限ナクシテY所有ノ土地ヲ利用シテ得タル利得ニ外ナラズ。原審ガXニ不当利得アリトナシタルハ此ノ趣旨ニ出デタルモノニシテ相当ノ見解ト云フヲ得ベシ。

只本件ノ場合ニ於テハ、Yノ損失（土地ノ利用ヲ妨ゲラルルニヨリテ生ズル損失）ハ、Xガ同時履行ノ抗弁ノ結果トシテ本件土地ノ引渡ヲ拒ム以上該土地ヨリ利得ヲ為スト否ニ拘ラズ生ズベキガ故ニ、此ノ損失ハXガ前記利得ヲ為シタルニ因リテ生ジタルモノト云フヲ得ズ、従ツテ利得ト損失トノ間ニ直接因果ノ関係ナク、此ノ点ニ於テ民法七〇三条所定ノ要件ヲ具備セザルガ如シ。然レドモ、一方Xハ正当権限ナクシテYノ土地ヲ利用シテ利得ヲ為シ、他方YハXノ占有ニヨリ自己所有ノ土地ノ利用ヲ妨ゲラレ損害ヲ蒙リタルモノナルガ故ニ、右法条ハカカル場合ヲモ包含スル律意ナリト解スルヲ相当トス」（大判昭一一・五・二六民集一五・一二・九九八、新聞三九九三・一四―松坂「不当利得における因果関係」本叢書民法13【3】（吾妻・判民六八事件、薄根・民商四巻一二二五頁）。

次は、地主Xからの「家屋収去土地明渡等請求事件」に関する一部（賠償請求を棄却した部分の）破棄判決。その内容は、(イ)買取請求後の敷地占有は違法性がなく不法行為とならないが、不当利得になる余地はある、(ロ)

買取請求まで建物譲受人（＝借地権の譲受人）Y_1は無権原の土地占有者であり、かつ原則として過失なしとはいえないから、賠償責任なしとするには特別事情を説示せよ、(ハ)買取請求による建物所有権移転とともに、建物賃借人Y_2は正権原占有者になる（この(ハ)は、次節で【45】として述べる）、というものである。

【30】　借地人Aが自己所有の建物二棟を、Y_1に借地権とともに譲渡し、Y_1はそのうち一棟をY_2に賃貸したが、地主Xは、借地権譲渡を許さずAとの賃貸借を解除して、$Y_1$$Y_2$に対し土地不法占拠にもとづく収去明渡と損害賠償を訴求。これに対し、Y_1は建物買取請求権を行使している。

「案ズルニ、借地上ニ於ケル建物ノ第三取得者ガ借地法一〇条ニ依リ賃貸人ニ対シ該建物ノ買取ヲ請求シタルトキハ……第三取得者ハ其ノ金員ノ支払アル迄建物ノ引渡ヲ拒絶シ得ベクシテ、恰モ特定物ノ売主ト同様ノ地位ニ立チテ同時履行ノ抗弁権若ハ留置権ヲ有スルヨリシテ、之等ノ権能ノ下ニ建物延テ其ノ敷地ヲ占有スルコトハ、違法性ヲ阻却シ不法行為ヲ構成セザルモノト解スルヲ相当トス。而シテ……Y_1ガ其ノ取得シタル地上建物ニ付買取ヲ請求シタル日以後ノ土地占有ヲ目シテ不法行為ト做シ、之ヲ理由トシテ損害賠償ノ請求ヲ為スコトハ排斥スベキガ如キモ、同時履行ノ抗弁権若ハ留置権ニ依リ地上建物ノ引渡ヲ拒ミ之ガ占有ヲ継続スル場合ニ於テモ、其ノ占有ニ伴ヒ他人ノ敷地ヲ利用スル関係ハ不当利得ヲ成立セシムルコトナキヲ保セザルヲ以テ、原審トシテハXニ対シ右賠償請求ニ付此ノ利得返還ノ請求ヲモ包含セシムルモノニ非ザルヤ否ヤヲ一応釈明シ適当ニ裁断ヲ下スヲ相当トスベク、従テ此ノ点ニ付釈明ヲ為サズニ直ニ賠償請求ヲ排斥シ去リタル原判決ニハ審理不尽ノ憾ミアリ。

……通常人ノ注意ヲ以テスレバ賃貸人ノ承諾ヲ得ルコトナク賃借権ノ譲渡ヲ受ケタルトキハ或ハ賃貸人ヨリ其ノ承諾ヲ得ルコト能ハザルコトアルベキヲ予想スベキ筋合ナルニヨリ、之ヲ予想スルコト無ク漫然其ノ

承諾ヲ期待シ譲渡ヲ受クルモ、不承諾ノ暁ニハ承諾ヲ得ザリシコト従テ又土地ノ占有ガ権原ニ基カザルニ帰スベキコトニ付少クモ過失ノ責ヲ辞スルニ由無シ。……本件ニ付、Y_1ノ賃借権譲受ニ付Xノ承諾ヲ得ルコト能ハザリシトセバ、地上建物ヲ譲受ケタル以降買取ノ請求ヲ為シタル迄ノ土地占有ハ即チ権原ニ基カザルモノニシテ、Xニ対シテハ土地所有権ノ侵害トナリ、而カモ其ノ侵害ニ付テハY_1ニ故意ナシトスルモ特殊ノ事由ナキ限リ過失ナシトハ断定シ得ザルナリ。然ラバ原審ガ、首肯スルニ足ルベキ特殊ノ事由ヲ説示スルコト無ク、唯前叙ノ理由（筆者註—原判文には「普通ノ事例ニ従ヒ借地権ノ承継ガ地主ヨリ承諾セラルベシト期待スル者ハ、自己ノ建物所有ニヨル土地占有ノ開始ガ毫モ地主ノ意思ニ反セズ何等不法性ヲ有セザルモノト信ズベキハ当然ナルノミナラズ……而ク信ズルコトハ……其レガ法律上ハ無権原ニテ他人所有地ヲ占有スルコトトナリタリトスルモ、之ヲ以テ普通人ノ注意ヲ欠缺シタルモノトシテ責ムベキ筋合ニアラ」ずとある）ニ依リ其ノ過失ヲモ否定シ損害賠償ノ責任ナキモノト做シタルハ不法ニシテ……建物取得以後ノ賠償請求ヲ排斥シタル原判決ハ之ヲ破毀スベキモノトス」（大判昭一四・八・二四民集一八・一一三・八七七、判決全集六・二五・一七）（林・判民六〇事件、薬師寺・民商一〇巻一〇九九頁、後藤・法と経済一二巻八六八頁）。

林(千)評釈は、右判旨前半には賛成だが、後半に対しては、違法性がないから賠償義務なし（ただし不当利得になる）とする。薬師寺批評も、承諾請求権と買取請求権を行使する過程では、Y_1の敷地占有は適法だと評する。後藤批評は賛成。——なお、本件判旨は関連問題を含むので、それらに言及しておくと、(イ)本件ではY_1自身が買取請求権を行使しているから問題はないが、Y_2に関しては「建物賃借人は、その賃借権を保全するために、建物賃貸人に代位して、借地法一〇条の規定による建物買取請求権を行使することはできない」（判決要旨）とする棄却判決（最判昭三八・四・二三民集一七・三・五三六）（三宅・民商四九巻九〇三頁、可部・法曹時報一五巻一一八三頁、石外・法律時報三六巻一号八三頁）があり、後述するように【30】でのY_2との較差が問題となる（本書七四頁）。(ロ)本件では、賠償請求が不当利得返還を含まないか釈明せよとされているが、最高裁には「当事者が不法占拠もしくは損害金という語を用いてした請求を不当利得返還の請求と解して認容することの適否」につき肯定する先例【118】があり、建物買取請求ケースにおいてそれに従う（「被控訴人（＝地主）の相当地代額支払いの請求には、反対の意思表示のない本件では、予備的に不当利得にもとづく請求も含まれていると解すべきである」）下級審判決もある（東京地判昭三六・一〇・三下級民集一二・一〇・二四一三）。(ハ)すでに紹介した（本書五〇頁）広中説によれば、【30】の判旨後半におけるような議論は、ますます（＝既存の反対説以上に）たてにくくなるだろう。

最後の大審院判例は、【29】を引いて、買取請求後敷地賃料相当の不当利得を認めた借地法四条事件。

【31】　期間満了によって土地賃貸借が終了し、賃貸人Yが借地人Xに対して明渡と不法占拠による損害賠償を訴求。Xは買取請求権を行使。敷地占有が不当利得になりうる旨を判示した原審に反対してX上告。しかし棄却。

「Xノ右敷地ノ占有ハ同時履行ノ抗弁又ハ留置権ノ反射的効果ニ過ギズシテ、本来敷地ニ付之ガ占有ヲ適法ナラシムル基本権ヲ有スルモノニ非ザルニ拘ラズ、Xハ建物ノ引渡ヲ為スニ至ルマデ之ヲ自己ノ為ニ利用シ其ノ敷地ヲ占有使用スルモノナレバ、其ノ間敷地ノ賃料ニ相当スル利益ヲ得ルモノト謂フベク、従テ此ノ範囲ニ於テ不当利得ヲ為スモノト解スルヲ相当トス（【29】参照）」（大判昭一八・二・一八民集二二・三・九一、新聞四八三六・九）（川島・判民八事件、薬師寺・民商一八巻三一〇頁）。

川島評釈は判旨に賛成（なお、上告は愚劣な議論で、かかる当然の判決を判例集に載せる要なしと評する。たしかに効果は借地法一〇条も四条も同じである。しかし【31】は四条関係として始めての判例だとすれば、判例集に載せたところで、そこまで悪いとはいえぬ）。薬師寺批評は、結論賛成だが、建物の引渡ずみまでは従来の賃料を支払う義務があると構成して、理由には反対する。

最高裁になつてからも、右諸判例を先例として引く棄却判決【32】がある（批評解説はいずれも、不当利得に関する判旨部分につき、単に保管や明渡のためにのみ占有している場合には、賃料相当の不当利得ありとは必ずしもいいがたく、判旨は不正確で一般的立言には問題ありと評する）。

【32】　賃借地上建物の買受人Xが、地主Yより、建物収去・土地明渡ならびに建物占有以後の損害金支払を訴求され、買取請求権を行使。原審は、買取請求までは不法占拠による損害金、請求後は不当利得金、の支払を命じた。これに対しXは、(イ)借地契約の解除がない本件ではYは賃料請求権を有し損害を生ずる理由がない、(ロ)不当利得を認めるのは不公平、と上告。しかし、

「建物等買取請求権の行使により、はじめて敷地賃貸借は目的を失つて消滅するものと解すべきであるから（大判昭九・一〇・一八民集一三・一九三二）、右行使以前の期間については貸主は特段の事情のないかぎり賃料請求権を失うものでないこと所論のとおりである。しかし、単に賃料請求権を有するというだけで、その間賃料相当の損害を生じないとはいい難い。貸主が現に右賃料の支払を受けた場合は格別、然らざるかぎり、無断転借人（又は譲受人）に対し賃料相当の損害金を請求するを妨げないものと解すべきである（【28】【30】各参照）」

「建物買取請求権を行使した後は、買取代金の支払あるまで右建物の引渡を拒むことができるけれども、右建物の占有によりその敷地をも占有するかぎり、敷地占有に基く不当利得として敷地の賃料相当額を返還すべき義務あることは、大審院の判例とするところであり（【29】）、いまこれを変更する要をみない」（最判昭三五・九・二〇民集一四・一一・二二二七）（林・民商四四巻六九二頁、川添・法曹時報一二巻一五九六頁、小林・志林五九巻二号九九頁）。

右判旨の前段は、次のような先例「操作」によつて、異主体の責任競合を認めたと解される（林批評もほぼ同旨）。すなわち、引用の判例（大判昭九・一〇・一八民集一三・二一・一九三二）（内田・判民一三六事件）（事件は、地主が借地人（＝建物譲渡人）に賃料を訴求したのに対し、買取請求後は「賃借人ハ土地ヲ賃借シタル目的ヲ失ヒ、従前ノ賃貸借関係ハ之

ニ依リ当然消滅スル」から、以後は賃料支払義務なく、敷金返還請求権も生ずる、と判示したもの）を裏返せば、買取請求前には借地契約関係が存在し、地主は借地人に対し賃料請求権を有するわけだが、他方において、【28】【30】は、買取請求前の建物取得者に賠償責任を負わせている。二つの場合は、買取請求前の関係として共通するから、別々にあるものを一つにしても差支えはない、と（この点の先例応接については本書二二一頁）。林批評は、実際的な配慮から、この「競合説」を支持する（なお【32】の前には、賃料請求権あるかぎり賠償責任はなく、【28】に左袒しないとする下級審もあったが（東京地判昭三二・五・一五下級民集八・五・九五四））。

（三）　若干の整理　　最初に要約すると、(イ)建物買取請求前における借地上建物買受人の敷地占有は、買取請求の問題にならなかった場合（【27】【26】）と同じく、無権原（↓いわゆる不法）の占拠であって、彼は損害賠償責任を負う（【28】前半）。その場合、過失責任の原則から除外される理由はないが、借地上の建物を買ったという事情は、過失の存在を、「裁判上の推定」まではいかずとも、認めやすくするようである（【30】参照。もっとも本書一六八頁もみよ）。また、かような賠償請求は、借地人（＝建物譲渡人）に対する地主の賃料請求権がある場合でも妨げない（【32】前段―なお、この点については六節三款（三）も参照）。(ロ)買取請求後は、引換履行（同時履行抗弁権ないし留置権による）が認められるので、敷地占有は違法性を欠き、不法行為にはならない（【30】前段）。ただし、敷地占有中の利益は不当利得として返還しなければならぬが、その範囲は敷地の賃料相当額である（【31】と【32】後段（なお後者が引用する【29】も、利得の範囲を論ずる仕方はともかくとして、やはり地代相当額の返還を認めたケース））。また、建物買受人がそれを他人に賃貸し対価を得ていた場合（【29】【30】ことに前者）だけでなく、自分が占有ないし利用している場合にも（【32】や【31】はそうらしい）、右の利得ありとされる。

かような判例法理のうち、ここでは、不法占拠の成否に関する「構成」問題つまり建物買取請求前の法律関係の性質を採り上げる。——これに言及する学説のほとんどは、買取請求前においても、借地上建物買受人に不法行為責任を認めようとしない（ただし加藤・不法行為一〇八頁、一〇九頁註六）。これは、責任を肯定すれば買取請求前と請求後の「地位の飛躍」がはなはだしすぎるものになる（我妻＝広瀬・法律時報二二巻六三二頁参照）、占有侵奪などに比し今の場合は違法性が少なく、不法行為を認めるべき程度ではない（【32】の林批評）といった配慮にもとづくが、ほかにも、過渡期的状態において不法行為責任を負わせるなら酷にすぎ、また違法占有なら収去明渡を要するはずだとして、適法占有説を採る見解もある（【30】の薬師寺批評）。では、地主に支払われるべき金は誰がどういう性質のものとして負担するかをみると、(イ)賃貸借関係を建物取得者に移行させ彼に賃料支払義務を負わせる（↓不法占拠でない）とみる説（我妻・債権各論中I五〇六頁）、(ロ)彼は不当利得の返還義務を負い（＝不法占有であっても不法行為にはならない）、かつそれは借地人の賃料支払義務と併立するとみる説（【32】の林批評。なお【30】の林(千)評釈も、不当利得説を採るかぎりでは、これと同説）、(ハ)仮に不法占拠となるにしても、借地人が賃料支払義務を負うかぎり、建物譲受人には賠償責任がないとみる説（広瀬・借地借家法一二八頁参照）がある。また、下級審には、広瀬説と同じ見解を採って、先例【28】に左袒しがたいとする判決も現われている（右五九頁(二)末尾）。

整理しよう。(イ)まず、「異主体の請求権競合」をここで認むべきか否かは、後述の判例【76】ともつながる一個の論点たりうるが、【32】および林(良)批評の解釈論に従っておきたい。理由を簡単に述べると、こうである。どういう場合でも、賃貸人から収益権能（形の如何を問わず）を奪ってはならないが、実際上、建物を譲渡した借地人に賃料を請求するのは困難らしい（右林批評(民商六九六頁参照)）。しかも、その譲渡には、地主の意思的関与がない。とすれば、敷地利用と関連する建物買受人の支払「責任」を、なるべく認めない方向にもっていくべき理由は乏しい。といって、「責任」を彼だけにし、借地人を免責させるいわれも十分でない（この点は、地位譲渡の判批で強調した）。したがって、決済は譲渡当事者の内部関係にゆだね、対地主関係では併列的支払責任（両人の義務の法的性質は異なっても）を認めてよい。(ロ)次に、買取請求前の建物取得者が不法占拠者ではないという場合、「不法占拠」という言葉は狭義に（＝損害賠償の要件としてのみ）解されており、買取請求がないかぎり地主は収去明渡の請求ができる、という命題を何ら左右しえない。そして、この収去明渡請求まで含めて不法占拠を「構成」することも可能だから、右冒頭の用語法の意味には注意を要する。(ハ)なお、不当利得は敷地賃料額が基準となるが、不法占拠賠償も同じく目的物の賃料相当額を基準とする（【119】以下）。もちろん、不当利得と不法行為とが要件・効果を異にすることは常識であり、また前者は後者より「義務者に寛やか」（【32】の林批評（六九八頁参照））だといわれるが、実際上問題としなければならぬほどの差異が生ずるかは疑問であり、多くの場合においてそのいずれと解するかは、多分に観念上の差しかもたぬのではないだろうか（なお、買取請求後の関係につき、判例通説と異なって、不法占有としての損害賠償を命じた下級審があるが（長崎地判昭三一・一二・一七下級民集七・一二・三六七八―薄根・本叢書民法11【52】）、さような異説的解釈が出されうるのは、不当利得・不法行為いずれに解しても実際上は大差がない、という安心感があるからではないか）。

四　建物競落人その他

（一）　建物競落人　本節（＝敷地利用）の問題へ入る前に関連問題について少し言及しておくと、借地上建物競落の場合、新「建物所有者ニ必要ナル敷地ノ賃借権ハ、土地所有者ニ対スル対抗問題ハ姑ク之ヲ置キ、権利移転ノ当事者タル建物所有者ト競落人トノ間ニ於テハ、特別ノ事情ナキ限リハ建物所有権ト共ニ競落人ニ移転スベキモノ」(大判昭二・四・二五民集六・四・一八二)(我妻・判民三二事件)であり、また、たとえ競落人の取得した賃借権が地主に対抗できない場合でも、建物旧所有者が「名ヲ民法四二三条ニ依ル地位ニ藉リ、競落人ニ対シテ右土地ノ明渡ヲ請求スルガ如キハ、信義ノ原則ニ反スル」(大判昭一二・三・一三判決全集四・七・一八)とされる。

その他、【68】【80】【87】なども建物競落と敷地利用に関する。また、借地法一〇条は、もっぱら建物を買った者について問題となっているようだが、競落も同条の取得である(大判昭五・九・二九新聞三一九三・七—広瀬・借地借家法一一三頁参照)。

さて、最初は、借地上建物の競落人を敷地不法占有者だとする棄却判決。

【33】　Yは本件土地の所有者、ABCはその借地人で建物所有者、Dがそれら建物の抵当権者。抵当権実行の結果、Xは建物を競落・占有したが、Yから無権原の土地占有を理由に明渡・賠償が訴求される。Xは、建物保護法を楯に、取得した賃借権が誰にでも対抗できると上告。しかし、

「(賃借権譲渡・転貸の自由を許さぬとする)原則ハ、明治四二年法四〇号建物保護ニ関スル法律ニ依リテ変更ヲ受クルモノニ非ズ。何トナレバ同法ハ、登記ナキ地上権又ハ賃借権ニ依リ登記シタル建物ヲ有スル者ト土地所有者トノ関係ヲ規定シタルモノニシテ、建物所有ノ為土地ヲ賃借セル者ガ建物ヲ譲渡スルト同時ニ土地ノ賃借権ヲ譲渡シ又ハ其ノ借地ヲ転貸セムトスル場合ニ於テ、土地賃貸人ノ承諾ヲ要セザル旨ヲ規定シタルモノニ非ザレバナリ。而シテ叙上ノ原則ハ、借地上ニ存スル建物ヲ任意ニ売却シタル場合タルト、其ノ建物ニ対スル抵当権ノ実行トシテ競売ノ申立ヲ為シタル結果建物ガ競落セラレタル場合タルトニ因リテ、其ノ適用ヲ二、三ニスベキモノニ非ザルヲ以テ、其ノ建物ノ競落人ハ該建物ノ所有者タル土地賃借人トノ間ニ、競落ト同時ニ其ノ賃借権ヲ譲リ受ケ又ハ借地ヲ転借スルノ合意アリタルコトハ之ヲ推測スルニ難カラザレド

モ、縦令其ノ競落ノ登記ヲ為スト雖、土地賃貸人ノ承諾ヲ得ルニ非ザレバ其ノ譲受又ハ転借ヲ以テ該賃貸人ニ対抗スルコトヲ得ザルモノト謂ハザルヲ得ズ（大七・一〇・三当院判決参照）。……原院ガXハ……Yニ対抗シ得ベキ正当ノ権限ナクシテ不法ニ本件建物敷地ヲ占有スル者ナリト判断シタルハ不法ニ非ズ」（大判昭七・三・七民集一一・四・二八五）（島川・判民二七事件—解釈としては賛成）。

右引用の判例（大判大七・一〇・三民録二四・一八五八）は、建物保護法には「賃貸借ノ譲渡ニ付キ賃貸人ノ承諾ヲ要セザル旨ノ特別規定ナシ」とするものである。

次は、借地上建物競落人からさらに建物を買った（登記ずみ。ただし、ずっと旧所有者が居住していると主張する）者に、所有物妨害排除請求の被告適格を認めた棄却判決で（なお判決要旨は「他人ノ所有地上ニ無権原ニテ建物ヲ所有スル者ハ、該土地ヲ占拠スルト否トヲ問ハズ、建物ヲ収去スル義務ヲ土地所有者ニ対シ負担スルモノトス」）、判旨そのものには末川批評・川島評釈も賛成している（排除請求の内容（＝傍論）については、見解が異なる）。

【34】　Aは、Y所有の本件土地を賃借して建物を所有し、右建物に抵当権を設定。Bが競落して、Xに売却。YはXに対して、土地不法占拠を理由に建物収去・土地明渡・損害賠償を訴求。Xは、右建物にはAがずっと居住していて、自分は事実上その土地・建物を占有したことがない、などと抗弁したが、原審は、建物を所有する以上は敷地を占有していると判示。そこでXは「家屋ノ所有権者必ズシモ敷地ノ占拠者ナリト云フ能ハズ」自分を不法占拠者というのなら理由を示せ、と上告。これに対し、

「XガY所有地上ニ無権原ニテ本件建物ヲ所有シ而モ例ヘバ自ラ之ニ居住シ若ハ之ヲ他人ニ賃貸セルトキハ、Xニ於テ土地自体ヲモ占有セルハ論無シト雖、当該建物ノ所有者ナリトノ一事未ダ以テXヲ目シテ土地自体ノ占有者ナリト為スヲ得ザルハ洵ニ所論ノ如シ。這ハ例ヘバ甲所有ノ材木ヲ第三者乙ガ恣ニ丙ノ所有地

ニ積ミ込ミタル場合ニ、甲ハ該土地ニ対シ何等ノ占有権ヲモ有セザルト択ブトコロ無シ。而モ前例ニ於テ、材木ノ地上ニ存置セラルル限リ甲ハ当該土地ニ対スル妨害者ニ外ナラズ。何者、積込ミノ行為コソ甲ノ関セザルトコロナレ、乙ガ斯ル行為ヲ為スコトヲ禁止スル権利ハ即チ甲ノ有スルトコロナレバナリ。是故ニ、甲ハ丙ノ請求ニ応ジ妨害ヲ排斥スル（即チ材木ヲ取去ル）義務アルハ云フヲ俟タズ。但、此ノ妨害ヲ惹起シ若ハ持続シタルコトニ付甲ニ何等ノ故意過失無キ限リ、其ノ損害賠償ノ義務ヲ負担セザルハ是亦固ヨリ多言ヲ須ヒザルトコロナリ。

然ラバ即チXニ於テ現ニ本件土地ヲ占有セズトスルモ、苟モ当該建物ガ地上ニ存在スル以上XハYノ所有地ニ対スル妨害者ナルヲ以テ、Yハ之ニ対シ妨害排除ヲ請求シ得ズンバアルベカラズ。而シテ其ノ所謂妨害排除トハ他無シ、Xニ於テ其ノ所有物ヲ撤去シ以テYノ所有地ヲシテ右ノ建物ナキ旧態ニ復セシムルコト則チ是ナリ。Yガ本訴請求ノ趣旨ニ於テ、建物ヲ収去シテ土地ヲ明渡スベキ旨ノ判決ヲ求ムルハ又唯右ノ如キXノ行為ヲ求ムルモノニ外ナラザルガ故ニ、之ヲ認容シタル原判決ハ結局正当」（大判昭一一・三・一三民集一五・六・四七一）（川島・判民二六事件、末川・民商四巻六〇九頁（→判例民法の理論的研究Ⅰ一六事件））。

翌年には、右判決中の傍論的部分（＝故意過失なきかぎり損害賠償義務なし）を先例として引用する非公式先例がある（なお、本判決については本書一六五頁も参照）。すなわち、

【35】　地主Xが建物競落人Yに対して建物収去・土地明渡・損害賠償を訴求した事件。原判決が、Yは損害につき故意過失なしと認めて、損害賠償義務なしとしたため、Xは「仮令其ノ所有者（＝Y）ガ其ノ建物ヲ占有セズトスルモ、其ノ建物ヲ所有スルコトノ事実ノミニシテ其敷地ノ使用ヲ妨害シタルモノ」だと上告するが、次のごとく棄却。

「然レドモ、他人ノ所有地上ニ建設セラレタル建物ヲ競落シ其ノ所有権ヲ取得シタル者ハ、仮令従前ヨリ該建物ニ住居スル者アリテ競落人ガ未ダ其ノ占有ヲ為サザル場合ニアリテモ、該地上ニ建物ヲ所有スベキ権限ナキモノナルトキハ、建物ノ所有ヲ持続スル以上、建物ノ存在スル為土地所有者ニ対シテ被ラシメタル損害ハ、建物所有者ガ地上ニ建物ノ所有ヲ持続スルコトニ付キ其ノ責ニ帰スベキ故意又ハ過失ノ存スル限リ、之ガ賠償ヲ為ス可キ義務アルニ過ギザルコト当院ノ判例トスルトコロニシテ(【34】)、今之ヲ変更スルノ要アルヲ見ズ」したがつて故意過失の如何を問わず賠償義務ありとする論旨は理由がない(大判昭一二・七・一四新聞四一七二・七、判決全集四・一七・二一)。

次は、地主Yと不法占拠(事情不明)地上建物競落人Xらとの収去明渡事件に関する棄却判決。

【36】　詳細はわからないけれど、Xは競売制度の社会的信用などを問題にしている。おそらく、法定地上権(→建物を置ける)か建物買取請求権(→時価が入る)の利益を受けようとしたものだろうか。

「該建物ノ前所有者A並ニX等ハ何等右敷地ヲ占有スベキ正当ノ権限ナカリシモノナレバ、X等ハ同建物ヲ収去シ其ノ敷地ヲYニ引渡ス義務アルコト勿論ナリ。仮令X等ガ競売ニ依リ右建物ノ所有権ヲ取得シタリトスルモ、建物ノ競売ハ其ノ敷地ヲ使用スベキ権利ヲ競落人ニ附与スルモノニアラズ。民法三八八条ノ規定又ハ借地法一〇条ノ規定ハ、本件ノ如キ建物ノ競売ノ場合ニ類推スルコトヲ得ズ」(大判昭一八・九・二〇新聞四八七〇・六)。

(二)　その他　　右と同じく、民法三八八条の類推を拒否して、建物所有者を不法占有者とみる最高裁の棄却判決もある(ただし昭和三四年法一四七号の改正国税徴収法一二七条一項)。

【37】　Xは本件土地および地上建物を所有していたが、市税滞納によつて土地が公売処分を受け、Yがそ

れを競落、Xに対して不法占有を理由に収去・明渡・賠償を訴求。一、二審ともYの請求を認容したので、Xは法定地上権ありと上告。

「しかし、土地及びその上に存する建物がただ同一所有者に属しているというだけで、何らその土地又は建物が抵当の目的となつていない場合には、その土地が競売されたからといつて、右民法の特別規定を類推適用……すべきものと解することは困難である」（最判昭三八・一〇・一民集一七・九・一〇八五）（槇・民商五〇巻七五四頁、中島・法曹時報一六巻九七頁）。

なお、建物の階上のみの所有者に敷地使用権を否定した下級審（東京地判昭三一・五・一八下級民集七・五・一二六一）があるが、特殊な事情のあるケースゆえ、その存在だけを指示しておく。

四　建物賃借人と敷地利用の関係

一　序説

土地と建物の「分別的取扱い」が機縁となつて生ずる法的諸関係の問題性は、前節の冒頭でふれたし、同節は、建物所有に関する具体的論点の検討に充てられた。ところで、今から採り上げる建物賃借人の場合は、建物所有者の場合に比して、土地に対する法的距離が遠く（関係がいわば間接的であり）、しかも小市民的事項であるためか、敷地利用面での法「制度」的保護がきわめて乏しい。かくして、この面における彼（＝建物賃借人）の地位如何は、必ずしも明快には論定しがたい微妙な解釈論上の課題となつている（戦前の研究として、我妻＝広瀬「賃貸借判例法6」法律時報一二巻七五八頁以下、近時のものとしては、後藤「建物賃借人の敷地利用権」民商三九巻一・二・三合併号（＝私法学論集・上）三九頁以下、広瀬・借地借家法の諸問題四二頁以下、六六頁以下など）。以下では、敷地利用権の有無に関する一般的な事項（二款）と、借地契約が合意解除された場合における借地上建物の賃借人の地位（三款）とに分けて説明する（なお、借地人の債務不履行と転借地上建物の賃借人の地位については、前出【9】参照）。前者においては、建物の無断増改築ということが、しばしば問題として引っかかっているが、ここでは、その点には深入りしない（総合判例研究として、広中・債権各論講義Ⅱ一三七頁以下（附録その三）参照）。また、後者は、賃貸借の合意解約と適法転借人の地位に関する問題（二節四款）に、密接に関連しているから、それと対比されたい。

なお、本書では訴訟法・執行法の問題は採り上げないが、裁判上の和解により建物収去・敷地明渡義務ある者から建物を賃借し敷地を占有する上告人に対して、承継執行文を付与できるとした最高裁判決（最判昭二六・四・一三民集五・五・二四二）（中田・民商三三巻八三頁、兼子・判民二三事件）は、上告人が民訴二〇一条一項の承継人であると判示する際に、建物賃借人の敷地占有関係について論じている（＝「建物賃借人の敷地に対する占有が建物占有の結果であることは所論のとおりであるが、建物賃借人の敷地に対する占有は、賃借人の敷地に対する占有と無関係に原始的に取得せられるものでなく、賃借人の敷地に対する占有に基づき取得せられたものであるから、占有の関係からみると一種の承継がある」云々）。

二　利用権限の有無＝一般

（一）　建物賃貸人が敷地所有者でもある場合の問題　　かかる者が建物だけを賃貸した場合が問題となる（こういう契約も少なくはないだろう）。いうまでもなく賃貸人は、賃借人が目的物を完全に用益できるよう努めるべき義務を負っており（民六〇一参照）、しかも、敷地なくして建物は存在しえないとともに、一定範囲では建物建設地以外でも土地使用をともなうのが通例だから、その限度内における借家人の敷地利用は、少なくとも「不法占拠」ではない。――このことは、家主が変った場合でも異ならない。すなわち、

【38】　本件建物の敷地所有者Yは、借地人（＝建物所有者でXへの賃貸人）Aから右建物を譲り受け、借家人（昭和六年より二〇年の契約、賃貸借の登記あり）Xらに対して、退去を訴求。原審が、どういうわけかそれを認めたので、X上告し、容れられた。

「按ズルニ、建物ノ賃貸人ハ賃借人ニ対シ其ノ建物ヲ使用収益セシムベキ義務ヲ負担シ賃借人ハ之ヲ使用収益スル権利ヲ有スルハ言ヲ俟タザル所ニシテ、賃借人ガ建物ヲ使用スルニハ当然其ノ敷地ヲモ使用セザルベカラザルヲ以テ、賃貸人ハ敷地ノ使用ヲ拒否スルコトヲ得ザルモノナリ。尤モ、建物ノ敷地ガ他人ノ所有ニ属シ建物ノ賃貸人ガ敷地ヲ使用スル権限ナキ場合ニ於テハ、建物ノ賃借人ハ敷地ノ所有者ニ対シ建物ノ賃借権ヲ対抗シテ敷地ノ使用ヲ許容セシムルコトヲ得ズト雖モ、敷地ノ所有者ガ該地上ノ建物ノ所有権ヲ取得シ建物ノ賃貸借ヲ承継シタル以上、建物ノ賃貸人トシテ賃借人ニ対シ其敷地ヲ使用セシメザルベカラザルハ、建物ノ賃貸借ヲ承継シタル当然ノ結果ナリ。……Yハ……賃貸人トシテ右期間中X等ニ対シ建物ヲ使用収益セシムベキ義務ヲ負担シ、其ノ結果トシテ其ノ敷地タル本件土地ヲモ使用セシメザルベカラザル地位ニ在ルモノナレバ、本訴ノ請求ハ之ヲ排斥セザルヲ得ズ。然レバ原判決ガ……X等ノ抗弁ヲ排斥シタルハ……失当」（大判・年月日不明（昭一五オ三九七号―もっとも【47】の上告によれば一五・一二・一三らしい）新聞四六八一・一五）。

次に、近時の地裁判決には、敷地利用権の範囲や法的性質について判示するものがある。

【39】　Xは、土地（イ）および地上建物（ハ）の所有者で、都市計画のため換地として土地（ロ）の仮使用指定を受けた。Yは、右建物（ハ）だけを賃借したが、無断で（ロ）地上にバラック建の風呂場・物置および板塀を建設所有。Xは、右（ロ）地の不法占有を理由として収去明渡を訴求。結果は次のごとくX勝訴。

「凡そ建物の賃貸借は特にその敷地について別に賃貸借を結ばなくても当然その敷地の利用関係をも包含することは異論のないところであろう。けだし、建物の賃貸借は賃借人をしてその建物の使用収益をなさしめることを目的とするのであるから、建物とその敷地は別に独立して権利の客体たり得ても、土地の定着物である建物を賃貸借の目的に供するときはその敷地は建物の用法に従う使用収益権の制限を受けることは当然であつて、契約当事者の意思もここにあるものと解しなければならないからである。しかしながら、その敷地利用権の範囲はあくまで建物をその用法に従つて使用収益するについて必要と認められる範囲に限らるべきであつて、この限度を超えるときは特にその部分に対する当事者の意思表示がなければならないことも勿論である。しかして、一筆の土地又は権利者を同うする同一区画内の数筆の土地の一部に賃借建物が建設されている場合、……建物と土地全部が同一所有者でありそれが接続して存在するからと云う理由のみで、直ちに全部の土地又は他の部分の土地に及ぶと解することは許されない……」そして「(イ)の土地のうち(ハ)の建物自体の敷地及び……幅約三尺程度の土地の使用は格別、それ以上に亘る前記風呂場及び板塀の敷地は、Yの右(ハ)の建物の賃借権に伴う土地利用権の範囲を逸脱するもの……」なお「Yが……(イ)の土地のうち(ハ)の建物の敷地を利用し得る権限は、前叙のとおり建物の使用収益権に伴う一つの反射的効果と見るべきであつて、土地に対する独立の使用権ではないから、建物の使用収益とは別個に考えることができない。したがつて(ロ)の土地は(イ)の土地の換地であつても、(ハ)の建物が(ロ)の土地に存在しないかぎり、Yがこれを使用する権利はない」(名古屋地判昭二七・二・一九下級民集三・二・二〇五)。

【40】　X会社所有Hマーケットの店舗賃借人Yらが、マーケットに接続する係争地および地上施設(便所・井戸ほか)を使用していたところ、Xから不法占有だとして明渡請求がなされた事件(直接関係のない事案は省略する)。

「本件土地はHマーケットの敷地の一部で、本件土地はその地上にある係争の便所、井戸及び夜警小屋とともにマーケットの出店者であるY等にとつて必要不可欠のものであることが明らかである。しかして、Y

等が店舗の賃貸借によつて当然に本件土地及びその地上にある便所及び井戸を使用できるものと考え、その使用を前提として店舗を賃借りしたものであつて、Y側でもこれが使用を許したものとみるべきものなることは条理上当然のことで……Y等は本件土地及びその地上の便所及び井戸を使用すべき法律上の権限を有する」そして夜警小屋は使用許諾があるから問題ない。「ところで、……XとY等の店舗賃貸借契約は文字どおり店舗の賃貸借であ……るから、Y等の前記使用権限が賃貸借上の権利なのか、それとも使用貸借上の権利なのかについては若干の疑がないでもない。しかし、一般に、家庭(ママ)の賃貸借の場合には、当事者の意思からみても契約の目的からいつても、家屋の外にその敷地についても当然に賃貸借が成立しているものとみなければならぬ合理的根拠はない。家屋の外に敷地についても賃貸借が成立しているというのは、いわれなき擬制にすぎない。特別な事情のない限り、家主は借家人に対して家屋の有償使用を許すと同時に、家屋使用の必要上その敷地についてもその無償使用を許すのであつて、……この使用貸借関係は家屋の賃貸借と主従の関係にあつて、これとその運命を共にするもの」であるが、本件Xの請求は前述のところから理由がない(東京地判昭三二・一一・二〇 下級民集八・二一二四)。

(二)　借地人に対する借地上建物賃借人の敷地権利関係

ここで掲げるのは、いずれも、判決の文章ごとに理論構成がどうであれ、借地人(=建物の所有者かつ賃貸人)が、建物賃借人に対して明渡を請求した事件である。

一つは、大審院の非公式先例で、家屋占有と敷地占有の関係および代理占有を論ずることによつて、焼失家屋の賃借人Xが敷地賃借人Yに土地を返還すべき旨判示する(舟橋・物権法二九三頁参照(もつとも、ここでは、代理占有だけでなく、同時に借家人の敷地占有権の性質にも言及しなければ、解説として十分とはいえないのではないか）。

【41】 Xが震災後バラックを建てたもの。

「他人ノ土地ニ建設セラレタル家屋ヲ賃借セル者ガ使用収益ヲ為ス為其ノ家屋ヲ占有スル場合ニ於テハ、之ヲ占有スルニ必要ナル程度ニ於テ家屋ノ存在スル土地即敷地ニ付占有権ヲ有スト雖、是家屋ヲ占有スルノ結果ナレバ若家屋ノ占有ヲ喪失スルトキハ従テ亦其ノ敷地ノ占有権ヲモ喪失スルモノト謂ハザルヲ得ズ。又敷地ノ所有者若ハ賃借人ハ賃貸借ノ目的タル自己所有ノ家屋ガ該地上ニ存在スル間ハ、其ノ家屋ノ賃借人ヲシテ家屋ト共ニ敷地ノ代理占有ヲ為サシムルヲ以テ、地上ノ家屋ヲ賃貸シタルノ一事ニ因リ敷地ノ占有権ヲ失フベキモノニ非ズ。蓋、家屋ノ賃借人ハ其ノ敷地ニ付自己ノ為ニ占有ヲ為スト同時ニ他人ノ為ニ代理占有ヲ為セルモノナレバナリ。而シテ家屋ノ賃借人ガ家屋ノ占有ヲ失フニ至リタルトキハ、其ノ有シタル敷地ノ代理占有ハ消滅スルト同時ニ、敷地ノ所有者又ハ占有者ノ有スル占有ハ爾後直接占有トナリテ存続スルモノニシテ決シテ消滅スルモノニ非ズ。……故ニ原判決ニ於テX……ノ行為ヲ以テYノ占有ヲ侵奪シタルモノト判示シタルハ不法ニ非ズ」（大判昭三・六・一一新聞二八九〇・一三）。

もう一つは、無断増築部分の敷地に、借家人の占有権限を認めた最高裁判例。例の「背信行為論」判決の一場合であって（次掲広中批評はこれを問題として自説を再確認する）、右の占有権限は「判決要旨」とされていない。

【42】 家主Xは、敷地の所有者ではなく賃借人であるが、借家人Yの無断増築を理由に借家契約を解除し、本件家屋の明渡と増築建物の収去を訴求。これは認められなかつたが、判決要旨によつてその間の事情をみると、「借地上の建物の賃借人が空地に建物を無断で増築した場合でも、増築部分が賃借建物の構造を変更しないで・これに附属せしめられた・一日で撤去できる程度の・仮建築であり、しかも賃借建物は賃借人が自

己の費用で適宜改造して使用すべく家主において修理しない約定で借受けた等の経緯であるときは、賃借人の右増築行為は、建物の賃貸借契約を解除しうる背信行為にあたらない」とされている。ところで、原審は「前掲増築部分の敷地がYの賃借建物の敷地の一部であつて、建物の使用は当然右土地の使用を伴う関係に在る……から、……右賃借権に基いて右土地を占有使用すべき正権原を有するものというべく、これを不法占有と目して土地所有者に代位してその明渡を求める余地のないことは明らかである」としたため、Xは、いくら正権原があつても建物を建てるのは許されないと上告。しかし、

「原判決説示の理由でYが右増築部分の敷地につき占有権原があるとした原判決の判断は相当である」(最判昭三六・七・二一民集一五・七・一九三九)(広中・民商四六巻三三八頁、星野・法協八〇巻四二七頁)。

漠然とした判旨であり、地主の関係も問題となるが(いうまでもなく、この場合は、建物賃貸人＝地主の場合よりも、考慮すべきファクターが多く、複雑化される)、星野評釈は、家主＝借地人の土地使用権の範囲内における増築であり、かつ家主に対する関係で適法ならば、地主に対しても適法だ、と構成する。広中批評は、XがYの本件増築を容認しても民法六一二条に該当せず、借地人としての用法ないし保管義務違反にはならぬ、とみる。——なお、これと関連して、ごく最近の高裁に、問題の無断増築が「家屋賃借人たるXの敷地利用権の範囲を逸脱し」ているが、それによる家主＝借地人Yの損害の軽微さと解除された場合のXの苦痛の大きさとを較量して解除を許さぬとする一方で、「Yにおいて本件店舗の除却に努め勝訴判決をえてその除去を全うする限り(!?)、土地賃借人としての義務違背の責任を問われる筋合でもない」と述べるものがある(大阪高判昭三九・一・二二判時三七二・二三)。

(三)　その他のケース　一つは一部破棄判決で、地主Xとその地上に無権原で建てられた建物の

賃借人Yの争い（無権原地上建物の賃借人については【62】【113】【148】も参照）。

【43】 右Xは、Yに対して、建物所有者Aに求めている収去明渡を妨害するなと訴求。原審が、Yの賃借権はXの権利を侵害しないと判示したため、Xは、建物所有者が不法占拠者ならばその建物の賃借人Yも不法占拠者になると上告して、容れられた（なおYは建物抵当権者でもあるが、この点は省略）。

「按ズルニ、建物ノ賃借人ハ建物ヲ使用スル為之ニ居住シ之ヲ占有スルノ権利ヲ有シ、建物ヲ占有スルトキハ其ノ結果トシテ建物ノ使用ニ必要ナル其ノ所在ノ土地ヲ占有スルコト明ナリ。故ニ、他人ノ土地ノ上ニ其ノ承諾ナクシテ擅ニ建物ヲ建築シタル者又ハ同人ヨリ其ノ建物ヲ譲受ケタル者ガ之ヲ第三者ニ賃貸シタル場合ニ於テ、其ノ賃借人ガ、賃借権ヲ行使スル為該建物ヲ占有スルトキハ土地所有者ノ権利ヲ侵害スルモノニシテ、……未ダ占有ヲ為サザル場合ニ於テモ……土地ノ所有権ヲ侵害スルノ虞アルモノト謂フベク……」原審は上記事実を審査してXの請求の当否を判断すべきであった（大判昭三・七・九新聞二八九八・一〇）。

もう一つは、「建物賃借人が賃貸人の承諾を得て敷地上に増築した場合において、右賃借人から増築部分を賃借して居住する者の敷地に対する不法占有の成否」（判示事項第一）。前記（一）へ入れてもよいが、相手方は建物競落人＝法定地上権者である。

【44】 A所有地上の建物をXが賃借していたが、右建物の抵当権者Yが、実行の結果競落人となり、賃貸人たる地位を承継。Xは賃借権存在確認、YはXおよび増築部分をXから賃借しているZらに家屋明渡を、それぞれ訴求。――判旨は、XがAの増築承諾を得ているから、増築部分が建物使用に必要な限度を超えていないと認められる以上「Xは右増築部分を敷地上に所有するにつき適法な権原を有」し、「Zの敷地占有はXの右権原に基くものに外なら」ないから、Yの請求は理由がない。AはXに転貸を承諾していたと認めら

れるから「Z等はXよりそれぞれ本件建物の一部を適法に転借して占有して」おり、Zらに対する明渡・賠償の請求も理由がない（東京地判昭三二・五・二八下級民集八・五・一〇三一）。

なお、敷地占有権原でなく建物賃借権の対抗力の問題についてであるが（留置権については後出【148】参照）、前出【30】では、建物賃借人Y_2の、地主＝建物新所有者Xに対する地位が判示されている。すなわち、

【45】「Y_2ノ賃借占有セル本件建物ノ所有権ハY_1ノ買取請求ニ依リXニ移転シ、之ト同時ニ借家法一条ニ依リ$Y_1$$Y_2$間ニ存スル建物ノ賃貸借ハXニ対シ其ノ効力ヲ生ジ、従テY_2ガ該建物ヲ占有スルコトハ権原ニ依リ不法行為ヲ成サザルヲ以テ、Y_2ニ対スルXノ不法占拠ヲ理由トスル建物明渡ノ請求ハ失当」（大判昭一四・八・二四民集一八・一二・八七七）（林・判民六〇事件）。

林評釈は右に賛成し、広瀬説も【45】を祖述するが（広瀬・借地借家法一三一頁）、前記最判（昭三八・四・二三—本書五六頁）と関連して、買取請求をしたときに借家法一条を適用するならば、本件Y_1は建物敷地の占有権原をXに対抗できないのに、Y_2は建物の占有権原をXに対抗できるという、一見奇妙な結果になる（可部・法曹時報一五巻一一八七頁註四）、Y_1がY_2に賃貸し引渡した場合に、Xに対してY_2がY_1より強い地位に立つと解するのは誤まっている（三宅・民商四九巻九一〇頁参照）、との反論を生じている。——決断はむつかしいが、借家人に必ずしも落度があるとは限らないから、旧借地人から建物を賃借していた場合でなくとも、いちおう賃貸借関係をXに承継させ事情によって借家法一条ノ二へもっていくことも、不可能ではあるまい。

三　借地契約の合意解約と建物賃借人

(一)　序言　土地の賃借人が、借地上の自己所有建物を他人に賃貸した場合において、借地人が地主とのあいだで借地契約を合意で解約(解除)したときには、右の建物賃借人は退去しなければならぬかどうか。——これが、今から取り扱う問題であるが、この「借地上建物の賃貸借」は「転貸借」に近似しているので、本論に入る前に、右の二つのものの異同をみておこう。前述の公式先例【12】は、借地上建物賃借人を転借人として処理したが、次に掲げる非公式先例【46】は、無断転貸だとした原判決を破棄する際に、この二つが異なると理由づけている(合意解除ケースではない点、注意されよ)。すなわち、

【46】　X_1は、無断転貸譲渡の場合には解除する旨の約款つきで、Yの所有地を賃借したが、右地上に建てた工場と納屋をX_2に賃貸し、X_2は右建物の近くに物置・便所さらに平家建住宅を建てた。そこでYは、X_1X_2に対して土地明渡を訴求し、原審は、前記特約違反だとYの請求を認容。これに対し大審院は次のごとく判示。「転貸ハ賃借人ガ賃借物ヲ第三者ニ賃貸スル関係ヲ指称スルモノナルヲ以テ、土地ノ賃借人ガ其ノ地上ニ建設シタル建物ヲ賃貸シ其ノ敷地トシテ土地ノ利用ヲ許容スル場合ノ如キハ、之ヲ土地ノ転貸借ト目スベキモノニ非ザルハ勿論ノ次第ニシテ、建物ノ賃借人ガ之ニ些少ノ建増ヲ為シ建物ヲ使用スルガ如キ場合ニ於テモ、其ノ目的ガ建物使用ノ為ニシテ而カモ其建増ガ単ニ附随的ノモノニ過ギズト認メ得ベキ場合ニ於テハ、縦令土地ノ賃貸当事者以外ノ者ガ賃借人ノ許可ヲ得テ建増ヲ為シタル事実アリトスルモ、之ガ為ニ必シモ土地ノ賃借人ガ建増ノ目的ヲ以テ土地ヲ建物ノ賃借人ニ転貸シタリト推定スベキモノニ非」ず(大判昭八・一二・一一裁判例七民事二七七)。

この事件では、遮二無二、転貸借でないと構成することによつて、借地人および借家人は責任を問

われずにすんだ。しかし、二つの関係の差異を強調しすぎると、合意解除その他の場合、必ずしも借家人側にプラスにならぬ可能性もないではない。後出【48】などはその例である。

（二）　判決例　　大審院時代には、転貸借と把握された【12】（=借地上建物の賃借人が、大震災後みずから建物を建てたケース）を除き、合意解約に関する判例はなかった。戦後最初の事例は次掲【47】であるが、これの判示事項は「借家法一条一項の適用のない一事例」となっていて、われわれの問題（=合意解除の対抗力ないし借地上建物賃借人の占有権限）は附随的にすぎない。ともあれ、関係部分をみていこう。

【47】　敗戦の年に、本件宅地の所有者Y先代は、必要なときには一ヵ月の予告で明渡してもらうという約束で、A（第一審被告）に土地を賃貸した。Aは、そこに最初バラックを建て後にこれを木造平家に改築して、Xらに賃貸していた。Yから、無断転貸を理由とする解除→収去・明渡が訴求されたようだが、原審は、Y先代の解約申入とAの承諾を採り上げ、また本件借地契約を借地法九条の一時賃貸借だと認定して、「右合意による土地賃貸借契約の解除により、Aの賃借権は消滅したのであるから、Xらは右家屋の賃借人としてその敷地を占拠しうる何等の権限もない」と判示。Xらは、民法五四五条一項但書を引いて上告（ほかに借家法一条が適用されるとも主張したが、この点も容れられなかった）。

「契約の合意解除の場合には民法五四五条の適用はないのであるから、X_1らについて同条一項但書の適用を否定した原判決の判断は正当であり、論旨は理由がない。（本件土地の賃貸借は、もともと一時使用のためのものであり、Aが右地上の家屋をXらに賃貸するについて、Y先代の承諾を得なかつたことは原判決の確定するところであるから、右土地の賃貸借が合意解除せられた以上、Xらは直接にも、間接にも右家屋敷地の占有使用について、Yに対抗すべき何等の権限をも有しないことは当然である」（最判昭三一・二・一〇民集一〇・二・四八）（石田・民商三

四巻七七一頁、加藤・法協七四巻一八〇頁、北村・最高裁判例解説七頁)。

この【47】の五四五条論に対しては、契約の効力は第三者に及ばぬのが原則である(加藤(一)評釈—ただし本件については、一時使用と認定された以上、判示結論を是認するほかなし、とする)、YとXらの関係は借家法で蔽い尽くされ、右条項の介入余地はない(石田(喜)批評—さらに、Yは借家法一条一項の物権取得者にほかならぬ、という)との批判があるが、その点はともかくとして、カッコ内の判文からは、地主の意思的関与がない以上、借地関係が存続するかぎりでしか敷地利用権は認められない(そのうえ、本件借地関係はやがて終了する運命にあつたのだから、YA間の合意解除は、加害的でも背信的でもない)、とする考え方がうかがえる。

右のカッコ内の見解に影響されたのかどうかは不明だが、東京高裁の次掲【48】は、ずっとはっきりしていて、第一審(東京地八王子支部判昭三三・二・二八下級民集九・二・三三八)が、【13】における転借人の場合と同様に「建物賃借人の敷地利用権は、敷地賃貸人と敷地賃借人(建物賃貸人)との土地賃貸借契約の合意解除によっては、消滅しないものと解するのが正当」だとしたのを、真向から否定している。すなわち、

【48】 Xら両名は、めいめいの所有地をAに賃貸し、Aはそこに建物を建ててYら(三名)にその建物を賃貸していたが、XらとAとのあいだで簡裁において調停が成立し、借地契約は合意解除された。そして、XらはYらに対し退去を訴求。——前掲第一審は、「建物所有のための土地賃貸借にあつては、土地賃借人が賃借地上に建物を所有してこれを他人に賃貸し、建物の賃借人をして敷地を占有使用させることは、土地賃借権の内容をなすものであつて、土地所有者はこのことを承認して契約内容としたものと見るべきが一般であり、借家人の敷地使用権は「建物賃貸人とその賃借人との法律行為に土地賃貸人の意思が加わつて形成された」点で適法転貸借と軌を一にする、という解釈論を前提にXらの請求を棄却した。しかし、第二審は、

次のごとく判示。

「土地の賃貸借が終了したときは、Xらは右土地を自ら使用・収益し得るのであつて、これがためYらに対し明け渡しを求め得ることは当然である。Yらは、前記賃貸借の合意解除は、少くともYらに対する関係においてはその効力を生じないと主張するが、賃貸人が転貸借を承諾した場合においては、賃貸人は賃借人に対し転貸することを許容するとともに、転借人に対し賃貸物件の使用を認容するものであるから、転借人は賃貸人に対しても自己の権利を主張し得る関係に立つのであり、これがため賃貸人と賃借人との間になされた合意解除によつて当然転借人の有する権利を終了せしめることが信義の原則に反する場合があり、かような場合には右合意解除が転借人に対する関係においてはその効力を生じないものとなすことが法の精神に適合するものであることを否定しえないのであるが、XらとYらとの間には何らの法律関係もなく、XらとYらとの関係においては、XらはAが前記建物を建築しこれを第三者に賃貸しその者において右土地を使用することあるを予想し得たとしても、その使用関係は右土地の賃貸借の適法に存する範囲に限られるのであつて、これを逸脱してもなお使用を許容する意思があつたものとは到底予想することができないところであり、また土地の賃貸人にこのような使用を認容すべき義務があるものと解することが、土地の賃貸借の要求する信義の原則に適合するものとは到底考えられないので、前記合意解除によつてYらが前記土地の使用ができなくなることは当然……」そして「他に、Yらが前記土地を占有する権原につき格別の主張立証のない本件においては、Yらは前記建物から退去してその敷地をXらに明け渡す義務のあるものである」(東京高判昭三三・六・一三下級民集九・六・一〇六〇)。

しかし、かかる見解は、後日における最高裁の採用するところとならず、次に掲げる先例【49】は、適法転借人に関する既出【13】【14】を引いて、「土地賃貸人と賃借人との間において土地賃貸借契約を合意解除しても、土地賃貸人は、特別の事情がないかぎり、その効果を地上建物の賃借人に対抗できない」(判決要旨)と、明確な形で判示するにいたつた。地主の明渡請求を認めなかつた本件での結論には、おそらく今後とも学説側からの反対は出ないものと考えられる。――なお、本判決と同旨の原審(高松高判昭三五・五・二七下級民集一一・五・一二〇二)は、いわゆる特段の事情として、土地賃貸借ないし借地上建物賃貸借が一時使用のためである場合を掲げ、それによつて、先例【47】(カッコ内の判文)との抵触を避けようとしたらしいが、先例のもう一つの理由づけ(=地主の無承諾)では、結局それと異ならざるをえなくなつている(なお先例応接については本書二二〇頁)。

【49】Aは、昭和二一年に、期間一〇年の約束で地主Xから本件土地を賃借し、平家建物を建てて製材業を営んでいたが、昭和三〇年春、この家屋をYに賃貸して自分は他へ転居した。Yは家具製造業を営み、本件土地の約五〇坪を木材置場に使つていたが、翌年XA間に簡裁で調停が成立して、借地契約は合意解除され、XからYに対して明渡を訴求。――原審は、(イ)右土地使用は建物利用に必要な限度内である、(ロ)本件借地契約は一時使用のためのものでない、(ハ)解除は背信行為によるとは認められない、(ニ)特段の事情(たとえば一時使用といつた)がないかぎり、合意解除には対抗力なく、右土地「賃貸借はYの建物賃借権の根拠を失わしめない限度で且その限度においてのみ存続している」と判示。そこでX上告するが、次のごとく棄却。

「かかる場合においては、たとえXとAとの間で、右借地契約を合意解除し、これを消滅せしめても、特段の事情がない限りは、Xは、右合意解除の効果を、Yに対抗し得ないものと解するのが相当である。

なぜなら、XとYとの間には直接に契約上の法律関係がないにもせよ、建物所有を目的とする土地の賃貸借においては、土地賃貸人は、土地賃借人が、その借地上に建物を建築所有して自らこれに居住することばかりでなく、反対の特約がないかぎりは、他にこれを賃貸し、建物賃借人をしてその敷地を占有使用せしめることをも当然に予想し、かつ認容しているものとみるべきであるから、建物賃借人は、当該建物の使用に必要な範囲において、その敷地の使用収益をなす権利を有するとともに、この権利を土地賃貸人に対し主張し得るものというべく、右権利は土地賃借人がその有する借地権を抛棄することによつて勝手に消滅せしめ得ないものと解するのを相当とするところ、土地賃貸人とその賃借人との合意をもつて賃貸借契約を解除した本件のような場合には、賃借人において自らその借地権を抛棄したことになるのであるから、これをもつて第三者たるYに対抗し得ないものと解すべきであり、このことは民法三九八条・五三八条の法理からも推論することができるし、信義誠実の原則に照しても当然のことだからである（【13】【14】各参照）」（最判昭三八・二・二一民集一七・一・二一九、判時三三一・二三）（水本・民商四九巻五七九頁、瀬戸・法曹時報一五巻四号九三頁、広中・法学二八巻二五六頁、椿・法律時報三五巻七号八四頁）

（三）　若干の整理　判例【49】は、「信義則」および「恣意（Willkür）の不許」という法原理的な理由づけを共通項にして、適法転借人に関する先例【13】【14】の解決へ結びついていった。だが、かような類推がなされうるためには、(イ)転貸借と借地上建物賃貸借とは全く別個の観念である（【46】の一般論）、(ロ)地主と借地上建物賃借人とは何らの法律関係がなく、後者は全面的に借地人に依存する（【48】参照）、(ハ)借地上建物賃借人は本来なら無断の敷地占有者である（【47】には、かかる考えがうかがえぬでもない）、というふうな発想法が克服されねばならない。そして、この点に関する先駆者は【48】の第一審判決だった（学説としては、広瀬・借地借家法の諸問題八〇―一頁（↑法律時報二九巻）であろう）。ただ、その構成は、いわば、意思の擬制に近く、伝統的解釈論に対しては説得力が十分でなかつたかもしれない（その第二審たる【48】は、まさしく伝統的解釈を示した）。しかし、このころになると、借家人の「住の確保」はいろいろな方向で実現されるにいたっており（正当事由ケースの結着や、「背信行為論」先例の定着）、土地と建物の「切断」という特殊＝日本法的状況から生じた借地上建物賃借人の不安定な地位についても、過当な弱さ（＝たとえ恣意であっても、借地関係の消滅は当然に彼を無権原者にするという）を救済するために、先例【13】へつなげる概念装置の必要性は認識されつつあったと思われる。そうこうするうちにも、転借人の地位の積極化は明確となってくる（【14】【53】）。かくて【49】の踏み切った結合用具が「土地賃貸人へも対抗できる建物賃借人の敷地利用権」という構成であった（時期的には相当違うが、【13】を【11】と対比せよ）。――水本批評は、【49】の出現をむしろおそすぎたぐらいだと評するが、法理上の堀を埋める方策を打ち出せるまで裁判所が慎重に行動するのは、或る程度やむをえないだろう（また、抵当権と賃借権の保護が時期的に併行しなかったことも、無理由ではないように思われる）。

ところで、合意解除の対抗力それ自体について、「転貸借」と「借地上建物賃貸借」とは同じレヴェルに置かれることになったが、その後の地位（これについては、後藤・民商三九巻一・二・三合併号五一頁以下、広瀬・借地借家法の諸問題八六頁をみよ）までが同一になるかは問題である。適法転借人に関しては若干の検討を加えたが（本書三三―四頁）、借地上建物賃借人は、転借人以上になりえないこともちろんだとしても、どの辺りで準ぜしめるべきか、急には答えられない。第一、適法転借人そのものが先決問題である。将来に留保しておきたい（構成問題としては「事実上の契約関係」というようなことも、論点たりえよう）。――なお、【12】と【13】が事案を異にしていたという判例理解をしても、問題の【49】によって、結局は【12】が事実上変更されたのであるから、今後その点を特に云々することはいらなくなった。

五 その他不法占拠の成否

一 無断の転借人・賃借権譲受人

（一） 概観　われわれは、三節において、借地上の建物の買受人（ただし建物買取請求をしたらこの限りでない）や競落人が敷地の不法占拠者とされた事例をみてきたが（前出【30】【33】など）、これは、いうまでもなく、かかる建物所有権の移転がそれと不可分に結びつく敷地賃借権の譲渡ないし転貸となり（大阪高判昭三六・一・三一下級民集一二・一・一八二も、一般論として「土地の賃借人が賃借土地上に所有する建物を第三者に譲渡した場合には、特別の事情のない限り、賃借権の譲渡または賃借土地の転貸が行なわれたもの」とみる（ただし事案は、建物について譲渡担保を設定したケースであって、背信行為にならないから地主の解除は無効とされた））、かつそのことについて地主の承諾を得られなかつたからである。だが、右の帰結を導き出す民法六一二条は、もちろん、そういう特殊な場合だけに問題となるものではない。そして、古典的解釈のもとでは、およそ賃借物の第三利用者は、賃貸人の利用許諾がない以上、常に不法占拠者であり、賃貸人に「対抗しえないという形で表現される」さような趣旨の判例は「無数に存する」らしい（鈴木「賃借権の無断譲渡と転貸」本叢書民法11二八頁参照）（なお、かかる「対抗不能」先例の理解につき、事案との関連で注意を促すものとして、星野・判民（昭二六）二八事件一一二八頁）。——最高裁判例から一、二例示しても、次のようなケースがある（両件とも、主論点は、次節三款の問題にあるので、評釈もそこ（【73】【74】）へゆずる）。

【50】 旧地主Aからの土地譲受人Yと、戦災後Aの承諾を得ずに借地人Yから土地を転借し建物を建築所有するXとの争い。YはXが建物を建設使用しているのを知りつつ土地を買つたので保護する要なし、とのXの上告第六点に対し、

「不法占有者の占有を知つて所有権を譲受けたからといつて、当該不法占有が適法の占有に変ずるものではない」（最判昭二六・四・二七民集五・五・三二五）。

【51】　家屋賃借権の無断譲渡ケース。原審認定によれば、本件家屋は外人Aが家主からB賃借していたが、帰国に際してXに賃借権を譲渡。後にBがこのことを知つてゴタゴタもめていたが、Bは右家屋をやがてYに売却し、Yから明渡・賠償を訴求。一、二審とも敗訴したXは、賃貸借の解除が行なわれていないので自分には正当な用益権限がある、と上告。しかし棄却。

「原審は、右認定にかかる事実と、本訴当事者間に争がない『Yが昭和二二年一〇月一〇日訴外Bから本件家屋を買受けその所有権を取得した』との事実及び『XがYの右所有権取得前から該家屋を占有している』との事実にもとずき、Xは昭和二二年一〇月一〇日以前から前所有者B及びYのいずれにも対抗し得べき何等の権原もなく不法に本件家屋を占有するものであると判示したのである。この判示の正当であることは民法六一二条一項に……徴して明白であ」る（最判昭二六・五・三一民集五・六・三五九）。

かように、彼ら無断の転借人・賃借権譲受人が「不法占拠者」になるということは、不法占拠における二つの基本的効果——賃貸人からの「物権的（返還・明渡）請求」および「損害賠償請求」——が発動されるのを意味し、これが、その際に原賃貸借を解除しておかねばならぬか否か、賃貸人自身または賃借人のいずれへ引渡を求めうるか、という形の議論になつている（次節三款参照）。要するに、民法六一二条を字義どおりに適用するかぎり、問題は、もつぱら彼らが負わされる「責任」如何だけなのであつて、すでになされている整理（鈴木・右掲書や、我妻＝広瀬「賃貸借判例法7」法律時報一二巻八七三頁、広瀬「建物と敷地利用権11」法律時報三三巻一五二三頁などを参照）に重ねてまで、彼らを、不法占拠の成立が問題になる一場合として採り上げるべき必要性は乏しい。

しかし、民法六一二条の制約なき適用に対して修正・制限が加えられるとき、彼らの地位にも変更を生ずる。もっとも、この変化は漸次的であった。すなわち、戦後の下級審は、従前からの学説の主張に応えて、民法六一二条の解除に種々な制約（たとえば、一般条項の利用、「暗黙の」承諾という一種の擬制的な認定、「転貸」概念の意味限定など）を課する方向を採ったが、そうなってからも、当面の努力目標は、まず賃貸借関係を維持させることの可能性に置かれたため、第三利用者の取扱いなどは、いきおい表面化しにくかったようにみえる。ところが、最高裁が「背信行為とならない特段の事情」という解釈的構成によって、民法六一二条の解除に若干の制限を加え（最初の先例は、最判昭二八・九・二五民集七・九・九七九……この解説として広中・判例百選一三〇頁、篠塚・判例演習（債権法**2**）五四頁）、それが判例法理として確立するにいたってからは、転借人たちも、これまでのようにただマイナス＝責任の面だけからは把えられなくなる。けだし、無断の転貸・賃借権譲渡があったにもかかわらず賃貸借の解除が許されない（＝原賃貸借の存続が認められる）となれば、当然その次には、さような場合（これに関する下級審の判決例は広中・契約法の研究一一二頁以下などを、また学説的な例示としては広中・債権各論講義Ⅱ七八頁などを、参照）における転借人・賃借権譲受人の法的地位ないし運命はどうなるか、を問題として前面化させるだろうからである。かような段階では、彼らは、もはや、賃貸人から賃借人へなされる違法行為停止・除去請求の、単なる「客体」にとどまらぬものとなるわけである。左に、この点をみていく。

（二）　原賃貸借存続時の地位（判決例と学説）　まず東京地裁は、前記最高裁の「背信行為論」先例と同じ立場に立って、建物賃借人が従来の個人経営を会社組織に改めた事案について、背信行為でない（→賃貸借契約を解除できない）とし、続いて、転借人を適法占有者だと判示している（東京地裁には後日も同旨の判決がある——鈴木・本叢書民法11【33】【34】）。すなわち、

【52】「賃貸人において賃借人の転貸を理由に契約を解除することが許されない場合においては、当該転借人は、その転貸借契約に賃貸人の承諾がない場合においても、転借権をもつて賃貸人に対抗し得べきものであつて、従つて転借人の目的物に対する占有は適法なものと解するのが正当である。すなわち、転貸借契約について賃貸人の承諾があつたときには、転借人は賃貸人に対する関係においても適法にその転借物を占有し得るのであるが、この場合と、転貸借契約に賃貸人の承諾は与えられていないが、これを理由に賃貸人において賃借人に対して契約に解除をなし得ないものとされる事態の下において転借人が転借物を占有する場合とについて、転借人の賃貸人に対する目的物の占有権原の有無に関して両者を彼此別異に取り扱わなければならない合理的な根拠は到底これを見出し難い」（東京地判昭三〇・六・一五下級民集六・六・一一三六——鈴木・本叢書民法11【32】）。

さらに、法令でやむをえず解散した組合とそれに代わった二つの会社とのあいだで建物賃借権譲渡（転貸に言及する判示の部分は、事案からみて一般論にすぎない）が行なわれた背信行為論ケース（最判昭三〇・九・二二民集九・一〇・一二九四）の原判決でも、最初の先例における谷村補足意見（＝もちろん収去請求をなしうる、と解した）とは異なり、「両会社はその賃借権を以て控訴人（＝賃貸人）に対抗できる」とされていた（広中・債権各論講義Ⅱ一一八頁参照）。

そして、ついに最高裁また、背信行為とならぬ特段の事由があつて解除が許されない場合には家屋「賃貸人は転借人に対し転借部分の明渡を求めることはできない」（判決要旨第二点）と判示するにいたった。

【53】まず、判決要旨第一点によって事実関係を概観しておくと、「転貸が賃借人との共同経営契約に基く

ものて、転貸部分は家屋のごく一小部分に過ぎず、右共同経営のために据え付けられた機械は移動式で家屋の構造には殆ど影響なく、その取除きも容易であり、しかも転借人は右家屋に居住するものではないこと、また、家屋の所有権は賃貸人にあるが、その建築費用・増改築費用・修繕費等の大部分は賃借人が負担し、その上、賃貸人は多額の権利金を徴していた」事案。――原審は、賃借人Y_1に対する賃貸人Xからの解除を無効とし、転借人Y_2についても「Y_1がY_2をして階下の一部を使用させていることが、Xに対する背信行為と認め難い以上、Y_2はその占有使用をXに対抗することができ……明渡義務はない」と判示。最高裁も、Xの、Y_1だけにつき賃貸借を存続させるのが本来の姿だと主張する上告第三点に対し、

「Y_1がXの承諾を得ないでY_2をして賃借家屋の一部を使用させていることが、本件の場合、Xに対する背信的行為と認めるに足りない特段の事情がある場合とみるべきこと、前記のとおりであるから、Y_2の占有はこれを不法のものということはできないのであり、したがつて、原審が、Y_2は右占有使用をXに対抗することを得るものと判断したのは結局正当」(最判昭三六・四・二八民集一五・四・一二一一)(林・民商四五巻七八七頁、三淵・法曹時報一三巻八三一頁、石田・法律時報三三巻一五四八頁(=一三号一〇八頁))。

また、最も新しい背信行為論先例(最判昭三八・一〇・一五民集一七・九・一二〇二)の原審でも、今の点が言及されている。すなわち、

【54】　僧侶Y_1が、地主Xから借りた土地の上に所有する住居兼説教所用建物を本拠として宗教法人Y_2寺を設立したところ、XがY_1Y_2に対して、無断転貸を理由に土地明渡等を訴求した事件。――名古屋高裁は、本件土地の「使用関係は実質上終始変ら」ず「Y_2寺の設立はXとY_1との本件賃貸借関係を断たねばならぬ程に信頼関係を裏切つたものと見るべきでない」と判断し、さらに、Y_2寺は不法占拠者だとするXの主張も、次のごとく認めなかつた。

「XとY_2寺との間には、本件土地の使用関係につき直接の契約関係はないが、Y_1とY_2寺との関係は叙上説示

のとおりであるから、XとY_1との間に本件賃貸借契約が続く限りは、Y_2寺の本件土地使用はY_1の賃借権限内における使用として適法なものと認めるを相当とする」（名古屋高判昭三六・一一・六―出典は前記上告審判例集による）。

鈴木説は、【52】の見解を正当とし、ただ賃借権譲渡の場合には、賃借人が離脱することによつて賃貸人の利益を害するから、(イ)賃借人と譲受人とを併存的責任者とみるか、(ロ)転貸借が存するかのように取扱う解釈が必要だろうと述べた（本叢書民法11三三―四頁、五〇―一頁）。また【53】に対する石田（喜）研究は、無断の転貸譲渡があつた場合には、(イ)解除を認める、(ロ)転借人・譲受人だけの明渡を認める、(ハ)賃貸人に調整的補償をする、(ニ)解除はもとより、以上いつさいの請求を認めない、という段階的解決策を問題とし、林（良）批評も「中間領域をみとめ、そこでは解除権濫用禁止を認め、そのうち債務不履行としてさらに五四一条の途をとらせるもの、債務不履行だが五四一条の途を封じ、ただそこでは損害賠償の可能性を残すもの、及び五四一条の途を封ずるだけでなくさらに転借譲受人への明渡請求を権利濫用法理によつて抑制するものと抑制しないもの（この場合には解除以外の債務不履行効果は生じる）といつた段階的取扱い」をこれまた推している（なお林・民商三四巻九二頁以下（前記昭三〇・九・二二最判への批評）の記述も参照）。――この両批評には、転借人の占有が賃貸人に対抗できる場合を或る程度で限界づけるべきだ、との評価態度がうかがえるのであるまいか。

(三)　先例【53】を中心とする若干の検討　　論点は、右先例の解釈的構成がもつ射程距離如何、換言すれば、第三利用者の明渡・退去義務の有無（→さような意味における不法占拠の成否）に関する基準ないし枠がどの辺りに求められうるか、である。一、二の方向からアプローチしよう。

まず、【53】の事案が「転貸借」であることは、現在の支配的解釈立場を前提とするかぎり、その事件の法的判断にとつて重要（relevant）な事実である。けだし、【53】の三淵解説が鈴木説を引いて指摘するように、かような理を「賃借権譲渡」へもそのまま適用するならば、賃貸人の立場が不利になりすぎるからである。ただ、この不利というのは、賃借人たる地位の譲渡（＝旧賃借人の離脱）では、賃貸人が、譲渡承諾もしていないのに、賃料収取（＝彼の最も基本的な権能）の不安にさらされることを意味する。したがつて、前掲最判（昭三〇・九・二二）のように、利用主体の変更が形式だけにすぎぬと考えられる場合には、賃借権譲渡であつても転貸借と同視して差支えあるまい。また、かかる不安に関するかぎりでなら、【53】を一般的に譲渡ケースへ適用するための解釈的操作は、さほど困難でない。それは、「契約上の地位の譲渡」一般として主張したように（椿・民商三四巻二六三―七頁参照）、旧賃借人の併列的責任を附加的に存続させるのである。だが、賃借権「譲渡」に関する伝統的感覚（＝およそ譲渡というものは、旧主体の完全離脱しか考えられぬ）からして、右のような構成は無理だというのであれば、あとは、なるべく転貸借へ傾斜させて認定する、という鈴木説の解決策が残される（ただし、認定面における転貸と譲渡の相互的位置づけは、ここに限らず、他でも問題となる点に注意を要する（本書二五一―六頁））。――しかし、もつというならば、転貸であれ譲渡であれ無断第三者の利用がどこまで認められるか、これがそもそも問題であろう。

右の問題は、どのような「第三者」ならば利用を継続できるか、といい換えてもよいが、最初の背信行為論先例（前掲最判昭二八・九・二五）は、こういう性質の問題が登場するケースでなかつたようである（これについては、広中・債権各論講義Ⅱ一一七頁参照）。後日の或る背信行為論先例（最判昭三一・五・八民集一〇・五・四七五）では、完全な（＝同一主体とはいかなる意味でもいえない）第三者が家屋の無断一部転借人であったが、すでに退去しているため、彼の地位は争点とならなかった。これらと異なり、下級審判決【52】【54】や背信行為論先例の一つ（前掲最判昭三〇・九・二二）の原審は、無断の転借人ないし賃借権譲受人の地位を採り上げ、かつ利用継続を認めた。だが、これら三つの事案は、いずれも第三利用者が実質的にみて賃借人と変らぬ場合だから、転貸譲渡行為が背信行為にならぬことも、転借人らの地位を認むべきことも、いわば当然であろう。

ところが、先例【53】での第三利用者は、共同経営契約によって賃借家屋を使用するにいたった・賃借人とは同一主体視できない・者である。原賃貸借関係の存続（＝解除不許）という結論を採る場合でも、林(良)・石田(喜)両批評にうかがえるごとく、かような第三利用者に対する賃貸人の退去・明渡請求のほうは認める、とする行き方だって十分考えられるのだから、先例【53】の出現は、この問題に関する判例法理の展開上、重要な意味をもつものと思われる。——次に、判旨は、「賃貸人の行為が背信行為でない」ということから、「転借人の占有は適法である」との結論を導き出しているらしいが、いうまでもなく、背信行為か否かの判断そのものが、転借ないし転借人の状況を抜きにしては考えられない。転借人の利用継続を肯定するときは、ことに右の点は重要になる。しかし、判旨では、判断の重点が賃借人の行為の背信性如何に置かれ、かつ、転貸借のみならず原賃貸借の事情も総合的に考慮されているため、どのような第三利用者なら不法占拠者とされないか（判示認定から引けば、転借部分が僅小ならばよいか、転借人が居住しなければよいか、家屋の構造にほとんど無影響ならよいか、など）、という今の問題には確答できない。この種の先例がなお若干現われるまで、待ちたい。

二　雑件

一つは、家屋の新所有者が、該家屋の占有者に対して、家屋明渡と損害賠償を訴求した事件（事案の内容ははっきりしていないが、損害賠償の要否が争点となっているように思われる）。判旨をどう理解するかは、次述するように問題がある。

【55】　Yは、昭和四年四月Aから本件家屋を買い、同年一二月まで右家屋を占拠していた$X_1$$X_2$（＝内縁夫婦）を訴求。原審は、$X_1$らが共同不法行為者であり、Yが登記をしていないことは右認定を妨げぬと判示。これに対しX側は、自分たちはAから賃借占有しており、Yの登記欠缺を主張しうると上告。原判決は、次のごとく破棄差戻となった。

「按ズルニ、民法一七七条ニ所謂第三者トハ、不動産物権ノ得喪及変更ニ付登記ノ欠缺ヲ主張スル正当ノ利益ヲ有スル第三者ヲ指称シ、当事者若ハ包括承継人ニ非ザル総テノモノヲ包含スルモノニ非ザルガ故ニ（【65】）、第三者ニシテ不動産物権ノ得喪及変更ニ付登記ノ欠飲ヲ主張シ其ノ物権ノ変動ヲ否認セントセバ、必ズ其ノ登記ノ欠缺ヲ主張スルニ付正当ノ利益ヲ有スル（ママ）コトヲ要スルモノトス。本件ニ於テX_1ハ、本件家屋ハ其ノ所有者Aヨリ賃借シ内縁ノ妻タルX_2ト共ニ之ヲ居住シタルモノニシテ決シテ之ヲ不法ニ占拠シタルモノニ非ズト主張シ、Yガ本件家屋ヲAヨリ買受ケタルコトヲ否認シタルコト……明ナル所ナリトス。故ニ、若シX_1トA間ノ賃貸借ニシテYノ右家屋買受後モ尚引続キ存続シ居タリトセバ、X等ノ本件家屋占拠ハ賃借権ニ基キ之ヲ為スモノニ外ナラズ、縦令其ノ後Yニ於テ該家屋ヲ買受ケ其ノ所有権ヲ取得シタリトスルモ、其ノ登記ヲ了セザル限リXハYノ所有権取得ニ付登記ノ欠缺セルコトヲ主張シテYノ所有権取得ヲ否認シ得ルモノ、換言スレバ右登記ノ欠缺ヲ主張スル正当ノ利益ヲ有スルモノト謂ハザルベカラズ。従テXガYノ売買

ニ因ル所有権取得ニ付登記ノ欠缺セルコトヲ主張スルニ付正当ノ利益ヲ有スルヤ否ヤヲ決スルニハ、前記X_1トA間ノ賃貸借ハ右売買後モ尚存続シタリヤ否ヤヲ審査スルコトヲ要スルコト明ナリ。
然ルニ原裁判所ハ事茲ニ出デズ、売買当日XガAヨリ売却ノ事実ヲ告知セラレタルコト、及次デYヨリ明渡請求ヲ受ケタルコトノミヲ以テ、直ニX等ハ本件家屋ヲ不法ニ占拠スルモノナリト為シ、延テXハ登記ノ欠缺ヲ主張スル正当ノ利益ヲ有セザルモノト判定シタルハ……不法」（大判昭六・三・三一新聞三二六一・一六）。

この後、新地主が借地人（地上の所有建物は登記ずみ）に賃料を請求した事件において、認容した原判決を破棄する際に、借地人は一七七条の第三者に該当する（↓新地主は登記を備えなければ彼に対抗できない）とした公式先例（大判昭八・五・九民集一二・一一二三）（東・判民八〇事件—賛成）があり、多くの学説も、所有権取得登記が必要と解している（我妻・物権法一〇〇頁、末川・物権法一〇九頁、柚木・判例物権法総論一九七頁など。ただし金山・物権法総論二六八—九頁、鈴木・物権法講義二三三—四頁参照）。【55】もこの系統に属するようであり、事実、これのみを、同一不動産上の賃借人に対する所有権譲受人の対抗問題ケースとして掲げる見解がある（川島・民法I（総論・物権）一六九頁、舟橋・物権法一八九頁）。——事案がX主張のとおりであるならば、たしかに【55】は、さような対抗問題にとって、典型的なケースであろう。しかし、注意して読むと、問題の判示部分は、いかに強調されていても、仮定のうえに立った法律論（＝傍論）でしかない。本判決の先例価値は、本件Xらに損害賠償責任（件名は「家屋明渡等請求事件」となっているが、原審認定ではおそらく訴提起前か直後には退去しているようにも思われ、また、原審が共同不法行為（＝損害賠償）責任を認め、その点が上告審で問題となっているようにみえるから、このようにみておく）を認めるには、賃貸借関係が存在する旨の主張がある以上、まずその存否を審査せよ（＝売却通知と明渡請求の事実だけから、ただちに不法占拠者と判断してはならぬ）、という点にあるように思われる。とすれば、この判決は、さような意味で不法占拠の成否に関する事例ともいえるのであって、事案を重視する立場では引用の仕方に気をつけるべきであろうか（なお、判例体系8Ⅱ七〇二頁の位置づけも参照）。

次は、期間満了後の借地人が、一定の契約のもとで、不法占拠者にならぬとされた事例（なお、本件は大正末期の弘前市でのこと）。

【56】　期間が満了して、借地人Xと地主Yのあいだで、Xが適当な土地を探し、Yはそこに建物を建ててXに無償譲渡する旨の契約ができた。Yから不法占拠を理由とする損害賠償が訴求されたのに対し、Xは、Yが履行していないので本件賃貸借はまだ存続すると抗弁したが、原審はこの抗弁を容れない。そこでXは、右契約が履行されるまで自分の占有は不法でないと上告し、原判決は破棄された。すなわち、
「右契約ノ履行……迄ハ、Xハ本件土地ニ家屋ヲ所有シ該土地ヲ占有スルコトヲ、Yニ於テ許容シタルモノト謂ハザル可カラズ。蓋、若然ラズトセバ当事者間ニ右ノ如キ契約ヲ為シタル趣旨ヲ没却スルニ至レバナリ。」しかるに、原判決が、Xの右抗弁に関する事実を審究せず、漫然Xを本件土地の不法占拠者だと判示したのは、審理不尽である（大判昭六・六・二裁判例五民事九八）。

次は、不法占拠者が公法人であっても、土地所有はもちろん建物収去・土地明渡を求めうる、とした棄却判決。――なお、この判決は、私益でもって公益を侵せない、損害賠償にとどむべきだ、とする上告を認めず、建設ずみ校舎の撤去を命じているが、数年後には、電気会社が他人の土地の下にトンネルを掘った事案（大判昭一一・七・一七民集一五・一四八一）（我妻・判民九七事件、舟橋・民商五巻四〇九頁）、鉄道会社が他人の土地を勝手に埋立てた事案（大判昭一三・一〇・二六民集一七・二〇五七）（戒能・判民一二五事件、杉之原・民商四巻七二一頁）につき、原状回復が不能であるとする認定に立って、損害

賠償のみが認められている（なお、戒能評釈の警告とその時点は、注目に値いする）。それはともかくとして、本判決は左のようである（本件は、物権的請求の被告適格ケースとして編別することも可能である）。

【57】 X村が、Y（＝真正相続人）の所有地をA（＝僭称相続人）のものと誤信し、Aより譲り受けたBから右土地を買つて、小学校を建てた。Xの上告は容れられなかつた。つまり、

「国家ガ私人所有ノ土地ノ上ニ之ヲ使用シ得ベキ正当ナル権限ヲ有シ、之ニ基キ該地上ニ公ノ行政行為ヲ為シタルトキハ、土地使用権ヲ有スル限度ニ於テノミ該土地ハ公物ナリト解スベキ所ナリト雖モ、之レニ反シ国家ガ何等正当ノ権限ナクシテ私人所有ノ土地ノ上ニ公ノ行政行為ヲ為シ之ヲ公共ノ用ニ供スル場合ニアリテハ、該私人所有ノ土地ハ公物タルノ性質ヲ有スルニ至ルコトナク、其ノ土地所有者ハ民法其ノ他ノ法規ノ範囲内ニ於テ依然トシテ使用収益処分ヲ為スノ権限ヲ有シ、其ノ所有権ニシテ侵害セラルルトキハ所謂物上請求権ヲ行使シテ所有権本来ノ効用ヲ受クルコトヲ得ルヤ論ヲ俟タズ。而シテ其ノ侵害者ガ私人タルト国家其ノ他ノ公法人タルトニヨリ其ノ適用ヲ異ニセズ。蓋シ権利侵害ニ基ク救済ハ侵害行為自体ニヨリ可否ヲ定ムベク、侵害者ノ何人ナルヤニヨリ之ヲ区別スベキ何等ノ理由存セザルヲ以テナリ。……故ニ、本件土地ノ所有者タルYニ於テ其ノ所有権ノ侵害者ニ対シ物上請求権ヲ行使シテ所有権ヲ円満ナル状態ニ回復スベキ要求ヲ、許容セザル可カラザルハ当然ノ筋合……」（大判昭六・一二・九民集一〇・一二・一二一〇、新聞三三七七・一〇）（末弘・判民一二八事件）。

いくらか余談になるが、末弘評釈の「表題」からうかがえば、【57】は単純な物権的請求＝一般のレヴェルでなく、真正相続人と相続財産の第三取得者との争いなる事案の個性に着眼されているようである。上告審はXの主張にもつぱら答えていて、右の点は退いているが、近時の多数説のごとく第三取得者にも相続回復請求の被告適格を承認しようとするときには、この問題を扱う際に（椿「相続回復と第三取得者の地位」法律時報三三巻一〇六

九頁）、物権的請求の被告適格を認める判例法理の一環に属する特殊なケースとして引用すべきだろうか。
次は、戦後の下級審（判示事項は「不法居住者に対する家屋売買契約における引渡時期の認定」となっている）。不法占拠の継続とでもいうべきか。

【58】　YがAから本件家屋を買ったが、隣家の住人Xが無断で占有居住するにいたったので、売ることにした。ところが、Xはたびたび約束をたがえて代金を支払わぬので、Yは右売買契約を有効適法に解除して、明渡を訴求。第二審でもXは次のごとく敗訴。

「XはYに無断勝手に本件家屋を占有しこれに居住するに至つたものであるから、不法に占有したものといわなければならない。尤も、右不法占拠を始めた後に本件売買契約が成立した……が、前記認定のような事情でXが代金債務不履行のため本件売買契約の解除となつたものであるから、Xの不法占有が適法占有に変つたものということはできない。元来住家の売買を為した際は、代金債務の履行があつた後に住家の引渡・登記が行わるるのが普通であつて、代金支払前その引渡を為す場合には特別の事情がなくてはならないのである。家屋の所有者が本件のようにその家屋の不法占有者との間において、その家屋の売買をなした場合においては、特段の事情がない限り売買契約の履行完了した後において始めて、その不法占有が適法占有に変るものと解するのを当事者の意思に適した妥当の解釈といわなければならない。本件においては、Xは前記認定に反する事実について何等立証を為さないので、右不法占拠の当初から現在まで引き続いて本件家屋の不法占拠を為しているものというの外はない」（仙台高秋田支判昭二五・三・三一下級民集一・三・四五四）。

このほか「農地の売買契約に基づいて買主が知事の許可前に目的物の引渡を受け占有している場合と不法占有の成否」（判示事項）につき、「土地を不法に占有する者ではない」と判示した下級審がある（千葉地佐倉支判昭三六・二・七下級民集一二・二・二五〇）。

58

六　責任追求のための諸要件

一　占有正権原の立証責任

（一）　序言　或る不動産の所有者がそれの占有者に対して、不法占拠を理由に、物権的（請求に対応する）責任ないし損害賠償責任を追求する場合、原告（＝不動産所有者）は、被告（＝占有者）に占有正権原がないという事実までも立証しなければならぬか否か。本款はこの点を採り上げるが、判例は、特殊な事情にもとづく例外的な【63】や、事案・争点が右の問題とは全く異なる【64】を別とすれば、一貫して、占有権限ありと主張する者すなわち被告の側に、さような事実の挙証責任を負わせている（したがって原告は、被告の反証可能性に対して自信がありさえすれば、被告の無権原を立証する準備は不要なわけである）。

ところで、学説は、これら諸判決を、「占有者ガ占有物ノ上ニ行使スル権利ハ之ヲ適法ニ有スルモノト推定ス」る民法一八八条の人的適用範囲に関するケースとして引き、いろいろ議論しているが（後述（三）参照）、判例をみると、上告の法律的主張に対応していて、一八八条の適用を論じているものもあれば（【62】【61】）、むしろ単純に挙証一般のレヴェルで処理しているものもある（【60】【59】）。次に、判例が示すかかる挙証配分は、原告側に所有権ありと認定されているか当事者間にその点の争いがない場合である点も、みおとしてはなるまい。ただ【59】だけは、この点が不明であるけれども、他の争点（【107】）をみるならば、やはり所有権の存在を前提としたうえでの争いだと解される。

（二）判例　まず、判例法理を示しているケースについて。――最初の事例は、損害賠償が問題となっているが、古い判例集の通例として事案記載が不十分なため、必要なことで不明な点もある。また、判旨の一般的にすぎる表現は、問題とされている（柚木・判例物権法総論三一五頁参照）。

【59】建物所有者（と思われる）Yから、占有者Xに対して建物の不法占拠にもとづく損害賠償を訴求した事件。原審が、Xは本件建物使用につき正当権原ありとの主張さえしておらないから不法占拠者だ、と判定したので、Xは、Yの側に立証責任があると上告（もう一つの上告については後出【107】）。

「然レドモ、正当ナル権原ニ基キ或物ヲ占有ストノ事実ハ、斯カル事実ヲ主張スル者ニ於テ其立証ノ責任アリ。原裁判所ハ、証拠ニ基キXガ本件建物ヲ占有スルコトヲ認定シタル上、該占有ハ正当ノ権原ニ基クモノタリトノ点ニ関シ何等Xノ主張ナキニ顧ミXハ不法占有者ト認ムルノ外無シ、ト判示シタルモノナルコトハ判文上明白ナリ。斯ノ如キハ立証責任ニ関スル原則ヲ正当ニ適用シタルモノニシテ何等ノ違法ナシ」（大判大六・一一・一三民録二三・一七七六、新聞一三六二・三三）。

次は非公式先例であるが、解釈論は右よりもずっと明快である。

【60】Yが本件土地の所有権を取得する以前から、Xは右土地のうち一二〇坪を建物所有によって占有していたが、YがXに対して土地明渡と損害賠償を訴求。Yの土地所有権については争いがない。Xは何ら正権原を主張しないからとしてYの請求を認容した原判決に対し、Xから、自分はその主張をしていたので釈明させるべきであったと上告。が、次のごとく棄却。

「他人ノ土地ヲ占有スル者ガ、正当ノ権原ニ基クモノナルコト即其ノ占有ハ不法ニ非ザルコトヲ主張スルニハ、其ノ権原ノ如何ナルモノナルヤヲ自ラ開示シ之ガ立証ヲ為サザル可カラザルモノトス。本件ニ於テ係争地ハYノ所有ニ係ルコト、Xハ之ヲ占有スルコトハ当事者間ニ争ナキ所ナレバ、其ノ占有ハ正当ノ権原ニ基クコトヲ主張スルXニ於テ、権原ノ何タルヤヲ開示シ之ガ立証ヲ為サザル可カラザルハ勿論」（大判昭四・一一・一八新聞三〇六五・一三）。

もう一つの大審院判例は、悪意占有者の留置権に関する棄却判決【145】の他の部分（上告第三点）。

【61】 転買主Yからの家屋明渡請求事件。被告Xは、単に売主と表示されているが、いわゆる売渡抵当に入れた者だとみられている（判例体系9Ⅰ四一頁の編註参照）。Xは、一八八条や一八六条を挙げて、原審の立証顛倒を非難したが、

「然レドモ、Xハ本件建物ヲ訴外人Aニ、Aハ之ヲYニ順次売渡シタルモノニシテ、Xハ右建物ノ所有者ニ非ザルニ拘ラズ之ヲ占有セル事実ハYノ立証ニ依リ原判決ノ認定シタル所ニシテ、民法一八八条ニ依リXガ該建物ノ上ニ行使スル権利ハ之ヲ適法ニ有スルモノト推定スベキ場合ニ非ザルコト明瞭ナルガ故ニ、Xハ之ヲ占有スルニ付他ニ正当ナル権原アル事実ヲ立証セザル限リ其ノ占有ヲ以テ不法ナルモノト認メザルヲ得ズ」（大判昭六・五・三〇新聞三二九三・一二）。

最高裁もまた、一八八条の適用を主張する上告に対し、同条の援用を認めなかった。ただ、その判決要旨は「他人の不動産を占有する正権原があるとの主張については、その主張をする者に立証責任があると解すべきである」となっていて、一八八条の点は捨象されている（なお、次掲稲本評釈は、本件判旨を「所有権の存在を前提とする占有の正権原については、一八八条の推定は及ばない」旨のものと解し、判決要旨の書き方よりも判文自体のほうが正当だと評する（法協二二四頁））。

【62】 Yは、自分の相続した土地にA所有の建物があり、Xがその建物に居住して何らYに対抗できる正

権原がないのに土地所有権の行使を妨げているとして、建物からの退去と敷地の明渡を求めた。これに対しXのほうは、AがYから本件土地を無償で借りて右建物を建て、自分はAから賃借居住している（↓使用借地上建物の賃借で、占有正権原あり）と主張。原審でYA間の使用貸借の存在は認められず、Yの勝訴となつたため、Xは、学説が一八八条を不動産に適用しないのは誤まっており、適用ありとすれば立証責任はYにあると上告。しかし、

「Yが本件土地を所有しかつその登記を経ていること、その土地上にA所有の建物が存在し、Xがこれに居住してその敷地を占有していることは、原判決の確定するところである。Xは、AがYより本件土地を使用貸借により借りうけて建物を建築しこれを賃借したと主張し、Yはこれを争つているが、この場合、Xの正権原の主張については、Xに立証責任の存すること明らかであり、Xは民法一八八条の規定を援用して自己の正権原をYに対抗することはできないと解するのが相当である。されば、Xの前記主張を証拠上認め得ないとして排斥した原判決に所論の違法はない」（最判昭三五・三・一民集一四・三・三二七）（田中(整)・民商四三巻二六二頁、井口・法曹時報一二巻五七六頁、稲本・法協七九巻二一一頁）。

次は、特殊事情を考慮したために挙証責任を転換したと解されるケース。

【63】 Xほか七名は、Y会社からの借地人Aが建てた家をそれぞれ賃借していたところ、関東大震災で右家屋が焼けたため、係争バラックを建てて土地を占有使用するにいたつた。そこで、Y会社は不法占拠だとして土地明渡を訴求。大審院は、Yの請求を認めた原判決を破棄していわく、

「右大震火災タルヤ東京市ノ大半ヲ焦土ト化セシメタルコトトテ、人々居宅ヲ得ルコトニ狂奔シタルモ容易ニ発見スルコト能ハズ、為ニ焼跡ニ仮建築ヲ為スニ至リ漸ク居住ノ安定ヲ得ルニ至リタルコトハ本院ニ顕著ナル事実ニシテ、土地所有者モ敢テ仮建築ヲ為ス者ニ対シ拒絶ノ意思ヲ表示セザリシハ当時ニ於ケル実状ナリシナリ。従テ特別ノ事情ノ見ルベキモノナキ限リ、土地所有者ハ一応仮建築者ニ其ノ土地ノ使用ヲ許容

シタルモノト推定スルヲ以テ相当ナリトス。然ラバ、本件ニ於テX等……ヲ目シテ不法占拠者ナリト為スニハ、須クY会社ニ於テ之ガ立証ヲ為スベキモノナルニ拘ラズ、原院ハ……X等ニ立証ノ責任ヲ負ハシメ……採証ノ法則ニ違背シタル不法アルモノ」（大判昭四・一二・一九新聞三〇九〇・一二）。

なお、以上のほか、土地境界確認事件（破棄差戻）において、

【64】「他人ノ土地ヲ不法ニ占有シ之ガ使用収益ヲ為スガ如キハ普通ノ事例ニアラザルヲ以テ、或土地ヲ使用収益スル者ハ反証ナキ限リ其土地ノ所有者トシテ其権利ヲ行使スルモノト為スヲ相当トス」（大判大一〇・三・二新聞一八三四・一七）

として、あたかも占有者ないし用益者には所有権（＝最も強大な占有正権原）が推定される、とするかのごとき一般論を述べる判決がある。しかし、右判旨は、山林の前所有者Aが一応所有者だったから、原審も肯定するところの植林をしたとみるべきであり、したがってAから右山林を譲り受けたXも「一応係争地ヲ所有スルモノト為サザルベカラザルコト」を導き出すための議論で、少なくとも今の問題には関係がない（なお【62】の井口解説（同誌五七八―九頁）も参照）。――これも、判決の抽象的理論をもし早呑み込みすれば危ない、ということを示す一例にできようか。

（三）　学説と若干の整理　民法一八八条について、学説は、登記ずみ不動産についても占有に権利推定力が認めらるべきかを問題とし、一致してこれを否定するにいたっているが（【62】の田中批評は、判示結論に賛成だが、この問題に重点を置いて論評）、ここでは、同条の推定が及ぶ人的範囲に関する説明と前掲諸判例との関係を採り上げよう。――まず、我妻説は、スイス民法九三一条二項（＝或る者が制限物権または債権を主張……するときには…その占有を受けた前主に対しては、推定を対抗できない）をわが民法の

解釈論にも導入して、たとえば賃借人と賃貸人（＝所有者）のあいだで賃借権の存否に関する争いを生じたときには挙証責任の一般原則によるべきで、先例【59】はかかる趣旨において正当である、という（我妻・物権法三三四頁）。柚木説も、「保護の公平」なる観点より同旨を述べ、批判つきではあるが【59】をやはり引用する（柚木・判例物権法総論三一五頁）。舟橋説は、民法一八八条の適用範囲を、権利の存在ないし帰属が問題となる場合に限定することによって、我妻説に賛成し、先例【62】を自説と同旨の判例とみる（舟橋・物権法三〇八頁）。また末川説は、末弘説（物権法・上二五三頁）と同様で、本条の推定をもって占有正権原の証明に代ええないとし、さような意味において【59】【60】へ言及する（末川・物権法二一七頁）。稲本評釈の骨子は右にみた（さらに、登記不動産だという理由では【62】の結論を説明しがたいことも指摘している）。鈴木説にも注目すべき見解が示されている（鈴木・物権法講義一五〇—一頁参照）。

体系書では、かように、判例の結論に賛成という点では同じでありながら、その論拠・説明方法は各自まちまちである。また、めいめいが、自説でもって判例を割り切ろうとする態度も、うかがえぬではない。さらに、判例引用の仕方もかなり粗く、公式先例に引用を限定しない見解でさえ、一八八条の問題に議論をわざわざ引き寄せながらも、【61】をネグり、かえって同条が争点となっていないケースを掲げている。——前掲諸判例の内容を想起しよう。それらは、不動産所有者が占有者の無権原を主張して明渡・退去ないし賠償を求めた事件であり、原告の所有権はとにかく確認されている。とすれば、被告の無権原までも原告に立証させるのは、いちじるしくバランスを失し、それこそ公平に反する。まさしく【62】の引用者傍点部分が述べるとおり、被告にその点を立証する責任があることは、挙証配分の根本原則からしても、明らかだろう（この意味で、【62】の判決要旨が一八八条を捨象していることは、不当といえまい）。【59】や【60】は、かかる趣旨の先例と解されるのであって、何も一八八条に直結させるべき必然性はない。もちろん、【61】【62】のように、上告に応接して一八八条の適用を論ずる場合もあるが、「原告が被告の占有無権原を主張して責任を追求している場合に、原告の所有権が確認されるときには、一八八条をもって挙証責任の転換を認めることができない」（上掲二判例は、かように再構成できると思う）としても、結構筋は通っている。これを一八八条の側で受けとめると、右にみたいろいろな説明になるわけである。

二　登記の要否

（一）　序言　本款も前款と同じく、不法占拠者に対して物権的請求ないし損害賠償請求をする場合の問題であって、論点は、不動産譲受人が登記をしておかねばならぬか否かにあるが、判例では、周知のとおり不法占拠者の側から眺めて、彼は登記の欠缺を主張できる第三者に入らない（↓不動産譲受人は登記なくして物権変動を彼に対抗しうる）とされている。――その端緒となったのは有名な民事連合部判決（Xのほうは問題の家屋を前主から買ったと主張し、Yはみずから建築所有すると主張した事件）であって、大審院は、未登記のゆえをもってX敗訴とした原審を破棄する際に、

【65】　「……対抗トハ彼此利害相反スル時ニ於テ始メテ発生スル事項ナルヲ以テ、不動産ニ関スル物権ノ得喪及ビ変更ニ付テ利害関係アラザル者ハ本条第三者ニ該当セザルコト尤著明ナリト謂ハザルヲ得ズ。又本条制定ノ理由ニ視テ、其ノ規定シタル保障ヲ享受スルニ値セザル利害関係ヲ有スル者ハ亦之ヲ除外スベキハ

蓋疑ヲ容ルベキニ非ズ。由是之ヲ観レバ、本条ニ所謂第三者トハ、当事者若クハ其包括承継人ニ非ズシテ不動産ニ関スル物権ノ得喪及ビ変更ノ登記欠缺ヲ主張スル正当ノ利益ヲ有スル者ヲ指称スト論定スルヲ得ベシ。」そして「同一ノ不動産ニ関シ正当ノ権原ニ因ラズシテ権利ヲ主張シ或ハ不法行為ニ因リテ損害ヲ加ヘタル者ノ類ハ皆第三者ト称スルコトヲ得ズ」（大民連判明四一・一二・一五民録一四・一二七六）

と述べたが、この立場が後日の判例法理を貫流してきている（我妻・連合部判決巡歴Ⅰ一二九頁、一三七頁参照）。

（二）　判例　最初の事例は、後日のリーディング・ケース【67】が先例としている関係で掲げておくが、登記の有無が問題となつた事件ではないようである。

【66】　X寺の前住職Aからその動不動産を譲り受けたYが、X寺に対して「所有権確認占拠解放」を訴求した事件。Xは、一〇年も右物件を占有してきて占有権があるから、対抗要件の欠缺を主張する正当利益があると上告したが、

「占有権ハ正当ノ権原ニ基キ之ヲ有スル場合ト否ラザル場合トアリ、正当ナル権原ニ基カザル場合ニ於テハ之ヲ以テ占有物ノ所有者ニ対抗スルヲ得ザルコト論ヲ俟タザレバ、斯ル占有者ハ、単ニ占有者タルノ故ヲ以テ其占有スル動産若クハ不動産ノ所有権ヲ取得シタル者ニ対シ、引渡若クハ登記ノ欠缺ヲ主張スル正当ノ利益ヲ有スルモノト謂フヲ得ズ、随テ民法一七七条・一七八条ニ所謂第三者ニ該当セザルモノトス」（大判明四三・二・二四民録一六・一三一）。

では、そのリーディング・ケース。

【67】　係争土地は、古い町ならみられる町有（法的には五〇余人の共有）財産であつたが、Yが管理の必要から信託的所有者となつていた。Xは右地上の家屋を買つて移転登記もすませたが、どういうわけでか土

地の利用権が欠けていた。Yからの土地明渡請求に対し、XはYの原告適格を争つたりしたが、結局その土地が未登記であつたため「原判決ハ民法一七七条ヲ無視シ登記ナキ不動産ノ所有権ヲ以テ第三者ニ対抗スルノ効力ヲ認メタルノ違法アリ」との上告になつた。しかし上告は棄却。

「民法一七七条ニ所謂第三者ハ、当事者若クハ其包括承継人ニ非ズシテ不動産物権ノ得喪変更ノ登記欠缺ヲ主張スル正当ノ利益ヲ有スル者ノ謂ヒニシテ、不法占有者ノ如キヲ包含セザルコト従来本院ノ判例(【66】)トスル所ナリ。而シテ原院ノ確定スル所ニ依レバ、Xハ係争地ヲ不法ニ占有セルモノニシテ所謂第三者ニ該当セザル者ナレバ、本件ハ同法条ノ適用アルベキ場合ニ非ズ」(大判大九・四・一九民録二六・五四二、新聞一七一九・二五)。

次の公式先例【68】は、その判決要旨(「民法一七七条ニ所謂第三者ハ、登記ノ欠缺ヲ主張スルニ付キ正当ナル利益ヲ有スル者ヲ指称スルモノニシテ、不法占拠者ノ如キハ之ニ包含セザルモノトス」)をみるならば、まさに今の問題についての判示にほかならないが、実は債権者代位権の問題(次節二款(二))として先例価値(の中心)がある、とみられている(【83】の戒能評釈および川島・民法I(総論・物権)一七一頁)。その見方にたつと、本判決は「正当借地人は、賃貸借の登記をしなくても、地主Bに代位して、不法占拠地上の建物の競落人Xに対し、建物収去・土地明渡の請求をなしうる」というふうに、要旨を作るべきであろうか(なお、舟橋・物権法一九八頁の事案解説によれば、右の不法占拠地云々の点は若干異なつている)。なお、借地上建物の競落に関するケースだが、賃借人の代位請求に際し、原賃貸借を「解除してある必要はない」とするものとして、後出【87】がある。――ともあれ次のようである。

【68】 Xの主張によれば、本件土地は、Aが地主Bから賃借して本件建物を所有していたが、Xがその建物を競落し、Bの代理人の承諾を得て適法に借地権を譲り受けたというのである。ところが、原審は、Aの賃借権取得そのものがない(→Xは適法占有者になる余地がない)と認定し、Bより賃借したYからの建物

収去土地明渡請求を認容している。大審院は次のごとく判示。

「民法一七七条ニ所謂第三者ハ登記ノ欠缺ヲ主張スルニ付キ正当ナル利益ヲ有スル者ヲ指称スルモノニシテ、不法占拠者ノ如キハ之ニ包含セラレザルコト本院ノ屢判示スル所ナリ。而シテXハ本訴地所ニ付キ賃借権ヲ有スルモノニ非ズシテ不法ニ之ヲ占拠セルモノナルコト、及ビYガ同地所ヲ正当ニ賃借セルモノナルコト原審ノ確定スル所ナレバ、Yハ縦令賃貸借ノ登記ヲ為サザルモ其賃借権ヲ以テXニ対抗スルヲ得ルコト明カナリ。故ニ原審ガ……Xノ登記欠缺ノ抗弁ヲ排斥シタルハ正当」（大判大九・一一・一一民録二六・一七〇一）。

さらに、所有権取得から登記までのあいだは、家屋不法占拠にもとづく損害賠償を請求できるか、について判示する非公式先例がある。肯定されたが、上告審では第三者論の形を採っている。すなわち、

【69】　Xは、たとえ自分が不法占拠者であっても、Yが移転登記をするまで所有権取得をもって自分には対抗できないから、原審が右所有権取得より登記までのあいだにおける賠償を命じたのは違法だ、と上告したが、

「民法一七七条ニ所謂第三者トハ、当事者若ハ其ノ包括承継人ニ非ズシテ不動産物権ノ得喪及変更ノ登記欠缺ヲ主張スルニ付キ正当ノ利益ヲ有スル第三者ヲ指称シ、正当ノ権原ナキ占有者ハ、其ノ占有ニ係ル不動産ノ所有権ノ取得者ニ対シ登記ノ欠缺ヲ主張スルニ付正当ノ利益ヲ有スル者ニ非ザレバ、右第三者ニ該当セズ」（大判昭三・一一・一九新聞二八二一・一二）。

建物不法占拠による損害賠償を認めた事例としては、次のようなものもある。

【70】　「不動産ノ強制競売ニ在リテハ競落人ハ競落ヲ許ス決定ニ因リ其ノ目的物ノ所有権ヲ取得スルモノ

ナルコト民訴法六八六条ニ照シ明ナレバ、Yハ……競落ノ当日ヨリ本件建物ヲ所有スルニ至リタルモノト云フベク、且又原判決ノ認定ニ依レバXハ右家屋ヲ不法ニ占有セル者タル以外ニ於テ何等ノ利害関係ヲ主張スル者ニアラザルヲ以テ、XハYノ登記欠缺ヲ主張スルニ付正当ノ利害関係ヲ有セザルモノニシテ、Yノ本件家屋ニ対スル所有権ハ登記ノ有無ニ拘ラズ之ヲXニ対抗シ得ベク、従テXハYガ右家屋ヲ所有スルニ至リタル日ヨリ其ノ不法占有ニ因ル損害金ヲYニ支払フノ義務アルモノトス」（大判昭六・三・二六 新聞三二六一・九）。

最高裁も、大審院判例を踏襲している。

【71】 原審の認定によれば、Aはその所有にかかる本件家屋をYに売却したが、そこにはAからの賃借人X_1女が居住していたので、Y（＝貸主たる地位の承継人）は彼女とのあいだで代償金を払って賃貸借を合意解約し、X_1はいったん立ち退いた。ところが、X_2（X_1の内縁の夫ないし情夫）とともに再び右家屋を占拠居住するにいたつたため、Yは明渡を訴求。原審は、Xを不法占拠者と認定してYの請求を認容。そこでX側は、Yの所有権の対抗力を確定しないで明渡を命ずるのは一七七条に反する、などと上告したが、

「原審の認定した事実によると、X_1等は結局何等の権原なくしてY所有の本件家屋を占有する不法占有者だということになる。不法占有者は民法一七七条にいう『第三者』に該当せず、これに対しては登記がなくても所有権の取得を対抗し得るものであること大審院の不変の判例で、当裁判所も是認する処である。されば、原審が登記の点について判断する処なくしてYの請求を是認したのは結局正当で、論旨は上告の理由とならない」（最判昭二五・一二・一九 民集四・一二・六六〇）（柚木・民商二八巻二四三頁、来栖＝三藤・判民五三事件、泉・法学一七巻三四八頁）。

各評釈とも判旨に反対はないが、柚木批評は、「従来権限によつて占有した者が、その権限消滅後その占有を離れ、更に再び今度は無権限で同一不動産を占有した」という本件の場合、賃貸借終了後

の占有継続者は不法行為責任を負わないとする立場(=請求権非競合説)ではどう処理するか、と問うている。

(三)　若干の整理　右の判例法理(=不動産譲受人は、登記をしなくても、不法占拠者に対して、自己が所有者だと主張できる)については、近時全く反対説をみない。かかる者に対してまで登記を要求するのは登記制度の趣旨(取引安全)からして妥当でない(我妻・物権法一〇四頁)、今の場合は正常な取引関係を超えている(林・物権法八〇頁)、不法行為者は登記欠缺を争って特に保護を受けるに値いしない(末川・物権法一一一頁)、というのがその理由であるが、最近には、要するに「対抗問題」ではないから、と説く体系書も増えつつある(川島・民法I(総論・物権)一七一頁、舟橋・物権法一九八頁、金山・物権法総論二七七頁)。そして多くの見解は、不法占拠者が二重賠償をさせられる危険に対しては、民法四七八条によって回避できるとする。また、物権的請求の問題に関しても、同様に考えようとするやにみえる見解がある(林・前掲参照)。さらに鈴木説の説明方法も参照(物権法講義二三四頁)。

ところで、われわれは、前に(三節二款)、地上建物譲渡人の物権的請求における被告適格について、判例の民法一七七条第三者論を検討し、そこのケースは「責任」に関するという理由で、最高裁先例【25】が示すにいたった「一七七条からの絶縁」に賛成し、これら判例を現在の時点では体系書的にどこへ配列すべきかも考えてみた(くわしくは本書四八頁以下)。――では、ここのケースはどうかというに、原告の請求内容は、土地または家屋の明渡(【71】【67】)ないし損害賠償(【70】【69】)であり、また、被告側が原告の「登記欠缺」を争う利益は、二重の責任追求を避止する点だけである(なお、この点は、原告が確定している地上建物譲渡人の場合よりも、複雑である)。しかも、二重責任は一応回避できるよう解釈されているし、本問は対抗問題でないとの説明も定着してきた。かような状況と先例【65】の時点的意義とに着眼すれば、ここの諸ケースも、やはり「責任法」の一場合に編入・移行させることができよう。そこまでいわぬにしても、これら諸判例を、単に、第三者論としてのみ整理・排列し続けることは、有用でない。たとえば、【69】は、登記欠缺を主張しえない第三者の一事例とだけいえば何の変哲もないが、「不動産譲受人は、不法占拠者に対し、所有権取得から登記までのあいだについても、損害賠償の請求ができる」という形で引用すれば、不法占拠賠償法に関する立派な先例となる。同様に、物権的請求権の項目でも、「不動産譲受人が不法占拠者に対して右権利を行使するときは、移転登記をしておく必要がない」と解説するのは有益か無用か、考えて頂きたい。

要するに、「責任」法の関係では、不動産にあっても、問題は登記とは無関係に決定される（＝「登記欠缺を主張できる第三者に入らない」のと結果的には同じであるが、問題の次元・平面を異にする）と考えたいのであるが、このことは、反面において、登記制度がもつべき機能範囲をもおのずと示すのであるまいか。最高裁先例【71】は、大審院判例を確認しただけで（柚木批評）、依然一七七条の枠内で処理しているが、あたかも【25】が生みの悩みを如実にみせつつ敢行したように、先例【65】に始まる判例法理を再検討してもよくはないだろうか（もっとも鈴木・物権法講義二三九頁参照）。

三　解除の要否

（一）序言　これは、無断の転貸・賃借権譲渡が行なわれた場合に、賃貸人が転借人や賃借権譲受人に対して責任を追求するときの問題である。彼らが古典的解釈のもとでは常に不法占拠者とされる点についても前述したが（五節一款(一)）、そうなると、これまた前述したとおり（本書八三頁）、明渡・返還請求と賠償請求という二つの基本的効果が生ずる。ここで採り上げるのは、その際の要件ないし枠づけである。すなわち、第一に、原賃貸借を解除してからでないと、無断利用者に対して明渡・返還を請求することはできないかどうか、また、解除の要なしと解する場合、賃貸人自身への引渡を常に肯定すべきか否か。第二に、無断利用者に対して損害賠償を請求する場合にも、原賃貸借を解除しておかねばならないか否か、換言すれば、賃貸借関係を存続せしめるかぎりでは賃借人への賃料請求で満足するほかないか、それとも原賃貸借が存続する場合ですら無断利用者への賠償請求を妨げないか。――これらに関する判例法理は、教科書的にも周知のところであり（ことに我妻・債権各論・中I四五七頁、四六〇頁参照）、本叢書でも整理ずみである（鈴木「賃借権の無断譲渡と転貸」本叢書民法11三四頁以下、三七頁以下）。が、われわれの不法占拠論の一部としても無視できず、右著作以後の判例と関連させてつけ加えたいこともあるので、主な判例をみておきたい（なお、借地人の代位的請求につき、原賃貸借解除の有無を問わぬとするものに、後出【87】）。

なお、最高裁先例【53】の出現が、本款の問題にも影響するであろうことは、すでに述べておいたが、ここでもう一度注意しておきたい（くわしくは後出（本書一二一頁））。

(二)　明渡・退去請求　最高裁の【73】【74】は、それぞれ前出【50】【51】として、その事案を説明しておいた。また【74】は賠償請求もなされているが、便宜上ここでまとめる。

さて、右の請求をする際に解除しなくてもよいとした最初の先例は、実際には解除があったらしき（星野・判民（昭二六）二八事件一二四頁参照）事案である。転借人の上告は、判決要旨（＝訴訟法の問題）とされた点も含めて、棄却された。

関係部分を引けば、

【72】「賃借人ガ賃貸人ノ承諾ヲ得ズシテ其ノ権利ヲ他人ニ譲渡シ又ハ賃借物ヲ転貸シタル場合ハ、縦令其ノ当事者間ニ於テ該譲渡又ハ転貸借ガ有効ニシテ且尚存続スルモノトスルモ、之ヲ以テ賃貸人ニ対抗スルコトヲ得ザルモノト解スルヲ相当トス。従テ、賃貸人ノ承諾ナキ転貸借ニ至リテハ、当該賃貸借ノ解除サレタルト否トニ拘ラズ、賃貸人ヨリ転借人ニ対シ何時ニテモ転借地ノ明渡ヲ請求シ得ルモノト断ゼザル可ラズ」(大判昭七・八・二民集一一・一八・一八〇一)。

このほか大審院判例としては、無断転借人は賃貸人からの物権的請求に対し賃貸借関係の存在することをもつて抗弁とはなしえない(前出【27】)、新借地人が地主に代位して建物競落人(=借地権の無断譲受人)に収去・明渡を求める場合にも原賃貸借解除の有無を問わぬ(後出【87】)、とする例がある。

最高裁における二つの判決は、賃貸人が賃貸借を解除していなかった——さような事案との対応関係からして、判旨の一般理論が「決め手」になるとされる(【73】の星野評釈(判民一二四—五頁))——ケースである。すなわち、

【73】無断転借地人Xは、地主Yが借地人Bとの賃貸借を解除していないからBX間の転貸借は有効だ、と上告したが、

「土地の所有者たるYは民法六一二条二項に基いて、Bに対する賃貸借を解除すると否とにかかわらず、又賃借人たるBの承諾を要せず、右Bの賃借権が罹災都市借地借家臨時処理法一〇条・一一条によつてYに対抗し得べきものであると否とに関係なく、(所有権者にその占有を対抗できない占有者たる)Xに対して、直接本件土地の明渡を請求し得るもの……」(最判昭二六・四・二七民集五・五・三二五)(鈴木・民商二七巻三五一頁、星野・判民二八事件、金山・同志社法学一四号一四四頁、加藤(永)・法学一八巻二五四頁)。

【74】 X（無断譲受人）は、解除なきかぎり家主Yは自分に対抗できないと上告したが、前出【51】に続いて、

「……（民法六一二条）二項の法意は、賃借人が賃貸人の承諾なくして賃借権を譲渡し、又は賃借物を転貸し、よつて第三者をして賃借物の使用又は収益を為さしめた場合には、賃貸人は賃借人に対して基本である賃貸借契約までも解除することを得るものとしたに過ぎないのであつて、所論のように、賃貸人が同条項により賃貸借契約を解除するまでは、賃貸人の承諾を得ずしてなされた賃借権の譲渡又は転貸を有効とする旨を規定したものではない」（最判昭二六・五・三一民集五・六・三五九）（鈴木・民商二七巻三五一頁、星野・判民三〇事件、泉・法学一八巻一二七頁）。

(イ)まず、【74】について、鈴木批評は、転貸に言及する判旨は事案からみて傍論だとし、星野評釈は、無断の譲渡・転貸を「無効」というかのごとき末尾の説示（学説には、無効説も少しはある）は傍論にすぎないと注意している。(ロ)次に、判例のごとく解除不要説に立つ場合、解除なしで直接賃貸人自身への引渡を認める（【73】参照）べきか否かにつき、学説の多くは否定するが（右の金山批評は肯定する。だが、解除をしないかぎり、引渡を受けてから賃借人に渡せ、という折衷的見解を示す（金山・物権法総論六九頁も参照））、ここで問題の解除の要否については、積極に解する鈴木批評（なお、勝本説を修正した注目すべき分類的解釈論を説く（前掲民商三五六頁を参照））らと、判例に賛成して不要説を採る星野評釈ら多数説とが対立している（両説の詳細は、前掲諸評釈をみよ）。問題は物権的請求権の性質論にも関しているので、今はいずれかへの左袒を留保しておくが、既述の段階的処理（本書八七頁）を是とするならば、常に賃借人を一連託生的に道づれとしなくてもよいように思われる。(ハ)さらに、序言でも注意したことだが、右の議論は、無断の転貸・譲渡があつた場合に、賃貸人の「契約解除権」と転借人らの「不法占拠責任」とを一応無制約に承認し妥当させていた時期には、たしかに明確な形で

現われる。しかし現在では、一連の背信行為論先例が現われてきて、無断の転貸・譲渡があっても解除できない場合を生じており、さらに、先例【53】は完全な（賃借人と同一視できない）第三者たる無断転借人の占有継続を認めさえするが、問題の解除の可否をわかつ限界線は必ずしも明確でない（無断転貸終了後なお解除を認めた最判昭三二・一二・一〇民集一一・一三・二一〇三（後藤・民商三七巻九〇五頁）と、解除を許さなかった前掲最判昭三一・五・八の事案（本書八八―九頁参照）とを比較せよ）。かような状況のもとでは、仮に解除の要否が今後争われるとしても（一片の内容証明郵便を出す知識さえあれば、かかる争いそのものが生じないし、また最高裁の見解がはっきりした以上、時間かせぎを別とすれば、当分この点を争うことも少ないだろうが）、それは解除の能否と微妙に結びつくであろう。そしてまた、無断転借人への退去請求も、かつてのごとく無雑作には認められなくなったといわねばならぬ。

（三）　損害賠償請求　一つは、賃貸借関係が存続するかぎり賃貸人には賃料相当の損害を生じない（→無断の再転借人に対する賠償請求は許されない）、とする破棄判例（なお件名は「家屋明渡請求事件」となっているが、上告審では、損害賠償のみが争点となっている）。――なお、本判決や次掲【76】は、因果関係先例としても構成できぬではない（本書一七〇頁）。

【75】　Yは所有家屋をAに賃貸し、Aはこれを適法にBに転貸したが、Xへの再転貸にはYの承諾を得なかった。Xは、原審が彼を不法占有者としYの使用不能による損害の賠償を命じたことに対して、上告。

「之等賃貸借関係ノ存続スル限、YハAニ対シテ約定賃料ノ支払ヲ請求シ得ベク、Bニ対シテモ右約定賃料ノ範囲内ニ於テ転貸賃料ノ支払ヲ求メ得ベク、而シテ本件家屋一戸ハ他ニ之ヲ賃貸シテ賃料ヲ取得シ得ベキモノニ非ザルガ故ニ、仮ニXノ右家屋一戸ノ占有ガ故意若ハ過失ニ基ク所有権ノ侵害ナリトスルモ、Yハ之ガ為ニ賃料ニ相当スル損害ヲ蒙ルベキ筋合ノモノニ非ズ」（大判昭六・三・一三裁判例五民事三四）。

大審院のもう一つのケースは、不法占拠者(借地上建物を買いながら、地主の承諾を得なかつたらしい者)が解除までの分は賃借人から取れと上告し、それが容れられた非公式先例。

【76】 A（控訴までしたが上告せず）は、Y寺所有宅地を賃借し建物を所有していたが、昭和七年四月六日その建物をXに売却（地主の承諾はなかつたらしい）。Y寺は Aの賃料不払により昭和八年四月五日賃貸借を解除し、Xに対しては、七年四月六日から八年八月一六日（右建物が競落によつてBに移転した日の前日）までの損害金支払をも訴求。原審と異なり、大審院は次のごとく判示した。

「Y寺トAトノ前示ノ賃貸借関係ハXガ本件建物ヲ買得シタル後モ依然トシテ存続シ、昭和八年四月五日ニ至リ賃料不払ノ為メ漸ク解除セラレタル……ナレバ、同日迄ハY寺ハ右Aニ対シ依然トシテ……賃料ノ請求ヲ為スノ権利ヲ有スルモノト謂フベク、従テY寺ガXノ為メ右Aニ対スル賃料請求ノ権利ヲ喪失スルニ至リタル等他ニ特別ノ事由ナキ限リ、Xノ為シタル本件宅地ノ占有ニ因リ何等ノ損害ヲ被ラザリシモノト断ゼザルヲ得ズ。然ラバ原審ガ……特別事情ノ存否如何ヲ審究スルコトナク漫然Xノ不法占拠ヲ理由トシテY寺ノ賠償請求ヲ認容シタルハ審理不尽ノ違法アルモノニシテ、本訴請求中昭和七年四月七日ヨリ昭和八年四月四日ニ至ル分ノ原判決ハ到底破棄ヲ免レザルモノトス」（大判昭九・九・八裁判例八民事二〇五―鈴木・本叢書民法11【38】）。

ところが、最高裁の判例【32】は、地主より不法占拠責任を追求された借地上建物の買受人が、地主は賃借人に対して賃料請求権を有し、しかも賃貸借契約は解除されていないから地主に損害を生ずるはずがない、と上告したのに対し、右非公式先例ことに【76】の見解には一顧も与えず、他の先例を引いて、「土地賃貸人は、特別の事情がないかぎり……賃料請求権を失うものではないけれども、これがため……建物取得者の敷地不法占有により賃料相当の損害を生じないとはいい得ない」(判決要旨第一)とするにいたつた。かかる解釈に対しては反対説もあるが(たとえば末川・債権各論Ⅰ一八九―一九〇頁)、いちおうの私見は前述したとおりである(本書六〇―一一頁)。

なお、地主でなく借地人からの請求事件だが、無権原占有者(＝別の借地人の所有建物を競落したが、借地権の承継に地主の承諾がなかつた者)に損害賠償などを請求する場合には、地主が別の賃借人に賃貸借を解除しているか否かを問わぬ、とする非公式先例がある(【87】参照)。

四　当事者資格の若干例

(一)序言　不法占拠訴訟における積極的および消極的な「当事者適格」如何?のうち、圧倒的に多く登場してくるのは、被告適格に関する問題である。すでに述べた所から拾い出してきても、地上建物の譲渡人に関するケース(【20】以下)は、まさしく明渡請求や賠償請求における彼の被告適格性についてであり、【34】や【57】も、物権的請求の被告適格を認めた事例であつた。また【72】【73】は、無断転借人に対する明渡請求において、彼の被告適格性に関する要件を判示したものともいえよう。――本款は、独立項目として説くに値いする場合を一つ採り上げ、その後で、原告資格に関するケースを一、二例示しておく。なお、賃借人の妨害排除請求権も、責任追求のための主体的要件だが、これは次節に独立させる。

(二)使用人の被告適格　二件あるが、大審院判例のほうは、使用人の退去義務を認め賠償義務

はこれを否定している。すなわち、

【77】 Aは、本件家屋をBから賃借して（登記はせず）、自分の営なむ金物商の出張所とし、出張所主任Xをそこに住まわせていた。後Bは右家屋をYに売却し、Yは、AでなくXに対して、退去と賠償を訴求。原審は二つとも請求を認容したが、大審院では次のごとく一部破棄となつた。

「原院ガ……登記ナキAノ賃借権ヲ以テ該家屋ノ所有権ヲ取得シタルYニ対抗シ得可カラザルノ結果、Xハ何等ノ権原ナク不法ニ之ニ居住スルモノナレバ、XハYノ請求ニ応ジ本件家屋ヨリ退去スル義務アリ、ト為シタルハ相当ニシテ此部分ニ対スル上告ハ其理由ナシ。然レドモ、Xハ主人タルAノ為メ該家屋ノ代理占有ヲ為スモノナレバ、其不法占拠ニ因リYノ利用ヲ妨ゲ因テ蒙ラシメタル賃料相当ノ損害ハ、占有者タル本人Aニ於テ賠償スベキモノニシテ、Xガ単ニ雇人トシテ之ニ居住セルガ為メ生ジタル損害ニ非ズ。然ルニ、原院ガ……Xニ……損害金ノ支払ヲ命ジタルハ法則ヲ不当ニ適用シタル不法アルモノ」（大判大一〇・六・二二民録二七・一二二三、新聞一八七三・一九）（中川・判民一一〇四事件）。

中川評釈は、破棄部分につき、先例（【104】など）の「請求権競合」説が導き出す帰結と関連づけて、論評を加えた。すなわち、競合説によって不法行為の成立をも認めるときには、Xに不法行為（＝損害賠償）責任を負わさねばならぬが、その結果は、Xにとって酷にすぎる。だが、それを避けるために、判旨のごとく、損害が代理占有者Xの居住に起因せず本人Aに賠償責任ありというのは、不法行為の場合には「到底通用しない議論」である。むしろ、この【77】は、先例との辻褄合わせに苦心しつつ「事実上漠然」と、請求権非競合→不法行為不成立→Aのみの不履行責任＝Xの無責任を認めたのである、と

（なお、川島「請求権の競合（報告）」私法一九号二六―七頁も参照せよ）。――かかる判例理解と解釈論については、後で検討してみる。

最高裁判例は、「他人の使用人として家屋に居住するにすぎない者に対しては、特段の事情のないかぎり、その不法占有を理由として家屋の明渡ならびに賃料相当の損害金の支払を請求することはできない」（判決要旨）とする一部破棄判決である。

【78】　Yは、所有する家屋をX_1に賃貸し、自分の食肉営業許可名義でもつて肉屋をさせて賃料・名板貸料を取つていたが、X_1がその支払を滞つたので、賃貸借契約を解除して明渡と損害賠償を訴求した事件。――問題は、X_1の使用人として右家屋に居住していたX_2についてであつて、X側は、X_1X_2を共同占有者とした原審認定をとらえて、X_2は単なる営業補助者であり、いわゆる不法占有者にあらず、と上告した。この部分が次のごとく破棄差戻となつたが（X_1に関しては上告棄却）、判旨は、X_2が必ずしも占有の事実を自認していないとみ、続けて、

「使用人が雇主と対等の地位において、共同してその居住家屋を占有しているものというのには、他に特段の事情があることを要し、ただ単に使用人としてその家屋に居住するに過ぎない場合においては、その占有は雇主の占有の範囲内で行われているものと解するのが相当であり、反証がないからといつて、雇主と共同し、独立の占有をなすものと解すべきではない。されば、原判決は当事者間に争いのある事実につき自白の成立を認めたことに帰するのであり、他に特段の事情あることにつき何ら説示せず、たやすくX_2の不法占有を認め、家屋明渡のほかに賃料相当の損害金支払の義務までも認めた原判決は、他人の使用人の占有および不法行為に関する法の解釈を誤ま」つている（最判昭三五・四・七民集一四・五・七五一）（柚木・民商四三巻五五七頁、井口・法曹時報一二巻七三五頁、玉田・法律論叢三四巻四号一三一頁）。

井口解説は、独立の占有者だけが物権的請求の被告たりえ賠償責任も負う、との解釈的構成を示し、

かつ、原審には破棄に値いする審理判断の不備ありと評する。柚木批評も、原審の強引な恣意的認定を非難して判旨に賛成し（なお、占有補助者の定義に「社会的従属関係」なる標準を附加して、判例物権法総論二八六頁の解説を補正）、玉田批評も結論に賛成する。

では、ここで、両先例について若干の検討を試みよう。――これらにあっては、「占有への関与態容」つまり共同占有・代理占有・占有補助（もしくは占有機関）という三段階の関係ごとに後二者が、不法占拠責任を決する論理的前提として用いられている（後二者の判決例については、たとえば柚木・判例物権法総論二八六頁、二九七頁や舟橋・物権法二九一頁、二九三―四頁参照。また脱稿後だが田中「代理占有（間接占有）」本叢書民法24）。そして【77】は、使用人を代理占有者とみたうえで、明渡請求の被告適格のほうは肯定したが（なお「留守居」にも明渡請求の被告適格を認めたケースとしては、大判昭一一・五・一八新聞三九九三・七がある）、彼の賠償責任については否定している。他方【78】では、使用人は「雇主の占有の範囲内で」占有するだけで独立・共同の占有者でない、と推定する一般論のもとで、使用人には賠償責任なしとの上告が容れられたが、最高裁は、すすんで、明渡請求についてまで彼の被告適格性を否定しているようにみえる（ことに「判決要旨」は、本判例を、さような先例と解している）。

両先例は、明渡請求の被告適格について喰い違いをみせるが、代理占有者か占有補助者かの判定を前提とするかぎり、これは別に奇異でない。けだし、占有代理人の物権的請求における被告適格は通説的に承認されているが、占有補助者はかかる請求の被告たりえない（舟橋・物権法四四頁、金山・物権法総論七〇頁。異説？後出【141】の乾批評）と解されているからである。右と異なり、不法占拠による損害賠償に関しては、両判決とも、使用人に責任を負わせていない。これは、「従属的加害者になるべく賠償させない」という評価態度が、以前からずっと裁判所で通用しているためでないか、とも思われる。ところで、さような「責任制限」のための理論構成としては、因果関係も有効な手段であるが（なお本書一七七頁参照）、【78】は、占有の質的態容から入って、使用人の占有の独立性を否定し去るという「構成」を選んでいる。この結果、彼の明渡請求における被告適格も認められなくなるが、その事件では、賃借人自身も共同被告であり、彼すなわち賃借人の責任は全面的に（＝明渡も賠償も）肯定されたから、賃貸人の法的保護に欠ける所はない。しかし、先例【77】では、使用人だけが被告となっていたから、もし【78】の方向で解決したら、賠償面では簡単に片がつくけれども、明渡請求は改めて賃借人に対して提訴しなければならなくなる。中川評釈のいう「大審院の苦心」は、この点に存したはずであり、占有補助者が判例では既知の観念であった（大判大四・五・一民録二一・六三〇―息子が父の農馬を使っていて加害した際、父に民法七一八条一項の賠償責任を負わせる根拠として、これを使った）にもかかわらず、一方では代理占有と把握しながら、他方では「単ニ雇人トシテ云々」と述べて、何かもたもたしているのは、右の配慮に起因すると考えられる。

なお、中川評釈は、請求権競合説のもとでは使用人の損害賠償責任を認めないと背理であるかのように述べている。たしかに、競合説を採れば、使用人の不法行為責任が問題となる。しかし、いうまでもなく、賠償責任の成否には、「因果関係」が一つの重要な枠づけとなるのであって、問題の損害と使用人の居住とのあいだには因果関係がない（→賠償責任を生じない）、とすることは背理でもない。それに、破棄部分の判文は、予断をもって臨まなかったら、十分さような趣旨に読むことも可能である。また、【78】の井口解説は、【77】が代理占有としつつ賠償責任を否定したのは首尾一貫しないと評するが、右述のように考えたらそうもいえまい。さらに、多くの体系書によれば、【77】は、物権者が代理占有者に対する返還請求に際し、直接自己へ引渡を求めうる旨判示した先例として、引用されている。結論はなるほどそうだが、そこまで争点ないし法的判断を捨象して先例価値を決定することは、少し行きすぎでないか。——私の理解では、【77】の破棄部分は、後で（八節三款(三)）取り扱う因果関係の問題につき、それを否定した先例なのである。なお、占有態容と賠償責任については、一〇節の一款も参照されたい。

(三)　原告側の資格要件　二つだけ掲げるが、一つは土地共有者$Y_1$$Y_2$が不法占有を排除する場合の仕方について。

【79】　不法占有者Xに対して、Y_1のみがまず訴を提起し、Y_2は従参加。Xは必要的共同訴訟だと上告したが、

「Y_1ハ本訴ニ於テ本件土地ノ共有者ノ一人トシテXニ対シ其不法占有ニ因ル妨害ヲ排除シ之ガ明渡ヲ請求スルモノニシテ、共有地ノ所有権確認ノ訴ヲ起シタルニアラズ。斯ル請求ハ各共有者単独ニテ之ヲ為スコトヲ得ルヲ以テ、原判決ガ其請求ヲ是認シタルハ相当」（大判大七・四・一九民録二四・七三一、新聞一四一三・三一）。

もう一つは、借地上の建物競落人Xと、地主Bからの悪意の受贈者Yとの争で、後者の原告たる資格が問題となつた。

【80】　Yが所有権にもとづく妨害排除を訴求し、原審で敗訴したXは、悪意の取得者Yの原告適格を争って上告。しかし、大審院は、Xを不法占拠者だとしてから（この点については【33】以下参照）、次のごとく上

告を棄却。

「果シテ然ラバ、Yガ右Bヨリ本件土地ノ贈与ヲ受ケ之ガ所有権取得ノ登記ヲ為シタルハ、所論ノ如クXガ右地上ノ家屋ヲ競落シ之ガ所有権取得ノ登記ヲ経由シタル後ニ係リ、従テYハ本件地上ニXノ所有スル家屋ノ存在セルコトヲ知リタル悪意ノ取得者ナリトスルモ、之ガ為ニXノ本件土地ノ占有ヲシテ正当ナラシムルモノニ非ザレバ、Yハ自己ノ所有権ヲ基礎トシテXニ対シ之ガ妨害ノ排除ヲ請求スルコトヲ得ルモノ……」(大判昭六・一〇・一三評論二一民法一五六)。

なお、後出【152】は、換地予定地の使用収益権を従前の土地所有権と同一にみているが、これも、問題の妨害排除請求者Yの面からいえば、彼の原告資格が認められたわけである。

七　賃借人に認められる妨害排除手段

一　序　説

所有者が不法占拠者に対して物権的請求権を行使できるのはもちろんだが、賃借人も、目的不動産の占有利用を妨げられたときには、妨害者が不法行為の要件をみたすかぎり、価値的補償（＝損害賠償）を請求しうるし(民七〇九)、また占有を妨害・侵奪されたということになれば、占有訴権(民一九七以下参照)が認められる。ここまでは問題もないが、右以外の法的保護手段の許否には、学説上かなりの対立・紛糾がみられる。すなわち彼は、(イ)賃貸借契約上の債権者として、賃貸人＝所有者の有する物権的請求権を代位行使できるか(民四二三参照)、がすでに肯定説と否定説の対立するところであるけれども(否定説は、さらに、次の賃借権にもとづく妨害排除を認める見解と認めない見解とに分かれる)、(ロ)賃借人という資格・権利にもとづいて直接的に妨害排除請求をすることが認められるか否かにいたっては、大綱・細部ともに見解の分岐が烈しくなり、通説と称しうべきものはまだないといってよい。――これら諸説については、好美清光の驚異的な力作(「債権に基づく妨害排除についての考察」一橋・法学研究2、「賃借権に基づく妨害排除請求権」契約法大系III)中で批判的に紹介整理がなされており(なお、好美「Jus ad remとその発展的消滅」一橋・法学研究3の結語も参照)、最近の解説でも幾らかは掲げられている(ジュリスト学説展望の、川村・椿両解説)。

ところで、この問題は、判例の理解とも関連づけて論じられており、事実、わが民法での解釈論を展開する以上、判例の分析検討はみのがせない都合である。かかる重要性の認識は、近時の判例解説書におけるテーマ設定からもうかがえるが(ジュリスト判例百選での好美・椿担当解説や判例演習・債権法Iでの山主・甲斐担当解説)、なかんずく、緻密な(＝各問題の関連性に配慮した)総合判例研究が早くも一九四〇年にはみられ(我妻＝広瀬「賃貸借判例法3」法律時報一二巻三八四頁以下)、本叢書の執筆者たちも、ことに(ロ)については重複してまで、意欲的に取り組んでいる(古山「不動産賃借権の対外的効力」民法1、三島「第三者の債権侵害」民法18。なお、松坂「債権者代位権」民法7)。――さような状況からすれば、さらに重ねて同じシリーズで採り上げるのは、それこそ屋上に屋を架する以上の無駄かもしれない。だが、賃借権にもとづく妨害排除の問題については、一般に行なわれている判例理解(しかも、これは、或る解釈論の正当性を論証する有力な武器・手段とされることさえある)の仕方そのものに同調しがたい点を感じ、代位権先例の妥当範囲もはっきりさせておきたいので、私なりの見方から、主要先例に即し(なお、(ロ)に関する下級審は、古山・本叢書民法1二七頁以下、三島・同民法18一二一頁以下(【38】〜【51】)にゆずる)、しかし必要な限度では不法占拠事案以外にもわたって、判例法理に再検討を加えておきたい。なお、以上の視角からして、解釈的構成に関する諸説の検討および私見は、もちろん直接の課題にはならない。

二　占有訴権と債権者代位権

（一）　占有訴権　　占有訴権の原告は、占有者でありさえすれば（民一九七前段）、自主占有者・他主占有者また直接占有者・間接占有者を問わず認められるから、賃借人も、自己の賃借不動産の不法占拠者に対し、占有者としての資格において占有の訴を提起しうることもちろんである。判例には、賃借権にもとづく妨害排除請求を否定する際に、傍論として占有訴権が可能である点に言及するもの（【93】【89】）その他があるが（【35】参照。また【89】の我妻評釈は、或る判例（大判大八・五・一七民録二五・七八〇）を、占有取得後に賃借物を奪われた賃借人が占有回収の訴によりうる旨を判示した先例とみる）、「占有しておれば占有訴権によりうる」との一般論を述べた古い棄却判決もある。――民法一九七条末段云々は、古典的な法規解釈論であつて、今では反対されても（柚木・判例物権法総論三六七頁参照）当りまえだが、その点は別として、三島説は、この判決を「占有を伴えば債権そのものにもとづいて排除請求ができるという趣旨ではな」く「不可侵性理論以前」と評している（三島・本叢書民法18一一九頁）。

【81】　「建物明渡及損害賠償請求ノ件」ということ以上には事案がわからないが、賃貸借の登記を備える賃借人Xと占有妨害者Yとの争い。(イ)賃貸借の登記があれば物権取得者も賃借権者に対抗できないから、不法占拠者が対抗できないのは当然、(ロ)賃借権として現存する以上、一般第三者は「消極的ニ其権利ヲ侵害スルヲ得ザルモノ」である、とのXの上告に対し、大審院は、民法六〇五条は物権取得者以外の第三者との関係を定めたものでないとしてから、

「抑賃貸借ハ債権ノ一種ニシテ……賃貸借ノ契約ヲ締結シ之ガ登記ヲ為シタルノミニテハ、原判決ノ説明

スル如ク第三者ニ対抗スルヲ得ザルモノト云ハザルヲ得ズ。然リト雖モ、賃借人ガ全ク賃借権ヲ行使シ即チ其賃借物ノ引渡ヲ受ケ現実賃貸人ノ為メニ占有スルトキハ、登記ノ有無ヲ問ハズ民法一九七条末段ノ規定ニ所謂他人ノ為メニ占有ヲ為ス者トアルニ該当シ、此場合ニ在リテハ、不法行為ニ因リ其占有ヲ妨害スル第三者ニ対シ占有訴権ヲ行使スルヲ得ベキコトハ同法条ニ依リ明カナリ。然ルニ原判決ハ斯ル法条ヲ顧ミズ、単ニ賃借権ハ債権タルノ性質上其結約者以外ノ第三者ニ対シテハ絶対的ニ権利ヲ主張スルヲ得ザルモノノ如ク判決シタルハ違法ナリト雖モ、原判決ノ認ムル事実ニ拠レバ、本件賃借物ハXガ未ダ以テ賃借物ノ引渡ヲ受ケズ現実占有ヲ為サザルモノナレバ、第三者タルYニ対シ何等ノ権利モ生ゼザルニ因リ結局Xノ請求ハ其理由ナキニ帰着ス」る、と棄却（大判明三八・四・一四民録一一・五九五―三島・本叢書民法18【35】）。

また、地主Xは、賃借人Yの占有する土地の不法侵害があった場合、「右妨害ノ除去ニ努ムベキ義務」ありと判示する際に、「賃借人ハ占有訴権ニ基キ自ラ第三者ノ妨害ヲ除去スルコトヲ得ザルニ非ズ」云々と述べる棄却判決もある（大判昭五・七・二六（昭四オ一九六二号）民集九・九・七〇四）（我妻・判民六九事件）。

（二）　債権者代位権　周知のとおり、わが判例は、その形成期段階で早くも、先例における民法四二三条論の射程範囲を限り、「債務者ノ資力ノ有無ニ関係ヲ有セザル債権ヲ保全セントスル場合ニ於テモ、苟モ債務者ノ権利行使ガ債権ノ保全ニ適切ニシテ且必要ナル限リハ、同条ノ適用ヲ妨ゲザルモノ」との一般論をたてたが（大判明四三・七・六民録一六・五三七―松坂・本叢書民法7【5】参照）、以後二〇年余のあいだにおける同旨先例の反覆によって、債権者代位権制度を、「共同担保の保全」「責任財産の維持」という沿革上・母法上の目的のためだけでなく、「登記請求権」および「妨害排除請求権」の代位行使にも用いる（共同担保保全を「本来の」目的とみるならば、これらの場合は「拡大適用」ないし「転用」といわれる）ことは、すでに確定した判例法理となつている。——ここでは、種々の妨害排除請求権代位ケースを分析しながら紹介し、後で（四款（二））どういう「枠づけ」があるかを調べてみたい。

最初のケースは、代位権の行使には被保全権利が対抗力を備える要なし、とする破棄判決であるが、この点については、既述のとおり（本書一〇三頁）、「借地人は登記をしなくても不法占拠者に対する地主の物権的請求権を代位行使できる」と理解できる公式先例【68】があつた。

【82】　A所有地における採石権およびそのための土地使用権を、Bから譲り受けたXがAに代位して、不法占拠者Yの明渡を訴求した事件。代位権を行使するには債権者Xの権利が債務者Aの相手方に対抗できねばならぬ、と判示した原審に対し、Xは、本件を両立しえない物権相互間の優劣問題と同視するのは四二三条の不当適用だと上告して、次のごとく容れられた。

「本件ハ民法四二三条ニ依リXガ自己ノ権利ヲ保全スル為債務者タルAノYニ対シテ有スル権利ヲ代位行使スルモノナルヲ以テ、XガAニ対シテ債権ヲ有スルモノナルコト並AガYニ対シテ債権ヲ有スル事実アルコトハ必要ナルトモ、Xノ権利ガ債務者Aノ相手方タルYニ対抗シ得ルコトハ敢テ代位権行使ニ必要ナラズ」（大判大一四・七・二五新聞二四七五・一一—松坂・本叢書民法7【12】）。

次は、前頁に掲げた大審院先例（明四三・七・六）とともに、裁判所における「特定債権」論の両肢となつたリーディング・ケース。

【83】　Y先代は、Aからの借地上に建てた建物をBに賃貸していたが、関東大震災で家屋が倒壊。Bは勝手に右土地にバラックを建てて住み、後この建物をCに、またCはXに、それぞれ譲渡した。先代を相続したYから、四二三条を根拠としてXに対し土地明渡が求められる。Xは、終始同条が本件には適用されぬと

主張したが、大審院もこれを容れなかった。すなわち、

「債権者ガ自己ノ債権ヲ保全スル為債務者ニ属スル権利ヲ行フコトヲ得ルハ民法四二三条ノ規定スル所ナリ。同条ハ、債務者ガ自己ノ有スル権利ヲ行使セザル為債権者ヲシテ其ノ債務者ニ対スル債権ノ十分ナル満足ヲ得ザラシメタル場合ニ於ケル救済方法ヲ定メタルモノニシテ、債権者ノ行フベキ債務者ノ権利ニ付其ノ一身ニ専属スルモノノ外ハ何等ノ制限ヲ設ケズ、又債務者ノ無資力タルコトヲ必要トセザルヲ以テ、同条ニ所謂債権ハ必ズシモ金銭上ノ債権タルコトヲ要セズ、又所謂債務者ノ権利ハ一般債権者ノ共同担保トナルベキモノタルニ限ラズ、或債権者ノ特定債権ヲ保全スル必要アル場合ニ於テモ同条ノ適用アルモノト解スルヲ相当トス（大判明四三・七・六、大決大九・一〇・一三参照）。故ニ、土地ノ賃借人ガ賃貸人ニ対シ該土地ノ使用収益ヲ為サシムベキ債権ヲ有スル場合ニ於テ、第三者ガ其ノ土地ヲ不法ニ占拠シ使用収益ヲ妨グルトキハ、土地ノ賃借人ハ右ノ債権ヲ保全スル為四二三条ニ依リ右賃貸人ノ有スル土地妨害排除ノ請求権ヲ行使スルコトヲ得ベキモノトス。

本件記録ニ依レバ、Yノ原審ニ於テ請求原因トシテ主張シタル所ハ……Xハ何等正当ノ権原ナキニ拘ラズ該地上ニ家屋ヲ所有シテ其ノ敷地ヲ不法ニ占拠シ……タルヲ以テ其ノ使用権ヲ保全スル為AノXニ対シテ有スル家屋収去土地明渡ノ請求権ヲ同人ニ代位シテ行使シ本訴請求ヲ為スト云フニ在ルヲ以テ、Yハ賃借人トシテ有スル債権ヲ保全スル為メ賃貸人即土地所有者ニ属スル妨害排除請求権ヲ適法ニ行使セルモノト謂フベシ。故ニ、原裁判所ガY主張ノ前記事実ヲ認メ其ノ請求ヲ認容シタルハ相当」（大判昭四・一二・一六民集八・一二・九四四—松坂・本叢書民法7〔7〕）（戒能・判民九一事件）。

なお、引用されている決定（大決大九・一〇・一三民録二六・一四七五）は、債権者には四二三条により代位登記申請権がある

から、登記抹消処分につき「登記上ノ直接利害ヲ有スル」とするものであるが、【83】の先例としては【68】を引用すべきであったと評される(右の戒能評釈、松坂・本叢書民法7八九頁)。

右【83】と同旨判決としては、次の二つがある。

【84】 本件土地の賃借人Yは、Xらが無権原で右地上に建物を所有し、しかも地主は土地明渡を彼らに要求しないので、明渡請求権を代位行使。あるいはこれも大震災関係の事件かもしれぬが、Xの上告はもちろん棄却。

「民法四二三条ハ債権者ガ保全セントスル債権ニ付別ニ制限ヲ設ケザルヲ以テ、同条ノ適用ヲ受クベキ債権ハ債務者ノ有スル権利ノ行使ニ因リ保全セラルベキ性質ヲ有スレバ足リ、其ノ債務者ノ資力ノ有無ニ関係ヲ有スルト否トハ之ヲ問フノ要ナキコト当院ノ判例トスル所ニシテ(大判明四三・七・六)、又之ヲ変更スルノ必要ヲ見ズ」(大判昭五・一一・二九新聞三二一〇・九)。

【85】「土地ノ賃借人ハ其ノ賃借権ヲ保全スル為、賃貸人タル所有者ニ代位シテ該土地ヲ不法ニ占拠セル第三者ニ対シ妨害排除ノ請求権ヲ行使シ得ベキコトハ、当院判例ノ存スル所(【83】)……」(大判昭一〇・六・二九新聞三八六九・一〇)。

ところで、かような代位請求に関しては、それを直接的(賃借権にもとづく妨害排除)請求へ移行・吸収させるべきだとする主張が、【83】および次述【86】をめぐって提起されており(戒能評釈)、私も、近ごろではそうなっているだろうと想像していた(ジュリスト判例百選(旧稿)九頁最下段)。だが、これは、私の認識不足(ことに、直接的妨害排除請求の認容が、実務では不安定だったことに対する)であって、下級審には、不法占拠者に対する借地人の代位的明渡請求を認めた判決が、依然として現われている(東京地判昭三一・四・三〇下級民集七・四・一〇九七や東京地判昭三二・五・一五判時一一八・一八。なお三島・本叢書民法18【23】も参照)。

次は、代位権の非補従性を根拠づけることによつて、転貸借の期間が満了した後の転借人に対し、賃借人（＝転貸人）は地主に代位して明渡請求ができる、とした棄却判決（判旨の、より詳細については、松坂・本叢書民法7【11】参照）。

【86】　Yは、A寺から賃借している本件土地を五カ年の契約でXに転貸したが、Xが期間満了後も占拠しているので、A寺に代位して明渡を訴求。原審で敗訴したXは、直接転貸権にもとづいて明渡の請求ができるわけだから代位請求を認める必要がない、その他をもつて上告する。しかし大審院は、賃借人に占有訴権や転貸借契約上の返還請求権があつたところで、賃貸人はやはり妨害除去に努める義務を賃借人に対して負うのだから、賃借人がみずから直接第三者に請求するのも賃貸人に妨害を排除せよと請求するのも「自由ニ選択シ得ル所」と解し、続けて、

「賃借人ガ賃貸人ニ対シテ妨害排除ノ請求権ヲ行使シ得ル場合ニ於テ、賃貸人ガ妨害排除ニ協力スベキ義務ヲ履行セザルニ於テハ、賃借人ノ債権ハ其ノ実現ヲ見ルコトヲ得ザルヲ以テ、賃借人ハ其ノ債権ヲ保全スル為メ民法四二三条ノ規定ニ依リ賃貸人ニ属スル権利ヲ代位スルコトヲ得ベク、従テ賃貸人ガ目的物ノ所有者トシテ第三者ニ対シ其ノ物ノ回復請求権ヲ有スルガ如キ場合ニ於テハ、賃借人ハ其ノ権利ヲ代位シテ行使スルコトヲ妨ゲザルモノニシテ、此ノ場合ニ於テモ賃借人ガ直接第三者ニ対シテ其ノ物ヲ回復シ得ル固有ノ権能ヲ有スルコトハ、毫モ代位権ノ行使ヲ阻止スベキ理由ト為スニ足ラザルナリ。」そして、Yの代位請求と転貸借の終了とは、原審の確定するところだから、本訴請求を認めた原判決は相当である（大判昭五・一二・一六民集九・一二・一一三一）（戒能・判民一一三事件）。

また、建物競落人に対して（新たな）借地人が代位請求をなす場合、原賃貸借の解除があつたか否かは問わないとする棄却判決【87】があるが（賃貸借解除の要否は本書一一三頁、故意過失は【110】参照）、これも不法占拠ケースである。——な

お、地主ないし新地主と建物競落人との争いは、すでに幾つか出てきたが（【33】〜【36】【80】など）、賃借人が登場してきたケースも一つあった（前出【68】）。

【87】　借地人Aの所有建物を競落したXらに対し、借地人Yが地主Bに代位して収去・明渡・賠償を訴求した事件（AとYの関係が明らかでないけれど、上告審の訴訟当事者はXとYであり、原審認定ではBはXに賃借権承継を認めてないから、Xが不法占拠責任を負うことに問題はない）。Xは、BがAとの賃貸借を解除していない、と争ったが、

「地主Bヨリ Aニ対シ賃貸借解除ノ意思表示アリタルト否トヲ問ハズ、X等ハ右地主ニ対シ本件土地ノ占有ヲ以テ正当ノ権原ニ基クモノト主張シ得ザル筋合ナリトス。従ツテ所論解除ノ事実ナケレバトテ本訴代位請求ヲ排斥スベキ理由ナキガ故ニ、右原審ノ認定ハ不当ニアラズ」（大判昭一三・八・一〇判決全集五・一七・九〇）。

なお、代位権の代位を認めた次の破棄判例も、土地（ただし墓地）の不法侵害に関する事件であり、かつ先例【83】【68】を引用して四二三条の適用を論じているが（【68】を引いたのは戒能評釈の影響か）、冒頭の点についてのみ簡単に紹介しておく。

【88】　A市所有墓地をB寺が賃借し、これをXに転貸していたところ、Yが無権原で侵害したため、転借人Xは、B寺の代位権をさらに代位して、Yに対し妨害物の撤去を訴求。原審は代位権の代位を認めなかったが、大審院は、

「代位権ヲ行使スル債権者ノ範囲ニ付テモ何等ノ制限ナキヲ以テ、代位権ヲ行使スルコトヲ得ベキ債権者ノ債権者モ亦之ニ代リテ第三債務者ノ有スル権利ヲ行使スルコトヲ得ベキモノト解スルヲ相当トス」「故ニX

ハB寺ニ代位スルニ依リ更ニA市ニ代位シテ直接ニYニ対シ該石垣及盛土ノ撤去ヲ請求シ得ベキモノトス」(大判昭五・七・一四民集九・一〇・七三〇)(戒能・判民七一事件、末川・破棄判例民法研究Ⅱ三一七頁)。

その他、不法占拠事案をめぐって、代位権行使の枠づけが問題となったケースも幾つかあるが、それらは、要点を本節**四**款(一)で述べることにしたい。

三　賃借権にもとづく妨害排除請求権

(一)　大審院先例　最初は、この問題を否定に決した破棄判例。——判旨中に引用されている先例は、改めていうまでもないくらい有名だが、第三者の債権侵害による不法行為責任の成立可能性を、一般論として認めたものである(柚木・判例演習・債権法2二〇一頁、三島・本叢書民法18【4】参照)。

【89】　Yが東京市より本件土地を賃借したところ、そこにはXが従前から何の権原もなく建物を所有していたため、Yは建物収去・土地明渡を訴求(占有訴権によらなかった)。原審は、賃借権=物権説を支持してYの直接的妨害排除請求を認め、仮に債権だとしても不法行為による侵害除去請求権ありとしたが、大審院は、原判決のごとくでは物権・債権の基本的区別が破られるとする上告を容れて、次のように判示。

「賃借権ハ縦令之ヲ支配権ナリト論ズル学説アルニセヨ、我民法ニ依レバ一種ノ債権ナルコト同法ノ規定上明白ニシテ今更多言ノ要ナシ。而シテ、故意又ハ過失ニ因リ他人ノ債権ヲ侵害シタル者ハ不法行為ノ責アルコト本院判例(大判大四・三・二〇言渡)ニモ示ス所ナレバ……賃借人ハ其不法行為者ニ対シ損害ノ賠償ヲ要求スルコトヲ得ベシト雖モ、損害ノ賠償ハ別段ノ意思表示ナキトキハ金銭ヲ以テ其額ヲ定ムベキコト民法四一七条ニ規定スル所ナルガ故ニ、賃借人ハ其占有ニ係ル賃借物ヲ他人ノ為メ不法ニ占有セラレタル場合ニ於テモ、占有権ニ基ク訴ニ依リ其物ノ返還ヲ請求スルハ格別、賃借権若クハ損害賠償請求権ニ依リ之ガ引渡ヲ請求スルコトヲ得ベキニアラザルナリ。」そして「縦令Yハ東京市ヨリ本訴地所ヲ賃借セルモノナルコト、及ビXガ同地所ヲ占有スルハ何等ノ権原ニ基カザルモノナルコト原審認定ノ如クナルニセヨ、本訴請求ハ到底認容スベキモノニアラザルコト前説明ノ如シ。然ルニ原審ガ、Yニ損害賠償ノ請求権アルコトヲ理由トシ賃借地ノ明渡ヲ請求スルコトヲ得ル旨判定シタルハ不法」（大判大一〇・二・一七民録二七・三二一—三島・前掲【33】）（我妻・判民二一事件）。

しかし、右と同年には、漁業権賃借人からの妨害禁止「仮処分当否ノ件」につき、権利論を振りかざして真正面から問題を肯定した棄却判例が出ている。

【90】 Yらは、A組合から専用漁業権を賃借して漁業をしてきたところ、Xらが何の権利もなくこれを妨害した。X側は、漁業賃借権の侵害者に対する漁業差止の請求を是認することは法律的根拠を欠く、などと上告したが、

「権利者ガ自己ノ為メニ権利ヲ行使スルニ際シ之ヲ妨グルモノアルトキハ、其妨害ヲ排除スルコトヲ得ルハ権利ノ性質上固ヨリ当然ニシテ、其権利ガ物権ナルト債権ナルトニヨリテ其適用ヲ異ニスベキ理由ナシトス」（大判大一〇・一〇・一五民録二七・一七八八—三島・前掲【28】）（末弘・判民一四八事件）。

末弘評釈は、不当な一般化に警戒しつつも、この【90】を積極的に評価したが、同旨先例は翌年、翌翌年と続き、【92】の平野評釈は、権利の不可侵性にもとづく妨害排除の認容が判例上不動の原則になった、とみた。——これら先例の事案と理由づけとを、ごく簡単に紹介しておこう。すなわち、

【91】 Yが堤防敷地および河川敷地に対し知事の許可を得て占用権を取得していたところ、Xが何らの権

原なく石置場としたり建物を建てた事案。大審院は、

「本件ノ占用権モ亦一種ノ財産権トシテ対世的性質ヲ有スルモノナルヲ以テ、之ヲ侵害シタル第三者ニ対シテハ金銭賠償以外ノ請求ヲ為シ得ベキモノニ非ズ、トノ論旨ハ其ノ理由ナシ」と上告棄却（大判大一一・五・四民集一・五・二三五—三島・前掲【29】）（末弘・判民三四事件）。

【92】　Y寺が有する官有地の管理使用権を、Xが、Yよりの賃借人Aから転借したと称して建物を所有し、もつて右権利を侵害した事件。
「此ノ使用権ハ物権タルト債権タルトヲ問ハズ不可侵性ヲ有スルモノナレバ、之ヲ妨害スル者ニ対シ其ノ妨害ノ排除ヲ請求スルコトヲ得ルモノト謂ハザルヲ得ズ（【90】参照）」（大判大一二・四・一四民集二・五・二三七—三島・前掲【30】）（平野・判民四五事件）。

この【92】は、同種事案に関する後日の非公式先例（大判昭六・四・二八新聞三二七〇・一〇—三島・前掲【32】）で明示的に継承されたが、【90】以下のラインが判例法理として確立してしまつたわけではなかつた。ことに、非公式先例だけれど、次掲【93】は、典型的な土地の不法占拠ケースにおいて、かえつて、それまで少数派だつた先例【89】を踏襲しているのである。すなわち、

【93】　関東大震災をめぐるゴタゴタらしいが、借地人Xが、自分の借地内に勝手に建物を建てているY_1 Y_2両名と、自分への用益義務を怠たつている地主Y_3とを訴求したもの。件名は「賃貸借存在確認・土地引渡・損害賠償請求事件」となつている。なおY_3はY_1らから金を受け取つており、Y_1らは賃借したと主張している。

——Xは、妨害排除請求を認めよと上告するが、次のごとく棄却。

「第三者ガ故意又ハ過失ニ因リ他人ノ賃借権ヲ侵害シ賃借物ノ占有ヲ不法ニ侵奪シタル場合ニ於テハ、賃借

人ハ占有権ニ基キ訴ニ依リ其ノ物ノ返還ヲ請求スルハ格別、賃借権ニ依リ加害者ニ対シ之ガ返還ヲ請求スルコトヲ得ベキモノニ非ザルコトハ当院ノ判例トスル所ナリ(【89】参照)。本件ニ付之ヲ観ルニ、XヨリY_1及Y_2ニ対スル訴旨ハ、右両名ハ本件土地ニ付Xノ有スル賃借権ヲ侵害シ地上ニ建物ヲ建設シテ該土地ヲ不法ニ占有スルニ因リ、賃借権ノ侵害ヲ原因トシテ右建物ノ収去並土地ノ明渡ヲ求ムト云フニ在リテ、本訴ハ占有権ニ基ク訴ニ非ザルコト記録上明白ナルガ故ニ、原判決ガ……Xノ請求中建物ヲ収去ノ上土地ノ明渡ヲ求ムル部分ヲ排斥シタルハ、前段説明ノ理由ニヨリ相当」(大判昭五・七・二六新聞三一六七・一〇、評論一九民法一一四四—三島・前掲【34】)。

もつとも、「土地明渡請求事件」において、【90】を先例として引く破棄判例がある。

【94】 X会社の登記ある賃借地にY会社が勝手に軌道を敷設した(三島・前掲書より。私の旧稿は評論から引いたため、事案不明だつた)。

「物権タルト債権タルトヲ問ハズ第三者ガ之ニ対シ不法行為ヲ繰返ス恐レアル場合ニ於テハ、其ノ権利者ニ於テ第三者ニ対シ将来権利侵害ヲ為ス可カラズトノ不作為ノ請求権ヲ有スル事勿論ナレバ、第三者ノ為シタル不法行為ノ現存スルモノアランカ、之ガ妨害ノ排除ヲモ請求シ得ルモノト為サザル可カラズ(【90】参照)。左レバ原審ガ……賃借権タル債権ニ基キ賃貸借ノ目的上ニ存スル第三者ノ妨害排斥ヲ訴求シ得ザルモノト解シ、Xノ本訴請求ヲ排斥シタルハ違法」(大判昭五・九・一七新聞三一八四・七、評論一九民法一二七九—三島・前掲【31】)。

このほか、大審院時代には、【90】の系統に属するものとして引用される(古山・本叢書民法1【24】や我妻・新訂債権総論八二頁)棄却判決があるが、左に解説する事案をみたらわかるように、判旨中で賃借人の妨害排除を云々する個所は、全くの傍論でしかない。

【95】 これも関東大震災で借地上家屋が滅失したことに争いの発端はあるが、借地人Yは、地主「Xガ本

件土地ノ不法占拠者三名ニ対シ該土地ヲ売渡シテ其登記手続ヲ為シ、借地権者タルYヲシテ借地権ノ利用ヲ不能ナラシメタ」ことによる損害賠償を地主Xに訴求。――左に掲げる判旨は、Yから不法占拠者に対して提起した「占有回収の訴」が民法二〇一条三項の法定期間を過ぎていたためY敗訴となった以上、Yの借地権は経済上全く無価値になった（→賠償さるべき損害はない）、とするXの上告を斥けた際の例示である。問題の部分だけを示すと、

「借地権ヲ有シテ占有セル地上ニ他人ガ何等正当ノ権限ナキニ拘ラズ家屋ヲ建設シテ該土地ヲ不法ニ占拠シタルトキハ、借地権者ハ占有回収ノ訴ニ依リ其土地ノ明渡ヲ請求シ得ルノミナラズ、借地権侵害ニ因ル不法行為ヲ原因トシテ既ニ生ジタル損害ノ賠償ヲ要求シ以テ間接ニ借地権ノ効用ヲ享有シ得ベク、且ツ土地ノ明渡ヲ請求シテ借地ニ対スル妨害ヲ排除シ将来自己ノ権利ヲ行使シ得ルモノナレバ……」（大判昭六・五・一三新聞三二七三・一五―三島・前掲【22】）。

これら判例法理はどのように理解されているか、どのように理解すべきか、については次款の(二)で分析・検討する。

(二)　最高裁先例　　この場合も、判例理解などは後述するが（次款(三)）、大審院時代と異なり、いわば「二重賃貸借」ケース群が今の問題として登場してきた点だけは、とりあえず注意しておきたい。――時期順にみていく。

最初の判例は、解説でもリーディング・ケース的に取り扱われているもので、「土地の使用収益をなすべき契約上の債権に基き、第三者に対し、直接妨害排除の請求をすることはできない」（判決要旨）とする。

【96】　X会社は、本件石灰石山の所有者A会社から、斤先掘契約によつて、必要な土地使用も含めて採掘搬出事業を引き継ぎ、俗称「旧鉱」地域で採掘していたが、A会社（この点ゴタゴタしているけれど省略）がY会社に俗称「新鉱」地域の採掘を請負わせたため、Y会社に対し、債権にもとづく妨害排除ならびに占有権にもとづく妨害の停止・予防を求めた（「処分請求事件」）。原審はYを妨害者にあらずとしたため、Xは、全地域の用益をなすべき債権を有し、かつこの債権は占有によつて物権化している、と上告したが、次のごとく上告棄却。

「しかし、或る特定人間の債権契約は、その契約の当事者間において、債権者は債務者に対し或る一定の作為又は不作為の給付を請求することを得る法律上の権利を取得するに過ぎないものであつて、債権者は直接第三者に対して債権の内容に応ずる法律的効力を及ぼし第三者の行動の自由を制限することを得ないのを本則とする。ただ第三者の不法行為により債権の侵害され得べきことは近時一般に認められるところであるが、それは損害賠償の請求を認める限度において肯定さるべきであり、これがために債権に排他性を認め、第三者に対し直接妨害排除等の請求を為し得べきものとすることはできない。果して然らば、仮りにXとAとの間にX主張のような全地域の使用収益を為し得べき契約が成立したとしても、Xがその契約上の債権者として第三者であるYに対する本訴請求を許すべきでないことは、その主張自体に照らし明らか……。

次に、Xがいわゆる新鉱地域である本件土地をAから引渡を受けて爾来引き続き占有しているというXの主張事実については、原審は疎明を得ずとしているのであり、そして、その判断は……肯認することができ、その間経験則に反する違法は認められない。されば、本件土地の占有権者としての本訴請求も是認することができない」（最判昭二八・一二・一四民集七・一二・一四〇一―三島・前掲【52】）（幾代・民商三〇巻三一六頁、川島・法協七三巻一〇七頁、好美・ジュリスト判例百選一三二頁、山主・判例演習・債権法1九頁）。

右とほとんど時を同じくする次掲先例【97】は、「第三者に対抗できる借地権を有する者は、その土地に建物を建てて、これを使用する者に対し、直接その建物の収去、土地の明渡を請求することができる」とかなり抽象化して要旨が作られ、判示事項にいたっては、「対世的効力ある賃借権の妨害排除請求権」とされているが、事案は二重賃貸借である（二重賃貸借の有効性については、大判昭一二・五・二八民集一六・一四・九〇三参照）。また、問題の「対抗力」は、罹災都市借地借家臨時処理法一〇条にもとづく。

【97】　Yは、地主Aから本件土地を賃借して建物を所有していたが、Aは、右土地の所有権を養子Bに譲渡した。Bは、Yの右建物が二〇年三月戦災で焼けた後、二二年六月Xに本件土地を賃貸し、Xがそこに建物を建築所有。Yから収去・明渡を訴求したが、最高裁は、民法六〇五条や建物保護法の対抗力に言及してから、臨時処理法一〇条に及び、次のごとくXの上告（＝YもXもともに平等な債権者で、賃貸人にしか請求できぬ）を棄却。

「……これらの規定により土地の賃借権をもつて、その土地につき権利を取得した第三者に対抗できる場合には、その賃借権はいわゆる物権的効力を有し、その土地につき物権を取得した第三者に対抗できるのみならず、その土地につき賃借権を取得した者にも対抗できるのである。従つて、第三者に対抗できる賃借権を有する者は、爾後その土地につき賃借権を取得しこれにより地上に建物を建てて土地を使用する第三者に対し、直接にその建物の収去、土地の明渡を請求することができるわけである」（最判昭二八・一二・一八民集七・一二・一五一五―三島・前掲【54】）（中川（淳）・民商三〇巻三五六頁）。

この【97】は、同じく二重賃貸借ケースに関する破棄判決【98】で（判決要旨―「賃借権が債権であるというだけの理由で、賃借権に基く妨害排除の請求を排斥するのは違法である」）、さらに、この両者は、臨時処理法二条関係の棄却判決【99】で（判決要旨―「同法二条に基く賃借権は当然対抗力を備え、賃借権者は、これを侵害する者に対し妨害排除を請求することができる」）、それぞれ先例として引用されている。ごく簡単にみておこう（その他については、三島・前掲【56】【58】参照）。

【98】　借地人Xの所有建物が戦災で焼けたが、再建前Yが地主より本件土地の一部を賃借して建物を建てた。

「土地の賃借権について、登記その他その賃借権を以て第三者に対抗し得る要件を具備した場合は、その賃借権はいわゆる物権的効力を有し、その土地につき賃借権を取得した者に対しても妨害排除の請求をなし得ることは、当裁判所の判例の示すところである（【97】）。原判決が、土地の賃借権は債権であるからというだけの理由で、賃借権に基いて第三者に対しその侵害の排除を求めることはできない旨判示したのは、如上の法理を誤ったもの」（最判昭二九・二・五民集八・二・三九〇—三島・前掲【55】）（於保・民商三一巻五〇頁、中川(淳)・立命館法学八号一三二頁、上田・神戸法学四巻五〇三頁）。

【99】　罹災借家人Yが臨時処理法二条の借地申入れをしたが、地主X_1は他人X_2に貸していて拒絶。X側は、同法によって賃借権の債権たる性質までが変更されない、と上告。しかし、

「当裁判所は、本件賃借権を、その設定されたときに当然対抗力をそなえこれを侵害するものに対しては妨害排除を求めうる物権的な効力を帯有せしめた特殊な性格の賃借権であると解した原判決の判示を正当とするから（なお【97】【98】参照）、論旨は採用することができない」（最判昭二九・六・一七民集八・六・一一二一—三島・前掲【57】）（中川(淳)・民商三一巻四七八頁、北村・最高裁判例解説五六頁）。

次の事件【100】では、「土地の賃借人は、賃借地上にバラックを所有する第三者に対し、賃借人であるというだけで（何等特別の事情なく）賃借権侵害を理由として土地明渡を求める権利を有するものではない」（判決要旨）とされている。破棄判例。なお、本件第三者は不法占拠者である。

【100】　Bは、借地人Yら二名からその一部を適法に転借し、建物を所有していたが、敷地利用の移転につ

きYらの承諾を得ずに、右建物をXに売却した（なお借地上建物買受人と不法占拠の成否については、前出【26】【27】参照）。Yらは、Bに対して転貸借契約を解除するとともに、Xに対し賃借権にもとづく明渡訴求をする。一、二審ともYらの請求が認容されたので、Xは、賃借人には直接的排除権なく、かつYらは本件土地を一度も占有したことがないと上告し、次のごとく原判決破棄となつた。すなわち、

「債権者は債務者に対して行為を請求し得るだけで、第三者に対して給付（土地明渡という）を請求し得る権利を有するものではない。（物権の如く物上請求権を有するものではない。）それ故、Yは土地の賃借人であるというだけで（何等特別事由なく）当然Xに対し明渡という行為を請求し得るものではない。このことは、原判示の如くXがYの賃借権を侵害して居るからといつて異る処はない」（最判昭二九・七・二〇民集八・七・一四〇八―三島・前掲【53】）（中川（淳）・民商三一巻五六九頁、大場・最高裁判例解説一一一頁、中川（良）・法学二一巻二三六頁）。

最後の【101】は、【97】と同じく臨時処理法一〇条の問題になつているが、今度の被告は、二重賃借人でなく不法占拠者。

【101】　原審認定によれば、Xは「戦災を奇貨とし何等の権原もなく、Yに無断で右焼跡に……二棟の建物を建築所有して本件宅地を占有し、Yの借地権を侵害」している者。【89】【93】を引用して、Yの請求を認めた原判決は判例違反だとするXの上告は、次のごとく棄却。

「原審の確定した事実関係によれば、Yの借地権は臨時処理法一〇条により第三者に対抗できるものであることが明らかである。そうして、かかる賃借権に基いて第三者に対し建物の収去土地の明渡を請求し得ること、当裁判所の判例（【97】【99】等）の示すとおりであるから、原判決には所論のような違法はない。論旨援用の判例は本件に適切でないことおのずから明らかである」（最判昭三〇・四・五民集九・四・四三一―三島・前掲【59】）（田中・民商三三巻三六八頁、土井・最高裁判例解説三六頁）。

四　若干の整理と検討

（一）　債権者代位権の行使要件　これを問題とするのは、わが判例上、賃借人の本権的直接排除請求が不安定な状況にあり、ことにそれを認めない類型も現われるにいたっているため（なかんずく【96】や【100】）、それに代わるべき法的保護手段の一つとしての代位的排除請求につき、判例上の「枠」を理解しておかねばならないからである。――不法占拠事案に即してみていくと、(イ)債務者＝賃貸人への催告は行使要件でない（大判昭七・七・七民集一一・一五・一四九八――なお事案や他の争点については後出【121】参照）、(ロ)債務者が権利行使を拒絶・懈怠した場合に限らない（大判昭一〇・一〇・二三新聞三九一三・一一――松坂「債権者代位権」本叢書民法7【14】）、(ハ)原賃貸借の解除を要件としない（前出【87】）、(ニ)被保全権利は対抗力を備えておらなくともよい（【82】【68】）、(ホ)他の救済方法があっても代位権行使を妨げない（【86】参照）、(ヘ)転借人が代位権の代位行使をすることも許される（【88】参照）。また(ト)直接自己への明渡を求めうる。つまり、

【102】　「建物の賃借人が、その賃借権を保全するため賃貸人たる建物所有者に代位して建物の不法占拠者に対しその明渡を請求する場合においては、直接自己に対してその明渡をなすべきことを請求することができるものと解するのを相当とする（大判昭七・六・二一、同昭一〇・三・一二各参照）」（最判昭二九・九・二四民集八・九・一六五八）（松坂・民商三二巻一八一頁――なお引用の大判は松坂・本叢書民法7【37】【38】参照）。

ところで、学説には未占有の場合には債権者代位権で保護するとの見解がみられるが、賃借人に占有があるということは、代位権の行使要件となっているか否か。――判例の事案をみると、【83】【84】【88】などには占有があったとみられるのに対し、【82】は権利者がまだ占有していなかったかもしれず、【87】

も、新たな借地人だとすれば、占有はないわけである（もっとも、債権者代位権は、ほとんどの場合、占有取得前の不動産賃借権を保護するために利用されている、との説明もある（好美・前掲法学研究2二三八頁）。しかし、判例は、占有・未占有を全く問わずに、法的保護を与えており、この点は、法的判断にとって重要でない（irrelevant）、したがって行使要件として全く問題にならないものと解される。

以上を要するに、リーディング・ケース【83】が、「債権保全の必要性と適切性があれば、特定債権にも民法四二三条を適用する」という先例の構成を継承して、債権者代位権を賃借人の妨害排除の場合へも開放して以来、判例は、右に列挙したとおり、この問題について非常に寛大な態度を一貫して採ってきた。その結果、賃借人としては、賃貸人への排除催告とか自身の対抗要件具備といった厄介な手続に悩まされることなく、「賃借権の存在」と「第三者の不法占拠」さえ主張・立証すれば（しかも、前の点は、通例その立証が容易であり、後の点も、彼を所有者の場合に準ぜしめるときには、単に主張するだけで足るとする挙証配分も可能である（六節一款参照））、容易かつ十分に所期の目的を達しうるようにみえる。——本権的直接排除の問題を考えるにあたっては、この点をよく銘記しておくべきである。

（二）　妨害排除請求に関する大審院先例の理解をめぐって　　別の機会にも尋ねたことだけれど（椿・法律時報三六巻六号六四―五頁）、ここで、「大審院判例における妨害排除請求の肯定または否定は、占有（取得）の有無と符節を合している」との通説的理解（川島・所有権法の理論一六二頁註三七、古山・本叢書民法1二五頁、三島・本叢書民法18一一五頁、我妻・新訂債権総論八三頁その他多数）が、はたして事実かどうかを問題とする。このような区別は、判例を整理するうえでの一つの分類標準とされるかぎりでは、特に云々する必要もないが、しばしば自説を正当化する有力論拠として「判例もこうだ」といわれているようにみえるので（いちじるしい例としては、川島・所有権法の理論（右掲個所）、同・債権法総則講義I七七頁参照）、判例それ自体を再検討しようとするのである。——なお問題は、賃借権にもとづく妨害排除についてである。したがつて、判決自身が「物権ニモ属セズ又債権ニモ属セ」ずとする堤防・河川の敷地占用権に関する【91】や、きわめて古い規制(明治七年太政官布告一二〇号、明治二六年内務省令三六号)に由来し「無償ニテ貸付ケタルモノト看做」される特殊な(ここでも物権か債権かがわからない)使用権に関する【92】など(三島・前掲【32】参照)は、その性質が検討できるまで、また少なくとも典型的な先例からは、これを除外する(なお好美・前掲法学研究2二四七頁、同・ジュリスト判例百選一三二頁の最下段参照)。たとえ、これを含めるとしても、【91】は、占用権者が現に占有しているか否かが不明とされる(三島・前掲一一二頁)。

さて、大審院の諸ケースは、いずれも無権原占拠ないし不法侵入のあつた場合であるが、まず、本権的な直接妨害排除請求を否定した先例【89】について。この事案においては、占有はなかつたが(【90】の末弘評釈)、そのことが法的判断に影響を与えたとみるのは疑わしい(言葉の問題にすぎないけれど、判旨は「其占有ニ係ル賃借物」ともいう)。むしろ、大審院をして原判決破棄に傾かせたのは、事案に対する実質的配慮というよりも、原審の露骨な「理由づけ」のほうだつたとみるべきであるまいか。すなわち、原審は、第一次的には、賃借権物権論のうえに立つて直接的妨害排除を許しているが、この前提論は、本判決の我妻評釈が紹介するように、大審院によつて叩かれていたもの(賃借中の家屋の買受人に対し、賃借権を主張して用益を求めうるか、という事案(大判大九・一〇・一四民録二六・一四一六参照))だつた。理由づけの第二は、不法行為の効果として原状回復を認める構成であるが、これは、わが法典の立場には疎遠であつて、今日でさえ承認を得がたい考え方である。とすれば、理由づけの如何がそれだけで稀ならず破棄事由となつた当時では、原判決がパスすることは、当事者への影響がどうあろうとも、まず期待できない。とはいえ、【89】も、賃借人と不法占拠者のあいだで、前者に全く排除請求（＝基本的な法的保護手段の一つ）を認めない、とする評価態度にたっていたわけではあるまい（なお、直接今の問題に関係するというのではないが、この年の四月には借地法と借家法が成立する、という状態にあった）。その場合、当時の状況ですぐ（＝これに言及する先例【81】もあったので）考えられる妨害排除手段は「占有訴権」であり（債権者代位権を利用することについては、我妻評釈が注意を促したが、【89】の頃には、前年の先例【68】がこれに関するということは、その判決要旨からして、おそらく認識されていなかっただろう）、判旨は、それへの附託によって、破棄の代償を与えたのだろう。——そうだとすれば、本判決を、占有していたら占有訴権を認める、未占有だから直接的排除を許さない、というふうに占有の有無と結びつけるのは「作文」でしかない。

その後、下級審における賃借権物権論はなくなったので、【89】の前提条件中の有力因子も消える。だが、非公式先例【93】は、それから一〇年近く経ってなお、しかも【90】以下が当時の学界から好意的に受け容れられていたのに、【89】の構成を継承している。本件（＝震災後の土地争い）でさような結論を導き出すべき事情があったか否かは、われわれには知るすべもないが、その点を別としていえば、【89】とは事情が変ったのにそれに固執したことには、問題を意識的に否定しようとする評価態度さえうかがえる（なお、本判決の前年には、妨害排除請求権代位に関するリーディング・ケース【83】が現われており、また本判決の頃になると、先例【68】が代位ケースの先例であることも知られてきたようだ（【88】参照））。——学説は、本件でも占有がなかったというが、判旨のどこに、占有がないこと、またそれが判断の決め手になったこと、をみつけたのだろうか（この点、三島・前掲一一七頁は、ずっと正直である）。

次に肯定先例【90】では、漁業権賃借人は明らかに漁場を占有していた。そして、判旨冒頭の「権利者ガ自己ノ為メニ権利ヲ行使スルニ際シ」という表現は、準占有（民二〇五）訴権を認めたものとも理解されている（川島・前掲）。たしかに、この【90】における「権利ノ性質上固ヨリ当然」という理由づけは――先例（前掲大判大四・三・二〇）がもつ側面の一つが影響したものだろうけれども――オーヴァで誤解・混乱へ導きうる一般論である（このゆえに、末弘評釈は、無権原であることと、賃借権であることに重きを置けとして、射程を限ろうとした）。しかし、だからといって、この表見的理由づけの下に、ただちに占有ないし準占有というレイシオ・デシデンダイを読むのは、飛躍がありはしまいか。仮に、【90】を占有と結びつけて理解しても、同旨の【91】については、占有の有無は、不明（三島・前掲一一二頁）ないし全く問題になっていない（好美・ジュリスト判例百選（右掲個所））とされている。

ことに、【95】にいたっては、占有があったからどうとかいう以前に、そもそも賃借人の妨害排除請求に関する先例ではありえない。もちろん、非公式先例【94】のように、賃借権が登記を備えるのみならず占有もあると認められるケースもある。しかし、ここでも、どういう読み方によって、占有が判断の決め手になったというのだろうか、私には理解しがたい。

結局、「賃借権にもとづく妨害排除」に関する大審院先例の二つの系統を、占有の有無で区別することは、解釈論としての予断ないし願望をもつ場合にのみ、疑いのないものとなろう。また、もし占有の有無に関する記述が単なる事案解説でしかないというのであれば、さも意味ありげに書くことは irreführend であり、ましてや、判例法理だとして自説の一論拠にすることは許されない。なお、【96】の川島評釈は、占有ないし準占有の有無を基準にして、肯定否定両群を「相補充し調和する関係に立」たせるが、予定的調和が仮にあるとしても、性急に、多くない先例から人為的に共通項を抽出するのは問題であろう。探索しえたレイシオ・デシデンダイによつては、なお共通項が得られないとすれば、その矛盾を事実として呈示し、後は解釈的主張として出すべきではないか。私のみるところでは、我妻旧版（債権総論五六頁）の「判例は一貫しない」――これが端的に事実を語つているようである。

(三)　妨害排除請求に関する最高裁先例の理解をめぐつて　学説はほぼ一致して「最高裁では、対抗力ある賃借権には物権的効力→妨害排除請求権を認め、それ以外の場合には排除請求を認めない」と判例を理解する。ここにいわゆる対抗力はどの範囲のものか、妨害排除を否定するケースでは原告の占有欠除がやはり認められるか（＝大審院先例理解の場合におけるキー・ポイント）、も問題たりうるが、判例理解上の中心問題は、むしろ、二重賃貸借ケースがいわゆる対抗力ことに法定優先力の問題と結びついて妨害排除請求権の「場」へ踏み入つてきた点に、移行しているようにみえる（さらに、これら法定優先力ケースについては、従来からのケースと同一平面で把握すべきか、という方向にも問題が発展する（広中・債権各論講義Ⅱ六七頁参照））。

ところで、右の現象は、おのずと、被害者（＝妨害排除請求者）側の権利状況だけを問題としてきた従来の視角に対して反省を求め、被告（＝侵害者）の侵害態容にも注目させるものと考えるので、判例の個別的検討に先立つて、二重賃貸借と不法占拠の関係ないし異同に言及する学説を簡単に紹介しておく。――端緒をなすのは【98】の上田批評であつて、評釈判例の事案（＝二重賃貸借）においては、問題が「妨害排除」でなく「対抗」として把握さるべきことを指摘した（前掲神戸法学（＝一九五四年）五〇六頁）。次いで古山説も、最高裁の理論を批判するにあたり、右両種事案の区別を前提として「不法行為者及び目的物につき有効な取引関係に立たない第三者に対しては、なお占有を条件として妨害排除を認容すべき余地」を問題にしている（古山・本叢書民法1三三五頁）。最も明確になるのは好美説であって、「第三者が無権限者である場合」と「物権者乃至は平等な地位にある債権者である場合」とを使いわける具体的解釈技術を探索しようと努めており（好美・前掲法学研究2二三三頁）、他の解説的場所でも、「所有権取得者」への対抗→妨害排除と「事実上の侵害者」へのそれとの区別、また二重賃借人に対する妨害排除の法的内容（＝右のような対抗か物権的請求権を認めるのか）が論点になっている（好美・ジュリスト判例百選一三三頁）。さらに、我妻説でも、両種事案の明示的区別はないが、「排他性」と「物上請求権」の論理的分別や、第三者の不法侵害に対する「占有」の排斥力（この点は、古山説と同じく、最高裁理論への反対）が述べられる（新訂債権総論八四－五頁参照）。鈴木説も両種事案を区別する（物権法講義一九一頁参照）。

さて、最高裁の諸ケースは、これを三群にわかつことができよう。(イ)第一は、臨時処理法の法定優先力が問題となっていない場合であるが、債権の非排他的・相対的な性格を理由として強調する点が特徴的である（【100】【96】）。(ロ)第二は、臨時処理法関係の事件で、かつ事案が二重賃貸借である場合（【97】ないし【99】）。(ハ)第三は、同じく臨時処理法関係であるけれども、不法占拠者が被告となっている場合（【101】）。妨害排除請求が二重賃借人相互間で出てきたのは、前にも述べたとおり、最高裁になってからである。

第一群。これについては、理由づけの位置を採り上げる。――まず、先例【96】の「債権は排他性をもたないから、第三者の侵害に対し妨害排除請求ができない」という命題は、本件結論を導く決め手たりうるか、疑わしい。つまり、係争「新鉱」部分に関する原審認定（Xは新鉱使用につきAの承諾を得ておらず、YはAの後継会社との契約で新鉱を占有し採掘している）を前提として考えるならば（なお、幾代批評の第一段も参照）、係争部分についてはXのほうがかえって無権原者である。そして、無権原者はもちろん正権原者に対して妨害排除を求めうるはずがないから、「無権原＝不法占拠（と認定された）者は、賃借人に対して妨害排除請求をなしえない」という当然の事理が本判決のレイシオ・デシデンダイとなり、引用判旨の前半を占める理由づけは、棄てるにはもったいないくらい長い理論を述べるが、判決自身が「仮りに……としても」と断わっているとおり、仮定のうえに立つ・事件の解決には何ら必要でなかった・議論すなわち「傍論」でしかない。ただ、本件は、事実認定を動かせば（十分その余地があるようにみえるが）、未占有第一賃借人と占有第二賃借人の紛争（＝典型的な二重賃貸借ケース）となり、しかもその場合、対抗＝優先劣後を占有で決しうるかは別個の説明を求められる余地（つまり、借家や農地の場合の基準を、なぜ石灰石採掘場にもってくることができるのか）もあるから、古典的取引法の定義をもち出すことは、最大公約数的な便宜さと一応の説得力・不可争性をもつ。その意味でなら、少なくとも説得的先例（persuasive-precedent）価値は認められよう。しかし、妨害排除ケースにおいて、二重賃借人か不法占拠かを法的に重要（relevant）な事実だとすれば、【96】を二重賃貸借とみたうえでの右先例価値は、大審院先例【89】などの系統に属するものではない。いずれにしても、【96】の先例性は、われわれには問題である。

もう一つの先例【100】では、債権＝相対権という理由のもとで、土地賃借人は、特別の事由（ただちには賛成しがたいが、両中川批評は、占有その他対抗力ある場合を想定している）なきかぎり、転借地上建物の譲受人に明渡を請求できない、とされている。

これは、所有権取得者については（不法占拠者に対する責任追求では登記の要もない（六節二款））、借地上建物の譲受人・競落人に対する明渡請求を当然のこととして認容する判例法理（【80】【27】）と、あざやかなコントラストをみせている。判旨の理由づけは、(イ)先例【96】と異なり、判旨理論の対応性を迷わせる事案の曖昧さがない、(ロ)近時、借地上建物の買受人には不法占拠責任（ことに民法六一二条の制裁）を負わすべきでないとの見解もみられるが、判例が既成法理（たとえば【26】【27】）を改める徴候はまだなく（ただし売却でなく譲渡担保なら別問題（東京高判昭三五・五・二一高裁民集一三・五・四六四、大阪高判昭三六・一・三一下級民集一二・一・一八二、福岡高判昭三八・五・一七下級民集一四・五・九七四など参照））、したがってまだ、排除請求の否定を借用して建物譲受人の保護がはかられたとはみがたい、(ハ)賃借権には直接的排除権なしとする上告を正面から採り上げて、原審（＝賃借権の侵害を認定し、そのことから排除請求を認めた）を破棄している、などから本件結論の「決め手」になっているものとみたい。また、この【100】は、これまでの解釈では完全な不法占拠者だから、大審院先例【89】【93】の後継者である（なお【100】の大場解説は、それを、全面的に【97】【99】と相関・相補の関係でとらえる）。

なお、これら二つの先例については、ともに賃借人ないし原告に占有がない。しかし、両件とも、それが「決め手」になったとは、私には読めず、この、占有がないという事実はirrelevantなものと思われる（もっとも、この点は、両先例についてだけいうならば、多分に水掛論となる可能性があり、自分はそう読まないといわれたら、それまでである）。

第二群。ここでは、この種ケースの位置が、二様の意味で問題とされえよう。――まず、臨時処理法による優先権は、その当否は別として（我妻・債権各論・中1五〇二頁参照）、すぐれて政策的な規定で、かつノーマルな場合の問題でない（今までのケースは戦災の後始末であり、今後も、政令で指定された災害の場合にしか出てこない）。その意味で、先例【97】以下は、「賃借権にもとづく妨害排除」ケースにおいて、特殊的ないし例外的な地位しか認むべきでない（↓【98】の判決要旨（本書一三四頁）などは、判決要旨一般の問題を別としても、決して普遍性ある命題として受けとるべきでない）。また【97】は、民法六〇五条（↓抵当権詐害的な賃貸借の場合を除けば、死文にひとしい）・建物保護法にも言及するが、その点は単なる例示にすぎない。いわんや、借家占有の対抗力↓妨害排除力を説示したものはない。

次に、大審院判例における妨害排除ケースは、いずれも不法占拠事案であったが、最高裁では、判例集における判示事項の書き方から、妨害排除ケースは新しい客を迎えることになった。つまり、【97】は、二重賃貸借であり、かつ判決理由のどこにも妨害排除という文字はなかったが、判例集編者は、おそらく結論から逆操作して、前掲のごとく「対世的効力ある賃借権の妨害排除請求権」という見出しを作り、続く【98】【99】は、その言葉を請求内容そのものとして承継したのである。そして、この点は、前掲上田批評が本来「対抗」問題だと評したほかは、全く評釈者たちの注意を惹かなかった。もちろん、「対抗できる」ことは結果において「妨害排除ができる」ことになるから、裁判所が、妨害排除請求権の意味内容をそこまで拡大する（反面からいえば対抗に妨害排除効果まで含める）ことも、成りたちうる解釈である（事実、判例は、物権における対抗を、不法占拠者への責任追求にも、使っており（六節二款参照）、また使っていた（三節二款参照））。しかし、解釈論としてはこれに反対の立場もあり（好美・前掲法学研究2二九〇頁註12参照）、ことに、二重賃貸の場合には代位さるべき賃貸人自身の妨害排除請求権がない（↓債権者代位権の発動余地がない）と解すれば（吾妻・債権法四五頁）、そう簡単に不法占拠者と二重賃借人の違いを無視してもらっては困る。それに、判例理解は、批評とは別に、正確に行なわれるべきだ。とすれば、少なくとも【97】の批評者には、この点を指摘して注意を喚起する責任があった。

第三群。先例【101】は、すでに指摘したとおり、不法占拠者に対する妨害排除請求事件であったが、第一群と異なり請求が認容されている。この事案は、【100】のようには被告保護が問題となる余地がないが、だから原告勝訴となったものでなく、臨時処理法の賜物である（いわば大で小を兼ねたものだ）。上告の援用する【89】【93】は、さような意味で本件に適切でなかったのであり、事案の差異を理由に実質的先例変更が行なわれた場合ではない。

（四）　まとめ　妨害排除請求権の認否を占有の有無と直結させる通説的な判例理解は、私のみるところでは事実に合わず、少なくとも例外ないし不明なものが多すぎる。ことに、単なる事案解説ならば格別、さような占有の有無が裁判所の法的判断をわかつ「決め手」になったと主張するのは、どうみても無理なこじつけであろう。

次に、賃借権にもとづく妨害排除は、わが判例史上で、どのような境遇に置かれてきたか。特殊な（この意味内容は、おのおのにつき、既述のとおり）大審院先例【91】【92】（および同種事案に関する他の事例）と最高裁先例【97】ないし【99】（およびこれらの系統に属する他の例）とを払い落してみると、大審院時代には、肯定例と否定例とは数のうえでもなかばし（占有を共通項にして相補関係に置きえない点も既述した）、最高裁になってからは、否定する【96】の傍論ないし一般論をみた後、否定先例【100】が登場するにいたり、また不法占拠ケース【101】は、大審院の否定例【89】【93】をかえって先例として確認したとも解される。——かようにみてくるならば、不法占拠者に対する賃借人の妨害排除請求権は、これを否定するのが主流的立場だ、ということができよう。

ところで、本権的直接妨害排除がこれまで否定的であり、今後なおその方向が続くとしても、判例では、別の法的保護手段が用意されている。一つは占有訴権、もう一つは妨害排除請求権の債権者代位である。前者は、占有という枠づけがある点で、利用できる場合に限界があるが（もつとも、占有ありとの認定は、必要性に支えられれば、かなり拡大可能である）、後者はきわめて使いやすくなつていて（本款(二)参照）、不法占拠事案に関するかぎり、これでまず全部カヴァーできるのであるまいか。二重賃貸借の場合には、債権者代位権の発動が阻止されるが、賃借権相互の対抗問題として優先劣後の関係が決せられれば（【96】は、さような場合について、占有（＝事実的支配）を基準とすることの端緒的判例と評価できぬでもない）、原告敗訴となつたところで、法的保護の欠缺だと非難はできない。

かようにして、判例法は、直接的ならびに代位的妨害排除請求をめぐる学説の紛糾にもかかわらず、一個の権利保護体系を作り上げてきている。そして、実務的には、この体系像へ少しでも注意を払えば、直接的排除一本で行つて敗訴するような失敗は生じないはずである（なお【100】では、予備的請求たる債権者代位へ入らずに賃借人の勝訴となり、上告審で破棄されている）。なお、学説としては、この体系の批判は自由であり、学説の職能をどうみるかによつて、この問題は批判を必要とさえしよう。私も試見をもつ。が、これは、今の場合テーマでない。

八　不法占拠賠償責任の性質・要件

一　序説

不法行為による損害賠償（ここで問題としているのは、原則的場合に関する民法七〇九条である）をめぐつては、権利侵害・故意過失・因果関係といった要件論のほかに、債務不履行による損害賠償や悪意の不当利得との関係如何という古典的・法体系論的な課題があり、また近時では、不法行為法を各生活類型ごとに再構成しようとする試みも行なわれるようになってきている。不法占拠による損害賠償(=基本的効果の最重要な一つ)も、最後の観点からすれば、一個独立の類型となるわけであるが、占有を媒介とし、また他のいろいろな制度と結びついている関係で、ほかの類型とは必ずしも一致しない論点や問題状況が、ここにはみられる。――本節は、さような特殊的問題や特異な状況について、若干の検討を加えるが、はじめに、省略するものも含めて簡単に概観しておこう。

まず、他の類型でも広く問題となるものだが、債務不履行と不法行為の関係如何という周知の議論は、賃貸借関係の終了後なお占拠が続けられる場合を、その主要な足場の一つとしている(川島「契約不履行と不法行為との関係について」民法解釈学の諸問題一二三頁、同「請求権の競合(報告)」私法一九号三六―七頁参照)。そして、これは、民事不法占拠論にとっては、或る意味では純然たる不法侵入・不法侵奪以上に重要な関係の基礎的論議であるから、無視できない。だが、ヴェテランによる本格的な総合判例研究が予告されているので(川島「請求権の競合について1」法協七四巻五・六合併号の目次参照)(また、これは、同じ著者による本叢書の予定項目ともされている)、本書では、他の整理観点から問題となるケースを、それぞれの個所へ分散収録する程度にとどめ(既出の【77】や次款に掲げる【104】などは、ふつうには、債務不履行と不法行為の関係を取り扱った先例として引用されるものである)、独立項目にしない。

ところで、右の問題は、いわゆる請求権競合・法条競合(なお川島説は、右の問題につき、上記のどれにも属しない)に関する議論の中心素材であるが、判例がかかる抽象的ないし多分に学理的な「理由づけ」を用いている場合には、さような〃理論〃が当該事件を解決するうえでもった機能なり先例的意味内容なりを、具体的ケースとの関連で慎重に検討してみる必要がある。ちょうど、われわれには、占有法と不法行為法の交錯する問題、つまり民法一九〇条・一九一条と同七〇九条の「適用関係論」ケースが手もとにあるので、それを右のような意味での吟味対象に選びたい（もっとも二款の(一)(二)で出てくるように、これは、契約を媒介とすることが多いので、債務不履行と不法行為の関係と三つ巴に組み合う難問になるが、後の点は深くはふれない）。この作業は、同時に、最初（本書四頁）に述べた不法占拠賠償法が形成されてきた過程を知るうえでの、一つの資料ともなるであろう。

次に、不法行為による損害賠償の基本的諸要件に関しては、根こそぎ掘り返すようなことさえしなければ、いちおうのことは明らかになっている。しかし、一度仔細に吟味しなおすならば、既出の「被告適格」を思い出してもわかるとおり、状況は必ずしも簡単かつ明確だとはいいかねる。損害賠償が故意過失ないし帰責事由を要件とすることは誰でも知っている常識だが、不法占拠賠償では、この当然自明の要件を忘れてしまったやにみえる判決がかつては一再ならずあった。これは、どのように理解したらよいのだろうか。また、他の不法行為類型でも事情は大差ないが、不法占拠賠償においても、因果関係――これ一般として学説の議論は盛んである――先例の探索と確定に、もっと注意を払ってもよくはないだろうか（かような提案が何を意図しているかについては、別の機会に述べたい）。本節三款は、右の二つを問題とする。

なお、不法占拠賠償請求権の性質論は、不法占拠による引渡・返還請求権の性質論とも接触する（たとえば大判大一〇・五・三民録二七・八四四、新聞一八四七・一七参照）。本書では、その点を採り上げないが、留意されたい。

二　占有責任と不法行為責任

（一）　判例　不法占拠事案に関する大審院先例は、連合部判決【104】の前に一件、後に二件あるが、事案の異なるものなら、大審院の非公式先例と最高裁先例がそれぞれ一つずつある。中心対象となる不法占拠ケースについては、後述(三)で少し検討してみる。

旧先例【103】は、いかにして占有するにいたったか不明のまま、悪意占有と認定しただけで損害賠償を命ずるのは理由不備、とした破棄判決。

【103】　家屋所有者Yは、Xに対して不法占有を理由に損害賠償を訴求。Xは時効抗弁を提出。原審は、民法七二四条の「損害及ヒ加害者ヲ知リタル時」につき、損害を知るとは損害発生原因たる事実のみならず不法行為によることをも知るの意と解し、かつその立証をXに課したらしく、この点をとらえてXは上告。ところが、大審院は、同条にふれないで、次のごとく破棄。

「民法ハ他人ノ物ノ占有者ガ所有者ニ対シ負フベキ義務ニ付特別ノ規定ヲ設ケタリ。是レ債務関係ニ関スル一般ノ規定ヲ適用スルハ占有者ヲ保護スルニ適当ナラズト為スニ由ルモノナリ。今占有者ニシテ其占有物ガ他人ノ所有ナルコト及ビ之ヲ占有スベキ権利ナキコトヲ知レル悪意ノ占有者ナルトキハ、其占有ハ他人ノ所有権ヲ侵害シタルモノト謂フベキモ、之ニ不法行為ノ規定ヲ適用シテ損害賠償ノ義務ヲ負ハシムベキモノトセンカ、民法一九〇条一項及ビ一九一条前段ノ義務ヲ負フベキハ当然ニシテ特ニ之ヲ規定スルノ要ヲ見ズ。元来民法ガ悪意ノ占有者ニ負ハスニ此ノ如キノ義務ヲ以テシタルハ、悪意ノ占有者ハ占有物ヲ返還スル迄ハ所有者ノ為メニ占有物ノ保存及ビ果実ノ収得ニ付キ注意ヲ為スベキ義務アリト為スニ職由スルモノナリ。亦以テ民法ノ精神ガ悪意ノ占有者ニ不法行為ノ規定ヲ適用セザルニ在ルヲ知ル可シ。然レドモ占有者ガ暴行強迫等ニ因リ所有者ノ意思ニ反シテ占有ヲ取得シタルナランカ、此場合ニ於テハ占有者ハ占有ノ規定ニ従ヒ義務ヲ負フノ外、不法行為ノ規定ニ従ヒ損害賠償ノ責ニ任セザル可ラズ。何トナレバ、占有者ガ其占有ヲ奪ハレタルトキハ占有回収ノ訴ヲ以テ占有物ノ返還及ビ損害ノ賠償ヲ請求スルコトヲ得ル民法二〇〇条ノ規定ヨリ推ストキハ、所有者ガ其所有物ノ占有ヲ奪ハレタル場合ニハ所有権ニ基キ侵奪者ニ対シ損害ノ賠償ヲ請求スルコトヲ得ルハ当然ノ法理ナレバナリ。

本件ノ家屋ガYノ所有ニシテXハYニ対シ之ヲ占有使用スベキ権利ヲ有セザルコトヲ知リナガラ之ヲ占有使用セシコトハ原判決ノ確定シタル所ナレドモ、如何ニシテ之ヲ占有スルニ至レルヤハ之ヲ知ルヲ得ザレバ、原裁判所ガ右ノ事実ノミニ依リXニ不法行為ノ規定ニ従ヒ損害ヲ賠償スルノ義務アリト為シタルハ理由不備」（大判大四・四・二七民録二一・五八五）。

悪意占有者であっても一定の限られた場合にしか不法行為責任を負わない、とするのが判旨の一般論であるが、ついでに記せば、民法七二四条の解釈は（もちろん、この点は破棄事由でなかったが）、前半については後日の大審院が（大判大七・三・一五民録二四・四九八）、後半つまり立証責任者についても後日の控訴院が、それぞれ原審と同旨見解を示している。

続く判例【104】は、一方では、賃貸借終了後の賃借人に不法行為責任をも肯定するため、先例（左に引用判文四段目の大民連判明四五・三・二三―川島・前掲法協の判例〔七〕）の「請求権競合説」を確認したが、他方、問題の「占有規定」と「不法行為規定」との関係については、後者の適用される場合をいちじるしく限定的に例示した右旧先例の見解に批判を加え、特殊の場合に関する占有規定の要件をみたす場合はそれによるべきだが、その他の場合

には一般規定たる民法七〇九条を適用すべきであると説示して、連合部判決の形式を採るとともに原判決を破棄した。すなわち、

【104】　家主Xは、賃借人Yが賃貸借終了後も家屋占拠を続けているので、明渡の訴を起こしたところ、Yは立ち退いてしまつたため訴を取り下げ、改めて「右訴訟ニ要セシ費用」をYの不法行為による損害だとして賠償請求したのが本件。これを認めなかつた原審を難じて、Xは「悪意ノ占有者ガ所有者ニ対シ果実以外ニ加ヘタル損害アルトキハ、一般不法行為ノ原則ニ従ヒ其賠償ノ責任アルコトハ固ヨリ当然ノ筋合ナリ」と上告する。

「按ズルニ、故意又ハ過失ニ因リテ他人ノ権利ヲ侵害シタル者ハ之ニ因リテ生ジタル損害ヲ賠償スルノ義務アルハ民法七〇九条ノ規定ニ依リテ明カナルヲ以テ、不法ニ他人ノ所有物ヲ占有シ因テ其所有者ニ損害ヲ被ラシメタル者ハ同条ノ規定ニ従ヒ所有者ニ対シテ其損害ヲ賠償スルノ義務アルコト論ヲ俟タズ。蓋シ民法七〇九条ノ規定ハ不法行為ヨリ生ジタル損害ニ付キ加害者ノ賠償責任ヲ定ムルガ為メニ準拠スベキ一般ノ原則ヲ示シタルモノナレバ、故意又ハ過失ニ因リ他人ノ権利ヲ侵害シ因テ損害ヲ生ゼシメタル者ニ対シテハ、民法中他ニ其適用ヲ除外スベキ特別規定ノ存セザル限リハ常ニ必ズ同条ノ規定ヲ適用シテ加害者ノ賠償責任ヲ定メザルベカラズ。

今物ノ所有者ニ対スル占有者ノ賠償責任ニ付民法中ニ七〇九条ノ適用ヲ除外スベキ特別規定ノ存スルヤ否ヤヲ審査スルニ、我民法ハ不法占有者ノ賠償責任ニ関シ概括的ニ特別規定ヲ設ケズ、唯ダ其一九〇条ニ於テ占有物ヨリ生ズル果実ノ返還ニ付キ悪意ノ占有者ノ賠償責任ヲ定メ、其一九一条ニ於テ、一面悪意ノ占有者ヲシテ一般ノ原則ニ従ヒ其故意過失ヨリ生ズル占有物ノ滅失毀損ニ対シテ損害賠償ノ義務ヲ負ハシムルト同時ニ、其反面ニ於テ占有者ノ責ニ帰スベカラザル占有物ノ滅失毀損ニ対シ賠償義務ヲ免カレシメ、他方ニ於

テ所有ノ意思アル善意ノ占有者ヲシテ其故意過失ヨリ生ジタル占有物ノ滅失毀損ニ対シテモ尚ホ賠償ノ義務ヲ免カレシメタル外、占有者ノ賠償責任ニ付キ特ニ規定スル所ナシ。故ニ民法一九〇条・一九一条所定ノ場合ニ付キ同条ノ規定ヲ適用シテ占有者ノ賠償責任ヲ定ムルコトヲ要スルハ勿論ナリト雖モ、之ガ為メ其他ノ場合ニ付キ民法七〇九条ノ一般規定ヲ適用シテ占有者ノ賠償責任ヲ定ムルハ毫モ妨ゲナク、是等ノ場合ニ於テ同条ノ規定ノ適用ヲ除外スルハ解釈ノ当ヲ得タルモノト謂フコトヲ得ズ。何トナレバ民法一九〇条及ビ一九一条ハ其明文ノ示ス如ク特殊ノ場合ニ於ケル占有者ノ賠償責任ニ関スルモノニシテ、一般的ニ其賠償責任ヲ規定シ之ヲ以テ回復者ニ対スル占有者ノ賠償責任ノ全部ナリトシ其以外ニ於テハ占有者ニ賠償責任ナシトシタルモノニ非ザルハ、文理上明確ニシテ一点ノ疑ヲ容レザルヲ以テナリ。

故ニ、権利ナクシテ他人ノ物ヲ占有シ因テ所有者ニ損害ヲ被ラシメタル者ハ民法七〇九条ノ規定ニ従ヒ所有者ニ対シテ其損害ヲ賠償スルノ義務ヲ負担スベク、此場合ニ付キ民法一九〇条・一九一条ノ規定ヲ援用シ其賠償責任ヲ否定スルハ文理解釈ノ許サザル所ナルノミナラズ又論理解釈ノ許サザル所ナリトス。何トナレバ、権利ナクシテ他人ノ物ヲ占有シ因テ所有者ヲシテ損害ヲ被ラシメタル場合ニ、之ヲシテ賠償責任ヲ負担セシムルハ条理上当然ノ事ニ属シ、之ヲシテ賠償責任ヲ免レシムルハ正義ノ観念ニ反シ謂ハレナク不法占有者ヲ保護スルモノト謂ハザル可カラザルヲ以テナリ。果シテ然ラバ、占有者ノ賠償責任ヲ其占有ガ暴行強迫ニ因リテ始マリタル場合ニ限定シ其他ノ場合ニ於テ之ヲ免除スベキモノニ非ズシテ、不法占有者ヲシテ一般的ニ其責任ヲ負ハシムルヲ妥当ナリトス。

本件ニ於テXノ主張スル所ハ、Xガ其所有ノ家屋ヲYニ賃貸シタルニ、Yハ賃貸借ガ契約ニ基キXノ為シタル明渡シノ催告ニ依リテ終了シタルニ拘ハラズ明渡ヲ為サズ不法ニ之ヲ占拠シテXノ権利ヲ侵害シ、Xヲシテ家屋明渡請求ノ訴ヲ提起スルニ至ラシメ、之ガ為メ要シタル訴訟費用ハYノ不法行為ニ因リXニ被ラシメタル損害ナルヲ以テ之ガ賠償ヲ請求スト云フニ在リテ、家屋ノ賃借人ガ賃貸借ノ終了シテ賃借物占拠ノ権利ナキニ拘ハラズ之ヲ賃貸人ニ返還セズ不法ニ其占有ヲ継続シテ賃貸人ニ損害ヲ被ラシメタルトキハ、賃借人ハ一面ニ於テ賃借物返還ノ義務ヲ履行セザルモノナルト同時ニ賃貸人ノ権利ヲ侵害スル不法行為タルヲ以テ、賃貸人ハ債務不履行ヲ原因トシテ損害ノ賠償ヲ請求スルコトヲ得ベキモ、又不法行為ヲ原因トシテ損害ノ賠償ヲ請求スルコトヲ得ベシ。是レ当院従来ノ判例ノ認ムル所ナリ（大民連判明四五・三・二三参照）。而シテ其不法行為ヲ原因トシテ損害ノ賠償ヲ請求スルニ当リテハ、民法一九一条所定ノ場合ニハ同条ヲ適用スベク（……）、其他ノ場合ニハ民法七〇九条ノ一般規定ヲ適用スベキコトハ上叙ノ如クナルヲ以テ、賃貸人ハ不法占拠ニ対スル損害トシテ従前ノ賃料ヲ標準トシ之ヲ賠償セシメ得ベク、其他ニ損害アラバ尚ホ之ヲモ賃借人ヲシテ賠償セシメ得ベキモノトス。

然ルニ原審ガ、賃貸借ニ因リテ占有ヲ取得シタル者ガ其終了後不法ニ占有ヲ継続セル場合ニ於テハ、之ニ対シテ不法行為ニ因ル損害ノ賠償ヲ請求スルコトヲ得ザルモノノ如ク判示シ……タルハ、法則ヲ不当ニ適用セズ理由不備ノ不法ア」り（大民連判大七・五・一八民録二四・九七六、新聞一四一八・二五）（山中・判例演習・債権法2二三〇頁）。

その後、後出【106】で参照判例とされている非公式先例（大判昭六・一〇・一五新聞三三二九・一四）は、他人の所有馬を不法占有したため損害賠償を訴求されたケースにおいて「民法一九〇条ハ……固ヨリ一般不法行為ノ法則ノ適用ヲ除外スル趣旨ヲ包含セズ又必ズシモ該法則ニ先ジテ適用セラルベキモノハニ非ズ」との一般論を述べたが、売主の責任が問題となった次掲【105】においても、右【104】と同旨が述べられている（なお、今のテーマと直接関係がないが、引渡を遅延している売主は不法占有者であり、これに対しては契約上の引渡請求権のみならず物権的請求権も行使できる（大判昭二・三・二二新聞二六七六・一三））。

【105】　Xは、昭和四年三月Yに建物を売つたが、同年一〇月から翌五年末まで賃貸したため、Yは、Xが

「何等ノ権利ナクシテ不法ニ」賃料を収得したとして、損害賠償を訴求。これに対しXは、所有権移転はYの請求をまつてという約束だつたので、Yが登記請求訴訟を起こした昭和五年四月まで自分は善意占有者として果実取得権がある、なおYは四年三月より九月まで賃借人から直接賃料を取り立てたゆえ、それと本訴請求額を対当額において相殺すると抗弁。――大審院は、売買の時に所有権も移転していると原審が認定しているので、Xは善意占有者でないと判示した。そして、

「民法一九〇条一項及一九一条ノ規定ハ必ズシモ一般不法行為ニ関スル通則ノ適用ヲ排除スルモノニ非ズ。……Xニ不法行為上ノ賠償責任ナシトスル所論ハ失当ナルノミナラズ、既ニ原判決ハXヲ悪意ノ占有者ト認メ本件家屋ヨリ生ズル果実ヲ取得スル権利ナキモノト判定シタルモノナレバ、XハYニ対シ相殺ノ用ニ供シ得ベキ債権ヲ有セザルコト自明ナリト云フベク、其ノ主張ノ相殺抗弁ノ理由ナキコト多言ヲ要セザルモノ」(大判昭七・三・三民)(集一一・四・二七四)(末弘・判民)(二六事件)。

最後の大審院先例は、民法一八九条二項で悪意占有と擬制されても、同時に故意過失までは擬制されないと判示するが、その前に今の問題を論じている。

【106】　土地占拠者Xらは、所有者Yから境界確定・妨害排除などを訴求され、被告敗訴判決が確定したが、Yはさらに、Xらの故意過失で土地の使用収益を妨げられたとして、不法行為による損害賠償を別にまた訴求。これが本件である。第一審は、Xらに故意過失なしとして請求を排斥。だが、第二審は、右起訴後には民法一八九条二項によりXらに少なくとも過失ありと判定したため、Xらは、悪意占有と故意過失とは結びつかないと上告し、原判決は破棄。

「故意又ハ過失ニ因リ不法ニ他人ノ所有物ヲ占有シ其所有権ヲ侵害シタル者ハ、之ニ因リテ所有者ガ其ノ物

ヨリ収得シ得ベカリシ果実ヲ失ヒタル損害ヲ賠償スベキ義務アルコト民法七〇九条ノ規定ニ依リ明ナリ。民法一九〇条ハ悪意ノ占有者ガ本権者ニ対シ果実ヲ返還シ又ハ其ノ代価ヲ償還スル義務アル旨ヲ規定セルモ、此規定ハ民法七〇九条ノ適用ヲ排除スベキ趣旨ヲ包含セズ、又必ズシモ同条ニ先チテ適用セラルベキモノニ非ズ（大判昭六・一〇・一五参照）。此等規定ニ依ル所有者ノ占有者ニ対スル請求権ハ各其要件及範囲ヲ異ニスルモ競合併存スルヲ妨ゲザルモノニシテ、唯所有者ガ何レカ一方ノ請求権ニ依リ果実又ハ其代価ヲ受ケタル場合ニハ、其範囲ニ於テ他方ノ請求権モ亦消滅ニ帰スルモノト解スルヲ相当トス。故ニ、若シ所有者ガ占有者ニ対シ民法七〇九条ニ基キ不法行為ヲ原因トシテ、得ベカリシ果実ヲ失ヒタル損害ノ賠償ヲ請求スル場合ニハ、占有者ニ故意又ハ過失アルコトヲ必要トスベキコト論ヲ俟タズ。

而シテ、善意ノ占有者ガ本権ノ訴ニ於テ敗訴シタルトキハ其起訴ノ時ヨリ悪意ノ占有者ト看做サルベキコトハ民法一八九条二項ノ規定スルトコロナルモ、此規定ハ占有ノ効力ニ関シ占有者ノ善意ナルト悪意ナルトニ依リ法律上ノ効果ヲ異ニスル場合ニ右起訴ノ時ヨリ悪意ヲ擬制シタルニ過ギズシテ、不法行為ノ要件タル故意又ハ過失ヲモ擬制スルモノニ非ズ。従テ、所有者ガ民法一九〇条ニ依リ占有者ニ対シ果実又ハ其代価ノ償還ヲ請求スル場合ニハ、占有者ニ故意又ハ過失ノ有無ヲ問ハズ本権ノ訴提起ノ時以後生ズベキ果実又ハ其ノ代価ヲ請求シ得ベキモ、民法七〇九条ニ依リ得ベカリシ果実ヲ失ヒタル損害ノ賠償ヲ請求スル場合ニハ、右起訴ノ時ニ於テ既ニ占有者ニ故意又ハ過失アルニ非ザレバ、其時以後ノ果実ニ相当スル損害賠償ヲ請求シ得ベキモノニ非ズ。

本訴ニ於テYハ、X等ニ対シ民法一九〇条ニ依リ果実ノ代価ノ償還ヲ請求スルモノニ非ズシテ、民法七〇九条ニ基キ不法行為ヲ原因トシテ得ベカリシ賃料相当額損害ノ賠償ヲ請求スルモノナルコトハ原判決及本件記録ニ徴シ明ナルトコロ、原判決ハ、X等ガ……此ノ占有ヲ為スニ付X等ニ何等故意過失ナカリシ事実ヲ認定シタルニ拘ラズ……X等ガ敗訴シタル以上ハ民法一八九条二項ニ依リX等ハ同日以後ハ少クトモ過失ノ責ニ任ズベキ旨判示シ、他ニ何等X等ノ故意又ハ過失ニ付判示スル所ナクシテ……損害賠償ヲ命ジタルモノナレバ、此点ニ於テ法則ノ適用ヲ誤リ理由不備ノ違法ア」り（大判昭一八・六・一九民集二二・一三・四九一）（石川・判民三〇事件、末川・民商一九巻一六六頁）。

なお、最高裁には、右【106】を引いて、悪意占有というだけで故意過失ありとなしえない旨判示する破棄判例（最判昭三二・一・三一民集一一・一・一七〇）（谷口・民商三六巻一〇六頁）があるが、これは不法占拠ケースでない。また近時の下級審には、X所有家屋を不法占拠者Yが他へ間貸した事案において（なお本件については【128】および【130】ことに前者を参照）、間貸賃料相当額の損害から固有賃料相当額の損害を控除する理由づけとして、一九〇条一項と七〇九条とは「相排斥するものでない（【104】）が、必ずしも常に両立するものではなく、競合的に適用される場合もある」旨説示するものがあるけれど（仙台高判昭三二・一・二九下級民集八・一・一四三）、もし先例【104】が二重取りを認めたというのなら、それは誤解である。

（二）　学説　ほとんどの体系書では、先例【104】などの引用によりつつ、きわめて簡単に、占有規定は、それに該当する限度において特則だが、不法行為規定を排除するものではない、とされるにすぎない（しかも一九一条に関しては、不当利得や不法行為の規定だけでは十分でないからというのみで「関係」を明示しない見解が多い）。川島説は、問題を物権的請求権の内容として位置づけ、(イ)一九〇条は、物権的請求権そのものでなく物権侵害による債権的な損害賠償請求権であって、不当利得・不法行為の特則である、(ロ)一九一条は、これも物権侵害にもとづく債権的請求権であって、不法行為の特別法をなす、と説く（川島・民法Ⅰ（総論・物権）一〇六頁・一〇七頁）。非競合説に立つ実益論（鈴木・物権法講義一八九頁参照）。

なお、請求権競合と今の問題について、評釈などをみておくと、【105】の末弘評釈は、その事件を不法行為とみる考え方に反対し、債務不履行による解決を推す（その点はそうみるとしても、不法行為責任でないとの立場に立てば、契約を媒介する関係では占有規定と不法行為規定の競合問題は生じなくなるはずだが、同評釈は「別問題」というだけで、後をどう処理するか必ずしも明らかでない（なお末弘・物権法・上二八二頁註一参照））。【106】の石川評釈は、請求権非競合説の主張が根本的には正当であることを認めつつ、債務不履行と不法行為の関係を中心に作られた非競合説がただちに他の場合にも適用されうるかを問題とし（なお、この点については、加藤・不法行為五二—三頁も参照）、訴訟論にも言及してから、一九〇条（＝占有を中心に不当利得的にみられる）と七〇九条（＝損害の塡補）に関するかぎりでは競合適用にも相当の理由がある、とする（この見解に従うのは、柚木・判例物権法総論三二一頁）。【104】の山中解説は、不当利得法の特別法としての一九〇条の請求権が、債務不履行の遅延賠償請求権とは競合するけれども、七〇九条の請求権は競合しない、との解釈論をたてて判旨に反対している（前掲書二三八—九頁）。

（三）　判例に関する若干の整理　判例が採り上げた占有規定は、その事案と対照してみると、すべて民法一九〇条つまり果実返還・代価償還のほうであつて、一九一条に関する説示は傍論である（かような点を意識したうえであれば、体系書が、もつぱら一九〇条の側で判例を引用しているのは、適確である）。次に、占有規定と不法行為規定の「適用関係論」をみると、旧先例【103】は、暴行強迫などによる占有取得の場合にのみ両規定の競合適用を認める（＝占有を媒介とする賠償問題では占有規定の適用を幅広く認める）かのごとき解釈的構成を示したが、これは【104】の法条競合説により是正される。この【104】は、請求権競合を認めた先例として解説されることもあるが（川島・民法Ⅰ（総論・物権）一〇六頁や【106】の石川評釈を参照）、一般的競合（＝占有規定の非優先性）を明示したのは、実は昭和六年の前掲非公式先例であつて（本書一五五頁で引用の傍点部分参照）、翌七年の【105】はなおそこまで明確には述べておらず、昭和一八年の判例が右非公式先例の法律論を踏襲している。――つまり、この場合には、一般的競合論は、債務不履行と不法行為の場合よりもずつとおくれて、かつ漸次的に、形成されてきたのであつて、大正七年の連合部判決【104】は、【103】の法条競合説を請求権競合説へ改めたものでない。このことを注意したうえで、前述（一款―本書一五〇頁）の視角から各ケースを検討してみる。

まず【103】では、不法占有を理由とする損害賠償請求に対して、民法七二四条の時効抗弁が出され（おな判例引用の直後で紹介したとおり、同条の問題としてならば、原判決の見解も、解釈論として十分成り立ちえた）、請求を認容した原判決は破棄差戻となつている。その際、判旨は「暴行強迫等ニ因リ所有者ノ意思ニ反シテ占有ヲ取得シタ」場合には不法行為の適用ありと述べたが、この点が後日になつて強調され、【104】は、これを、占有規定と不法行為規定の適用関係につき後者の「場」を限定しすぎる解釈論だとみて、「相反スル意見アルヲ以テ」云々としたのだろう。もちろん、解釈論の是正も連合部開廷の理由たりうるが、もう少し【103】を検討してみると、判旨のいわんとするところは、(イ)「悪意占有」と不法行為効果を生ずるという意味での「不法占有」とは同一でない、(ロ)本件が悪意占有ということは原判決からもわかるが、それ以外の点については不明である、(ハ)だから原審としては、七二四条の問題とする前に、占有取得態容などを明らかにして、はたして不法行為責任が生ずるかを審理しなおすべきである、との点であろう。とすれば、悪意占有者必ずしも不法行為者たらず、という点そのものは正当な説示であり、【104】で改める必要があつたのは、傍論的な七〇九条の「解釈論」だったのである。

問題の連合部判決【104】は、明渡訴訟に要した費用を不法行為による損害だとして賠償請求したケースであって、原審は、その評価態度の如何（＝かかる請求を認むべきか否かに関する実質的配慮）は不明だけれど、【103】の傍論的解釈論に依拠して、賃貸借終了後の占有者は（強迫暴行で占有を取得したといえないから）不法行為責任を負わない、と判示した。ところが、本件では訴訟費用が問題となっているから（もっとも、その範囲は明らかでないが（なお山中解説が、本件訴訟物を「賃料相当額の損害賠償請求」だと説明しているのは誤まり））、一九〇条や一九一条に該当するとみることも困難で、結局、Yの責任は否定されざるをえない。しかし、大審院は、かかる結論を是認しなかったもののようである。その際、Xが不法行為として訴えてきていた関係上、不当利得や債務不履行といった他の方法へ行かず、妨げとなる先例【103】の傍論的法律論を排斥することによって、賠償請求の可能性を認めたが、本件のような事案は、損害賠償・利得償還の側からいえば、因果関係の問題にほかならない。だから、この【104】の先例価値は、Yの不法占拠とXが要した訴訟費用とのあいだに因果関係を肯定した点にあり、判旨の縷々述べている法条競合論は、さような結論を導き出す際の「前提論」として機能した、とみることができよう。――なお、請求権競合説にふみ切ったとみられうる前掲昭和六年の非公式先例（不法占拠事案でないことは指摘した）は、この【104】との関連で考えると、一九〇条の適用が可能な場合において不法行為としての請求がなされており、法条競合説（＝占有規定に包含されない場合に、一般法たる不法行為規定を適用する）では工合が悪いと考えられたためと思われる。

次の先例【105】においては、原審が、買主Yの賠償請求を不法行為にもとづくものと認定して、売主X（悪意占有者と認定された）の相殺抗弁を斥けたのに対し、Xが、自分には不法行為責任なしと上告、大審院は原審の判断を支持したが、その際に「適用関係論」でもつて理由づけている。ところで本件の場合、Xは、果実取得権なしとされており、別の観点からみると、故意（少なくとも過失）によつて、Yの所有となつた家屋を他へ賃貸している。だから、いかなる形（一九〇条・七〇四条であれ四一五条・七〇九条であれ）の請求に対しても、Xの責任は肯定さるべきであつて、相殺しうる基礎自体がない。もつとも、Yが直接収取した賃料が数ヵ月分あると主張されているが、この部分は、損害賠償や利得返還の性格からみて、当然に請求額から控除すべく、かつそれで足りる。要するに、Xに法的保護を与える必要は全くないわけだから、不法行為責任なしとする主張も、おそらくは原審認定をとらえたいいがかりでしかあるまい。とすれば、原判示を維持しつつXの上告を蹴るには、本件に不法行為規定の適用を認めるのが、簡便である。けれども、この程度のことでは、「適用関係論」が本件結論を導くために不可欠の理由だつた、とはみがたい（Yの主張と原審の認定方法がもつと巧みであれば、こんなことは、いいがかりにもならないはずで（もつとも、時間かせぎや嫌がらせなら、どうにもならないが）、本件での競合説は、さような訴訟上の操作に関する辻つま合わせである）。また、不法行為規定の適用可能性を前提として本判決をみると、本件は賠償額算定の問題として処理すべきものであつて、判旨のごとく、ただ相殺を否定するだけでは、Yの直接取得した賃料分について、Xから新たな利得訴訟を起こさねばならぬこととなり、決して上出来の解決策とはいえまい（もつとも、五〇九条の趣旨をここにも推してくるとすれば、話は別になるが）。

最後の先例【106】が、占有の悪意と故意過失とを区別したことについては、末川批評も石川評釈も正当だと評している（問題点としては本書一六八―九頁参照）。悪意占有と不法行為の区別は、説明内容の不適切な旧先例【103】にもすでにみられる考え方であるが、この【106】の先例価値は、占有賠償における主観的要件を明確化した点に存する（前掲最判昭三二・一・三一（本書一五八頁）も【106】を、この点で先例とする）。ところで、【106】における一般的請求権競合説の確認は、右の判旨とどういう関係があるのだろうか。柚木説は、請求権競合に関する説示部分を傍論的と評しているが（柚木・判例物権法総論三二二頁註四参照）、そのとおりであって、本件結論（＝悪意占有者といえども、民法七〇九条によって賠償責任を負うには、彼の故意過失がなければならぬ）は、さような説示（＝占有規定と不法規定とは、全く一般的に（つまり前者の特則性などは全然認められずに）競合する）とのあいだにおいて、何ら直接の結びつきや論拠としての必要性を認めがたいのである（なお、昭和一八年ごろにおける判例法の発展段階では、各種の場合における占有賠償ケースの堆積を通して（三款(二)参照）、不法占拠賠償が故意過失を要件とすることは常識化している）。かように、右説示が無意味な傍論であったとすれば、少なくとも不法占拠ケースに関するかぎりにおいて、「請求権競合」を民法一九〇条と七〇九条とのあいだで認めた先例は、今まで存しないことになる。

三　賠償請求の基礎的要件

（一）序言　損害賠償の諸要件に関する事実は、教科書的には比較的明快に、これは違法性の問題、これは因果関係の問題というふうに区別されている。しかし、実際上の処理はおそらく、当該事件において損害賠償を認むべきか否かという全体的評価との関連で、各要件をいわば総合して判断するはずである。とすれば、判例では、いかなる要件を理由に判断したか不明なものがあったり、述べられている理由づけそのものとしては何か不足な感を抱かせるものがあっても、不思議はない。とともに、判例に向かって、これは違法性の問題であって因果関係の場でないなどと批判する（＝要件相互間の位置づけに関する問題として論ずる）ことは、よほど明らかな場合でないかぎり、そう簡単には（＝要件に関する体系構築に或る程度まで確たる見通しを立ててからでないと）いえないように思われる。――判例をみる前に、さような点に注意しておきたい。

（二）　故意過失　古い判例には（これは【59】と同一事件）、

【107】　Yの建物所有とXの不法占拠だけから損害賠償を認めるのは理由不備、とする上告に対して、

「然レドモ、何等正当ナル権原無クシテ物ヲ占有セル者ガ其物ノ所有権者ニ対シ不法占有ニ基ク損害賠償ヲ為スベキ義務ハ当然……」（大判大六・一一・一三民録二三・一七七六、新聞一三六二・二三）

と斥けたものがある。Xは、例示からうかがえば違法性の判断を要求したのかもしれないが、【59】でみたとおり、彼は何ら正権原を主張さえしていないから、その点では問題にならぬ。とすれば、残るのは故意過失に関する判断くらいだが、それも全然争われていない。

正面から採り上げ、かつ原審における「過失の推定」を支持したのは、次の【108】である。

【108】　家屋賃貸借が告知によって終了したが、賃借人Xは退去しない。そこで家主Yは明渡と解約後の損害賠償を訴求。Xの上告は数点にわたるが（その一つは後出【119】）、ここでは、原審が過失の理由・証拠を示さず賠償を命じた、と非難する。しかし、

「原判決ノ趣旨ハ、要スルニ賃貸借ガ終了シ賃借人タルXニ於テ之ヲ占拠ス可キ権原ハ此点ニ於テ消滅シタルニ拘ハラズ、尚且之ヲ占拠セルハ反証無キ限リ其過失ト云ハザルヲ得ズ……ト云フニ在ルコトハ判示自体ノ上ヨリ明白ニシテ、論旨ノ如ク何等ノ理由ヲモ示サズ又何等ノ証拠ニモ依ラズシテ過失ヲ認メ……タル

モノニ非ザルコト多言ヲ俟タ」ない(大判大一〇・五・三民録二七・八四四、新聞一八四七・一七)(中川・判民六七事件)。

前出【34】(大判昭一一・三・一三)は、現実に占有したことのない競落建物の譲受人Xの被告適格が問題となった事件において、傍論として掲げた設例につき、妨害除去義務を当然視しつつも「但、此ノ妨害……ニ付何等ノ故意過失無キ限リ、其ノ損害賠償ノ義務ヲ負担セザルハ是亦固ヨリ多言ヲ須ヒザルトコロ」と述べている。上告棄却となったから、損害賠償も認容されたままと思われるが、わざわざ右のように述べているところからは、大審院がその結論にいささかの躊躇を示しているともいえぬでない。

続く前出【35】(大判昭一一・七・一四)は、右の傍論的説示を先例として承継し、家屋居住者に対する明渡訴訟を提起するという「妥当ノ処置」を採った建物競落人について、「故意又ハ過失ノ存スル限リ之レガ賠償ヲ為ス可キ義務アルニ過ギザル」ものと理由づけ、もって地主の賠償請求を許さなかった。

次は、無権原占拠者が自分には故意過失なしと争ったにもかかわらず賠償責任を負わせた原判決が、法則誤解・審理不尽・理由不備だとして、破棄差戻となったケース。

【109】　A会社から土地を買ったYが、Aより適法に右土地を賃借していたと主張するXに対して、土地明渡および不法占拠による損害賠償を訴求。原審が、Yの買受日以後は、それを知らなかったとしても損害を賠償せよと命じたので、Xは、買受を知らないので適法占有だと信じており、Yの権利を侵害しているなどとは思いもよらぬ、と上告。

「果シテXガ其ノ主張セル如ク、Yノ右所有権取得以前ヨリ本件土地ヲA会社ヨリ適法ニ賃借シ居リテ、Yノ右買受ノ事実ヲ了知セザリシコトニ付何等ノ過失ナカリシモノトセンカ、Yノ右土地買受ノ日以降Xガ直チニ右土地ノ不法占拠者トシテ、Yニ対シ同日以降損害賠償ノ義務ヲ負担スベキ筋合ニ非ルヤ蓋シ多言ヲ俟タズ。然ラバ原審ハ須ク、Xノ本件土地ノ占拠ガ同人ノ故意若クハ過失ニ出デ因テYノ所有権侵害ヲ招来セルモノナリヤ否ノ点ニ付審理判断ヲ与フベキモノナルニ拘ラズ、事茲ニ出デズ漫然上段掲記ノ如ク判示シテ、恰モYガ本件土地ヲ買受ケタル日以降Xニ於テ故意過失ノ有無ヲ問ハズ当然不法占拠者トシテ損害賠償ノ責ニ任ゼザルベカラザルモノノ如ク断定シタルハ……違法」(大判昭一三・六・一判決全集五・一三・二一)。

本件のように、土地が借地人の知らないあいだに売られ(対抗できない賃借権であったと思われる)、しかも不知につき彼が無過失であるときには、もとより賠償責任を負わせるべきではない。しかし、過失の有無などの立証は困難であり、ことに誰にどの程度まで挙証負担を負わせるかによって相当な違いを生ずるから、X主張のとおり前地主から賃借していたとすれば、さらにすすんで、少なくとも訴提起まではXの無過失を裁判上推定する段階まで行ってもよいと思う。

また、債権者代位権行使と解除の要否に関してすでに紹介した非公式先例は(前出【87】および本書一一三頁参照)、過失について、次のごとく判示している。

【110】　Yは地主Bからの(新たな)借地人。X_1は以前からの借地人Aが所有する建物の競落人であり、X_2はこの建物の管理人ということになっているが、従前からの居住者?

「X等ハ本件土地ノ占有ニ付正当ノ権原アルコトヲ地主ニ対抗スルニ由ナク、之ニ反シYハ地主ヨリ本件土地ヲ賃借セルモノナル以上、X等ガ右賃貸借ノ存在ヲ知リ又ハ之ヲ知ラザルニ付過失アル場合ニ於テ依然本件土地ノ占有ヲ継続シ、之ガ為該賃借権ニ基ク使用収益ヲ妨グルニ於テハ、即チ故意又ハ過失ニ依リYノ賃借権ヲ侵害スルモノト云フヲ相当トスベク……」「而シテ原審ハ、Yガ本件土地ヲ賃借後判示ノ如クA及X_2ニ対シ……本件訴訟ヲ提起シ、ソノ後X_1ガ地上建物ヲ競落シタルヲ以テ同人ニ対シ判示ノ如キ訴訟引受ノ決定ヲ得訴訟ヲ追行セル事実ヲ確定シ、従テX_2ハ同人ニ対スル本件訴状送達以降、X_1ハ右決定ノ送達以降孰レモYノ賃借権ノ存在ヲ知リ又ハ之ヲ知ラザルニ付過失アルモノニシテ、爾後ノX等ノ本件土地ノ占有ハ故意又ハ過失ニ基キYノ賃借権ヲ侵害スルモノト認定セルモノナレバ、該認定ハ上叙説明ノ理由ニヨリ相当ナリトス」（大判昭一三・八・一〇 判決全集五・一七・九）。

さらに、前出【30】（=大判昭一四・八・二四）は、地主Xから承諾をもらえると簡単に考えて借地上建物を買い、結局は無断の賃借権譲受ということになつたY_1について、「買取ノ請求ヲ為シタル迄ノ土地占有ハ即チ権原ニ基カザルモノニシテ、Xニ対シテハ土地所有権ノ侵害トナリ、而カモ其ノ侵害ニ付テハY_1ニ故意ナシトスルモ特殊ノ事由ナキ限リ過失ナシトハ断ジ得ザルナリ」との理由づけでもつて、賠償責任がないと判示した原判決（その理由づけについては【30】中で紹介した）を破棄している。――これなどは、単なる推定以上であるようにみえる。

最後に、前款で出てきた【106】は、境界確定・妨害排除訴訟で敗訴したXらを、占有につき何ら故意過失なしと認定しつつも、右起訴の時からは少なくとも過失ありとした原判決に対して、民法一八九条二項は「不法行為ノ要件タル故意又ハ過失ヲモ擬制スルモノニ非ズ」したがつて「右起訴ノ時ニ於テ既ニ占有者ニ故意又ハ過失アルニ非ザレバ、其時以後ノ果実ニ相当スル損害賠償ヲ請求シ得ベキモノニ非ズ」と説き、これまた原判決を破棄している。――この点は、【103】も区別し、【106】の直後で紹介した最高裁判決も同旨であつて、両者とも原判決破棄となつている。

さて、以上みてきた八、九件程度の先例では、ぼう大な過失ケース（石本「過失の要件」本叢書民法9参照（紙数の制限からだろうが、要旨的整理にとどまっており、事件内容に即した再検討が望まれる））群中における特殊類型的地位——ことに占有賠償に対する裁判所の評価態度を推断しがたい。かえつて、破棄判例が半ばを占める事実からは、さような評価それ自体に、一義的解決に親しまない不安定性があることさえ読み取れよう。無権原占有の個別的態容から或る程度の標準を帰納することも、同様に困難である。たとえば、【107】から、全くの無権原者には故意過失を推定しようとしても、事案は不明で争いにもなつていない。のみならず、【108】は、賃貸借終了後の賃借人についてさえ、過失を推定した。また、他人所有地上の建物競落人という一つの個別的類型を取り出しても、賠償責任の要件たる故意過失は、個別事情によつて、その有無に関する認定が分かれている（【135】1）。

さらに、「悪意占有者必ずしも故意過失の侵害者たらず」とする判例的命題は、いろいろな点で問題を含んでいる。(イ)まず、【106】の末川批評は、占有の悪意と故意過失の概念的区別を是認したうえで、原則として起訴の時から過失の存在を認めうる場合もあろうと注意し、【106】の直後に掲げた最高裁判決に対する谷口批評も、その事件につき過失を認むべきでないかと評するが（民商三六巻二一一頁参照）、私は、すすんで一般的議論としても、本権の訴において正権原の存在を立証できない被告に対しては（立証責任の所在については六節一款参照）、原則として（＝前出【109】などの事案は、その例外たりうるかもしれない）、過失の存在を裁判上推定する（＝不法行為一般の原則からいえば挙証責任を転換する）ほうが妥当な評価態度でないかと考える（なお、故意過失の挙証責任とその転換については、加藤・不法行為七七頁以下参照）。だいたい、無権原であるのを知っているが過失すらない、というような場合は、経験則上そう稀ならずあるものだろうか。さような意味で、【106】の判示一般論は、あまり強調しすぎてはなるまい。(ロ)次に、右命題をそのまま認めても、権利者は、その損失を不当利得として返還請求する余地があろう。ここでも、裁判所が別の関係人（たとえば、地上建物を特約に反して抵当に入れた借地人）に負担させるべしと判断したら、占有者の利得償還責任を否定することはできる（利得と損失間に「直接」因果関係」がないというような理由づけにより）。しかし、占有者のほかに利得責任を負うべき者がない場合に、なおそう解することは、結局、損失をもっぱら権利者に負担させる結果となるが、故意過失がないにせよ無権原で他人の不動産を用益した者に、そこまで法的保護を与える（＝利得の保有を許す）べきか。私は不当だと思う（もっとも、これは「評価」の問題だから、もし裁判官がそう「思わない」というのなら、「批判」するほかはない）。この立場に立つて利得償還責任ありとすれば、結果的には損害賠償責任を認めるのと大差なくなり（本書六一頁参照）、ひいては右の判例的命題を浮き上がらせる（＝活力を失わせる）だろう。とともに、かかる場合における権利者の無保護は、法律論的かつ原則論的には、弁護士のちよつとした注意（＝予備的請求の利用）によつて回避されうるものとなろう。

(三)　因果関係　　大審院時代において、不法占拠賠償と因果関係（これは、いうまでもなく、責任の「有無」と「範囲」の両方で問題となるが）の問題を取り扱つた先例として理解できるものは、幾つかある。つまり、すでに該当個所で指摘したとおり、私の判例解釈によれば、前出【104】は、不法占拠とそのための訴訟費用（＝損害）とのあいだに因果関係を肯定した先例であり、【77】も、判文をすなおに読めば、使用人の不法占拠と賃料相当の損害とのあいだには因果関係がない、とした先例とみるべきである。また、前出【75】【76】ことに前者も、賃貸借の解除なきかぎり無断転借人らの占有と賃貸人の損害とのあいだに因果関係はない、と読むことができる。さらに、賃借権の妨害者に対する借地人の損害賠償請求を否定した次掲【111】も、借地人の損害と妨害のあいだに因果関係を否定した事例、として掲げることができよう（そうなれば、これは、債権ないし賃借権の侵害にもとづく損害賠償について、それを否定する技術的方法の一つである（なお、三島「第三者の債権侵害」本叢書民法18一〇三―四頁も参照））。

【111】　Yは、地主Aから本件土地を賃借したが、Xが右地上に建物を所有しているので、故意に自分の土地使用を妨げたとして不法行為による損害の賠償を訴求。原審はこれを認めたが、

「然レドモ、Xガ本件土地ノ上ニ家屋ヲ所有セルハYノ右賃借権取得以前ヨリナルコトハ原審ノ認ムルトコロナレバ、従来Xニ於テ本件土地ヲ占有使用セシコトノ当否ハ暫ク措キ、Aトノ間ニ賃貸借契約ヲ締結シタルYハ、須クAニ対シ自己ヲシテ其ノ土地ヲ占有取得セシメ得ル義務ノ履行ヲ求ムベク、Aニシテ此ノ義務ヲ果サザル限リYハ未ダ其ノ土地ノ占有ヲ得ベキ理ナク、Yガ土地ノ使用ヲ為シ得ザルハ結局Aガ賃貸人トシテノ義務ヲ果サザル結果ニ外ナラズ。従テ、YハXニ対シ土地ノ使用ヲ妨ゲラレタリト主張シ得ベキ筋合ニアラズ。然ルニ原判決ハ這般ノ関係ニ付考慮スルトコロナク、単ニYガ賃借権者ニシテXガ其ノ賃借地上ニ家屋ヲ所有シ之ガ明渡ヲ為サザルノ一事ヲ以テ、Xニ不法行為ノ責任アリトナセルハ違法」（大判昭二・二・二六裁判例二民事二六―三島・右掲書【26】）。

このほか大審院には、奇妙な判決文書きで有名だった判事の執筆にかかるものかもしれぬが、判例体系（14Ⅱ一五〇五頁）編者によって巧妙な要旨（「地主が借地人および借地人の家屋の賃借人に対し理由がないのに建物収去・土地明渡の訴訟を提起し、借家人がこれに応じた場合は、訴訟と立退との間に相当因果関係があるから、

地主は借地人に対し、借家人立退による損害を賠償しなければならない」）の作られた破棄判例がある。これは、地主が不法占有を理由に提訴したものであるが、原判決は本訴と借家人退去とのあいだに客観的因果関係なしと判示していた。関係判旨部分は次のとおり。

【112】地主甲は「前記事由ノ如キ立退ノ為メ乙（＝借地人）トシテ当該家屋賃貸ノ機会ヲ失ヒシナラバ、乙ノ之ニ因リテ被リタル損害ニ対シテモ亦其ノ責ヲ辞スベカラザル場合ノ有ルベキハ、寧ロ睹易キノ道理ナラズンバアラズ。……本案ノ請求尚未生ナルニ拘ラズ敢テ訴ヲ提起シタリテフ一個赤裸々ノ事実ソノモノニ因リ或ハ生ジタル不法行為上ノ責任ガ、後日ニ於ケル勝訴判決ヲ以テ当然ニ済清セラルベキ所以ハ之ヲ解スルニ苦マザルヲ得ズ」（大判昭一一・一・三一民集一五・二・一一六）（来栖・判民八事件、末川・民商四巻一八六頁）。

最高裁になってからは、家屋占有者が不法占拠賠償責任を負うか否かの決定標準として、相当因果関係の有無が問題になっている。――先例の一つは（椿「共同不法行為」本叢書民法12【17】）、損害賠償の範囲についても判示したものであるが（この点は一〇節二款後出【139】参照）、今の問題につき「他人が地上権を有する土地に無権限で建物を所有する者から建物を賃借して占有使用する者がある場合において、その者の右建物の占有使用と地上権者が右土地を使用できないこととの間には、特段の事情がないかぎり、相当因果関係はないと解するのが相当である」（判決要旨の一）としている（なお、判決要旨の二は「地上権者は、登記簿の滅失による回復登記申請期間を徒過しても、地上権設定者に対し新たに地上権設定登記手続を求めることを妨げない」となっているが、この点は以下では、事案も含めて、いっさい省略）。

【113】ゴタゴタした内容の事案だが、単純化していえば、従前よりの地上権者Yが、焼跡に地主から地上権の設定を受けた者の建築経営する百貨店X_1会社および右店舗各部分の賃借人X_2ら二〇名に対して、店舗の

収去とそこからの退去ならびに損害賠償を訴求。原審は、収去請求・退去請求を認容するとともに、賠償請求についても、彼らが正権原なき占有者であつて、おそくとも訴状送達の日から「故意又は過失により、共同してY会社の本件地上権を侵害するものとして、これによつてY会社の蒙る損害を連帯して賠償すべき責任」を認めた。そこでX側は、X_2らの建物占有と地上権侵害とのあいだには相当因果関係なしと上告し、原判決は次のごとく破棄差戻。

「原判決の認定する事実によれば、X_1会社は、その不法行為によつてY会社の本件土地に対する使用収益を妨げたこととなるから、これによつてY会社の被つた損害を賠償する責務があること明らかであるけれども、その他のX_2ら二〇名は、本件建物の所有者たるX_1会社との契約により、各判示部分を賃借しこれを占有使用しているに過ぎないのであつて、直接Y会社の土地に対する使用収益を妨げているとはいえない。けだし、Y会社が本件土地を使用収益できないのは、本件建物が存在するからであつて、右X_2らが建物の前示各部分を占有使用していることと、Y会社が本件土地を使用収益できないこととの間には、特段の事情（例えばX_1会社が本件建物の収去・土地の明渡をしようとする場合にX_2らが故らに退去せずこれを妨害する等）のないかぎり相当因果関係がないと認めるを相当とするからである」（最判昭三一・一〇・二三民集一〇・一二七五）（柚木・民商三五巻五七七頁、来栖・法協七五巻三六七頁、青山・最高裁判例解説一八五頁、山中・判例評論八号一三頁）。

とりあえず評釈等を紹介する。(イ)柚木批評はX_1会社の建物所有こそがYの損害に対する唯一の原因であつて、原因の重畳ないし協働とはみられぬゆえ、判旨正当とする。(ロ)来栖評釈も判旨に賛成だが、次のような点を注意している。すなわち、大審院の或る先例（大判昭一七・一・一五民集二一・一・二）（吾妻・判民一事件、末川・民商一五巻六五七頁）は「土地ノ賃借人ガ其ノ地上ニ所有スル建物ヲ他人ニ賃貸シタルニ、該土地ノ賃貸借ガ解除セラレタル為、爾後右地上建物ノ賃借人ハ其ノ敷地ヲ不法ニ占有スルコトトナリ、地主ニ対シ之レガ損害賠償債務ヲ負担スルニ至リタル場合」につき、家主に対する借家人（＝アパート各室の賃借人）の賃料支払拒絶を認めたが、末川批評・吾妻評釈は、原審の注意（「斯ル場合ハ、賃借人ノ故意過失ヲ要件トシ又土地所有者ノ被リタル損害ト賃借人ノ居住トノ間ニ相当因果関係アルコトヲ要スルヲ以テ、稀有ナルコトニ留意スベキナリ」—なお旧稿で、これを大審院の説示だとしたのは誤まり）を引きつつ、借家人が賠償責任を負うのは例外的だと指摘した。来栖評釈は、右【113】がこれら学者の意見に従ったというのである。(ハ)これらと異なり、山中批評は不当利得との関係に着眼し、それにあっての先例（大判昭一三・八・一七民集一七・一八・一六二七（川島・判民一〇三事件、谷口・民商九巻四五七頁）、大判大七・五・一七民録二四・九七一。前者をごく簡単に説明すると、土地譲受人Xが借地人Yに対し不当利得を理由に賃料額を訴求した事件で、原審は直接の因果関係なしとしたが、大審院はYがXの損失で利得したと判示）から導き出される帰結と、悪意の不当利得の本質を不法行為とみる考えとにもとづいて、不当利得が成立すれば不法行為の成立をも認むべし、と反対批評を試みる。(ニ)また、川井説によれば、この【113】は「従来の判例理論からみると、因果関係をきびしく解した感もなくはないが、元来法律関係を異にする土地と建物との利用関係を、不法行為の領域においても別々に切り離して扱うことにより、単なる建物の居住者に過重な責任を負わせることを避けようとする考慮が強く働いているものとみることができ、今日の住宅をめぐる社会事情に照すと、判旨は正当であろう」（川井「判例共同不法行為法」法律時報三四巻一一号二〇頁）。(ホ)なお青山解説は、土地明渡請求訴訟で、建物賃借人への賠償請求に関する適切な先例がみあたりにくい理由を、「一般に建物賃借人に対しては土地明渡を請求するに止め損害金を請求しない例が多いか、又はたまたま訴状でこれを求めても、裁判所は往々にして建物賃借人に対する損害賠償請求部分の取下を勧奨する取扱のためか」と推測している。

もう一つの最高裁先例は、右【113】が本件に適切ならずとして、家屋占有者に対し、敷地不法占拠による損害賠償責任を負わせた棄却判決。――事案に不明な点もあり、また当事者の出入りも多くて相当複雑なケースだが、判旨を理解するうえでは或る程度くわしく説明しなければならぬ。こうである。

【114】　本訴では、当初からの被告は、その一部が第一審だけで、また一人は控訴審の途中で、さらに残り（＝当初の主役）も上告審では、それぞれ姿を消してしまい、一審での当事者参加人と二審における引受参加人とが上告人になつている。――A会社は、Yからその所有地㈠㈡を賃借して、㈠の一部と㈡の上に本件㈢の建物（会社厚生寮）を所有し、㈠の残部はBに転貸して同人が㈣の建物を所有していた。Yは、昭和二七年四月、Aの賃料不払およびBへの無断転貸を理由に賃貸借を解除し、A会社とBに対して建物収去・土地明渡と損害賠償を、また㈢に居住する一〇名ほどに対しては退去を、それぞれ訴求。これにX_1が当事者参加して、㈢㈣の建物はA会社から訴外Cに売却され（なぜAが他人B所有の㈣を処分できたのかは不明）さらに自分がCから買つており、また㈠㈡の土地には借地権を有すると主張。

第一審は、Yの請求を認容しX_1の請求を棄却。退去を命ぜられただけの寮居住者はこれに服し、Aらが控訴。もつとも、㈢の建物を占有していたX_2会社従業員のDは他へ転居して訴を途中で取下げ、右占有を承継したX_2会社が引受参加人とされる。――原審は、(a)A会社については、Yの解除が有効で昭和二七年四月以降本件土地の占有正権原を失ない、二八年四月X_1の仮登記がなされて占有を移すまでの賃料相当額を賠償せよ、(b)Bについては、本件土地の占有正権原を主張・立証しない、X_1へ建物所有権の移転登記がなされた二九年六月まで占有者として振舞つているから、それまでの分を賠償せよ、(c)X_1については、借地権を建物所有権とともに取得し本件土地の占有正権原ありと主張するが、右借地権は二七年四月消滅したので、以後は本件土地の不法占有者であり、おそくとも右掲二八年四月以後は建物㈣の敷地を除く部分の相当賃料額を、また右掲二九年六月以後は本件土地全部の相当賃料額を、それぞれ賠償せよ、(d)問題のX_2会社については、㈢の建物の一部に従前より有する占有（二六年一一月X_1から賃借したと答弁している）に加えて、Dの有していた占有をも承継したと認められるので、右占有承継の日から明渡まで、㈣の建物敷地を除く㈠㈡の宅地不法占有者として認定限度内での賃料相当損害金を支払え、と命じた。

かくてX_1とX_2会社は、自分らを前出【113】のX_1百貨店と店舗部分賃借人X_2らとにあてはめ、本件X_2会社には責任がない、仮りに特段の事情があっても土地占有は全部（㈣の建物敷地以外の）に及ばぬ、と【113】【139】（＝同一判決の前半と後半）を引きつつ上告。

「しかし、原判決認定のような事実関係の下では、X_2会社において所論㈢の建物全部を占有していたものと認められないこともないから、原判決がX_2会社は右建物を占有することにより、判示㈠㈡（但し㈠については所論の一部を除く）の土地全部を不法に占有するものとした判断は固より正当であり、所論の違法は認められない。所論引用の判例は本件に適切のものではない」（最判昭三四・六・二五民集一三・六・七七九）（谷口・民商四一巻七九四頁、北村・最高裁判例解説九六頁、望月・法協七七巻三五四頁）。

ところで、右判例集は、三〇頁余にわたる記載のどこからもうかがえぬX_1とX_2会社の関係をもち出してきて、「家屋の所有者がその敷地を占有する権原のない場合に、右所有者を代表者とする会社がその家屋の全部を借受けて占有しているときは、右会社は、敷地の所有者に対し、敷地の不法占有による損害賠償責任を負う」旨の判決要旨を作文し、谷口批評も、まことに奇妙と評している。思うに、学者たち（特に判民系の）が要旨などは問題とすべきでないと主張しても、事実としていえば、後の裁判官が先例をもっぱら要旨で理解した例は大審院についてもみたし（前出【68】と本書一二四―五頁参照）、最高裁になってからでさえ、単なる判示事項に出てきただけの字句が、後日の先例内容に対し重要な点で影響したと考えられる例もある（本書一四六頁参照）――だから、かかる独り勝手な（＝認定はもとより事実にも現われていないことを判旨の決め手とするかのごとき）要旨作りには、強い非難が加えられねばならぬ。本件のように、事案はゴタゴタし判決理由は發想のない場合には、時折使われる要旨作りの方法、つまり「原審認定の事実関係のもとでは、本件家屋賃借人は敷地の占有をなし、家屋所有者とともに、敷地所有者に対し、敷地の不法占有による賠償責任を負うと解するのが相当である」として判決文自体へ注意を向けさせるほうが、まだしも irreführend でない。

次に、各評釈は、いろいろな説明によつて、本判決が先例【113】の「特段の事情」に該当する（＝両先例は矛盾抵触しない）と理解しているが、その点も含めて評釈・解説をみると、(イ)谷口批評は、本判決が【113】と異なる点を、本件X_1がX_2会社の代表者であつて実質的には後者と一体をなす（利害を共通とする）点に求め、先例を形式的に踏襲すればはなはだ不公平な結果になると考えたためだろうとみる。そして、家屋一部の居住者に敷地全部についての不法占拠賠償を命ずることは、建物所有者（＝敷地不法占有者として共同して責任を負う）が無資力の場合ははなはだ不公平な感じもするが、退去促進手段として法政策的に是認すべしと解する。(ロ)北村解説は、【113】は家屋の一部占有、【114】は全部占有という事案の差異があるが、それを理由に前者に関する先例を後者の場合に変更するものではなく、一体となつて侵害している点が「特段の事情」に該当せしめられたものだろうと解する。(ハ)望月評釈は、X_2会社が土地を占有しYの利用を排除していても、違法性がなければ不法占有による賠償責任を負わない、とする解釈的構成をたてる。そして、本件のような場合を相当因果関係の面で考えるのはおかしい、また本件は違法性を認むべき事情が認められた場合だが認定からはその点不明、と評する。

ここで、両先例をめぐって、簡単にコメントしておこう。先例【113】の見解および両先例に関する評釈類から帰納すれば、地上建物の賃借人には、敷地不法占有による損害賠償責任を原則として負わすべきでない、との評価態度が支配的であるようにみえる（ただし【113】の山中批評は、不当利得としての因果関係が認められる以上、不法行為責任も認むべしと反対する。しかし問題は、借地人自身の場合と借地上建物賃借人の場合とを今の問題について同視できるか（＝この二つは右の解釈論の適用において差異が存するのではないか）である）。その場合、(イ)建物占有と土地所有者の損害とのあいだに因果関係がない（建物占有が敷地占有をともなうか否かは、そのための「前提論」でしかない）、(ロ)故意過失ことに前者を欠く（【113】の例示では、過失は除かれるようだが、そうだとすれば、X_2らの賠償責任は、よほど強い非難可能性が求められることになる）、(ハ)右占有には賠償に値いするほどの違法性（一義的な明確さをもたぬ言葉である）がない——どう裁判官が構成しても、それは、右の評価態度を担う（ことに法律論的に尤もらしく表現し説得する）一つの理由づけである。むろん、学説に体系的整序化の任務を強く要請するときには、どの構成がヨリ選択価値を有するかは無視できない（この意味で【114】の望月評釈は、判民型から離れている）。しかし、そうするときにも、責任設定諸要件は総合的・相関的に判断されざるをえず、因果関係や違法性は実際の判定ないし判例分析上、主観的要件との微妙な絡み合いを避けがたい点に注意すべきである（もっとも、この点は、平井「債務不履行責任の範囲に関する法的構成」法協八〇巻七九八頁註39に対し、わが師・於保不二雄とともに答えなければならないので、今は留保したい）。

なお、下級審には【113】の系統に属するケースが二つ三つあるので、次に掲げておこう。

【115】　「被告X_2は、前記被告Y_1の土地不法占有による建物を占有使用しているものであり、それ以外に原

告等に対抗し得べき権原についてはY_2の主張立証しないところであるから、右建物所有者において建物収去義務がある以上、右収去せらるべき建物を占有することにより収去の妨害をしない義務を原告等に対し負担することはいうまでもない。……しかしながら右収去の行われる以前においては、建物占有行為と敷地の使用妨害の結果との間には相当因果関係を欠き、収去とは切離した独立した即時無条件の退去義務は存在しないものというべきであるから、土地所有者に対し、土地使用妨害乃至不法占有に基く損害賠償の義務を負うことはないと解すべきである。よってY_2に対する原告の請求は、その退去を求める部分のみは正当として認容すべきも、損害金の支払を求める部分は失当として棄却を免れない」（大阪地判昭三三・六・一〇判時一六〇・二三）。

【116】　Xは本件土地の従前からの借地人。Yらは、建物所有者Aから建物の一部を賃借している者。Xは、明渡・退去訴訟とは別に、Yらに本件賠償請求をしたようだが、次のごとく棄却。

「Aも建物収去土地明渡の仮執行宣言付第一審判決に対して控訴していることが明らかなので、Y等が控訴したからといって故さらに本件土地に対するXの使用収益を妨げたものというわけにはゆかない。またY_1他三名が強制執行停止決定を得たことによって、Aに対するXの……強制執行は事実上不可能になったものとみなければならないから、右の被告四名はこれによって控訴審の判決があるまでの間本件土地に対するXの使用収益を故らに妨げたものとして、Xに対しその損害を賠償する義務があるようにみえないでもないが、建物収去土地明渡の強制執行は、実際問題として、本件の場合のように多数の者が当該建物を現に使用している場合には判決確定後も容易に実行されないのが実状であることは、遺憾ながら、当裁判所に顕著な事実であるから、例えばXがAに対して強制執行に着手し同人もこれを受諾していたのにY等が執行停止の決定を得てこれを妨げたというような特段の事情につきなんら主張立証のない本件の場合には、右の事実も亦相当因果関係の存在を肯定せしめるいわゆる特別の事情を組成するものということはできない」（東京地判昭三二・七・一五判時一二五・一三）。

九　不法占拠賠償の内容

一　序　説

われわれは、特に損害賠償に焦点を合わせ、あるいはまた他の問題の中で、不法占拠賠償法の諸要件をかなり詳細に検討してきた。本節では、残された損害賠償の内容に関する諸問題――ピリッとした解釈論的な論点や判例理解上の問題個所はなくなり、具体的整理に重点が移る――を眺めることにする。

なお、その前に、損害賠償の呼び方や意味内容に関するケースを二つ掲げておこう（後出【149】も参照）。一つは、訴の変更にならないと判示した棄却判決（「物件返還並ニ賃貸料請求事件」）。

【117】「一定の期限を定めたる賃貸借に付き、賃借人が賃料の支払を為さざるが為め賃貸人より賃借人に対して賃料並に損害金の支払を請求する場合には、賃貸借の期間内は賃料、又其期間後は賃料に相当する損害金の支払を求むるの趣旨と解すべきは当然にして、縦令賃貸人が損害金の名称に代ふるに賃料の名称を以てするも、是れ唯名義上の差異あるにすぎず其請求の実質に於ては叙上の如く解すべきものとす。然らば則ちYが第一審に於ては賃料の名称を用ひ、又第二審に於ては期限の前後を区別して上記の如く賃料及び損害金の名称を用ひたりとて、之を以て直に訴の原因を変更したるものと云ふを得ず」（大判大七・六・一三新聞一四三九・二二）。

もう一つは「当事者が不法占拠もしくは損害金という語を用いてした請求を不当利得返還の請求と解して認容することの適否」（判示事項の三）と題する最高裁判例。――本件が、当事者の申し立てなかった事項につき判決した（民訴一八六参照）ことにならぬ、とする判旨には、次掲谷口批評・川添解説とも異論がない。

【118】 関係のある部分だけを要説すると、XはYから、自分の住んでいるY所有家屋を買う約束にしたが、Xが残り代金を払わなかったので、Yは、右売買を解除して明渡と明渡ずみまでの損害金支払を訴求。一審はYの請求を認容し、二審も、右解除以後におけるXの占有は純然たる不法占有ではないが利得返還義務ありと判示。そこでXから、原審はYの請求しておらない事項を、あたかも請求したかのように判決した違法がある、と上告。しかし、

「特定物の売買により買主に移転した所有権は、解除によつて当然遡及的に売主に復帰すると解すべきであるから、その間買主が所有者としてその物を使用収益した利益は、これを売主に償還すべきものであること疑いない（大判昭一一・五・一一民集一五・一〇・八〇八）。そして右償還の義務の法律的性質は、いわゆる原状回復義務に基く一種の不当利得返還義務にほかならないのであつて、不法占有に基く損害賠償義務と解すべきではない。

ところで、Yの本訴における事実上及び法律上の陳述中には、不法占拠若しくは損害金というような語が用いられているけれども、その求めるところは、前記使用収益による利益の償還にほかならない部分のあることが明らかであるから、その部分の訴旨を一種の不当利得返還請求と解することは何ら違法ではない。けだし、Yは、不当利得返還請求権と損害賠償請求権の競合して成立すべき場合に後者を主張したわけではなく、本来不当利得返還請求権のみが成立すべき場合に、該権利を主張しながら、その法律的評価ないし表現を誤つたにすぎないからである」（最判昭三四・九・二二民集一三・一一・一四五一）（谷口・民商四二巻三八六頁、川添・最高裁判例解説二二五頁）。

二　損害額の算定標準

（一）序言　不法行為によつて発生した損害の額を、当事者が立証しまた裁判所が確定すること

は、少なからぬ場合において相当厄介な仕事となる。が、不法占拠にあっては、既出の賠償ケースでこの点が争いとなっていない場合にも判旨がしばしば述べているように、反証ないし特別の事情がないかぎり賃料相当額を標準にして算定すべきもの、と解されてきている（特別事情が問題となったケースとしては【126】）。学説の側でも、かような推定は見方によっては乱暴な方便になろうとの感想（次掲【119】の中川評釈）を別とすれば、特に反対する見解は存しないようである（たとえば加藤・不法行為二二一頁参照）。――地代家賃統制令が関係するケースとそうでないケースとにわけてみていく（換地処分との関係では後出【151】参照）。

（二）　一般のケース　最初の事例は、故意過失に関してすでに掲げたものだが（【108】参照）、中川評釈は、判旨の解釈が便宜のうえから上策のようだと評した。

【119】　終了後の賃借人Xは、家賃の相当性を争っているのに原審は証拠によらずして損害額を認定していて違法、と争ったが（前出【108】の前のほうの省略部分に次を挿入）、

「不法占拠ヨリ生ズル損害ノ額ハ反証無キ限リ従来ノ賃料ヲ標準トシテ之ヲ積算スベキモノナリ」（大判大一〇・五・三民録二七・八四四、新聞一八四七・一七）（中川・判民六七事件）。

次も、同旨の非公式先例（Xは不法占拠者、Yは係争地の所有者）。

【120】　「Xガ本件地上ニ正当ノ権限ナクシテ判示建物ヲ所有シ右土地ヲ不法ニ占有スルコトナカリシナラムニハ、一応Yニ於テ右土地ヲ他ニ賃貸シテ収益シ得ベカリシモノト推認シ得ラレザルニ非ザルノミナラズ、右土地ヲ他ニ賃貸シテ得ベカリシ賃料モ亦右土地ノ利用ニ因リテ得ベカリシ利益ニ外ナラザレバ、Xノ右不

法占有ニ因リYニ於テ右土地ノ利用ヲ妨ゲラレタルニ因ル損害ハ、右賃料ニ稽ヘ之ヲ算定スルコトヲ妨ゲザルモノト云ハザルベカラズ。然ラバ、原判決ニ於テ右賃料ヲ基準トシテ本件損害額ヲ算定シタルヲ不法ナリトスル所論ハ、之ヲ採用スルニ由ナク……」（大判昭六・一二・二新聞三三五七・一四）。

次の公式先例【121】は、土地所有者（ないし賃貸人）でなく土地賃借人の受けた利用妨害による損害額の算定において、やはり賃料を標準としている。これなどは、まさしく便宜的だと評されるだろうが、不当とはいえまい（戒能評釈も正当かつ当然とする）。

【121】 Yは、Aから賃借した土地の一部をXが不法占拠したという理由で、所有者Aに代位して明渡と損害賠償を訴求。ここで問題となるのは賠償請求であって（Aへの催告の要否については本書一三七頁参照）、Xの主張によれば、損害賠償請求は、不法占拠の事実のみならず損害発生についても審理判定したうえでないと認められない、とされる。しかし、

「Xガ何等ノ権原ナクシテYノ賃借セルAノ所有地ヲ不法ニ占拠シタル以上ハ、Yノ賃借権ノ行使ヲ妨害シタルモノナレバ、反証ナキ限リYニ於テ損害ヲ被ムリタルモノト謂フベク、而シテYハ其ノ土地ヲ使用シテ賃借料ニ相当スル収益ヲ得ベカリシニXノ不法占拠ニ因リ之ヲ失ヒタルモノナレバ、原院ガ其ノ賃借料ヲ標準トシテ右ノ損害ヲ算定シタルハ不法ニ非ズ」（大判昭七・七・七民集一一・一五・一四九八）（戒能・判民一一八事件）。

次は、不況で家賃が下がっているのにと上告したが、原審ではそういう主張をしていなかった事件。

【122】 Xは、右のような事情があるのに、数年前契約が成立した時の賃料を標準とするのは社会通念に反する、と上告。

「然レドモ、賃貸借終了後目的物ノ返還ナキガ為メニ賃貸人ノ被ル損害額ハ、反対ノ事情存セザル限リ賃料

ニ相当スルモノト做スヲ相当トスベシ。然リ而シテXハ、原審ノ口頭弁論ニ於テ唯損害ノ数額ヲ認メズト陳述シタルノミニシテ、本論旨ニ掲グルガ如キ……特殊ノ事情ト見ルベキモノハ更ニ之ヲ陳述シタル形跡アルコトナク……本論旨採用ニ値セザルヤ云フ迄モナシ」（大判昭八・七・二九新聞三五九三・七）。

次は、不法占拠者（どのような事情かは不明だが）Xの出した修繕・増築費用と損害金の算定標準（他にも数点につき上告しているが、手続法上の問題）。

【123】 Xは、彼が千円余を投じて増改築をしており、原審において旧家屋のみの鑑定を求めたが、増改築分も加えて損害額を算定していると、上告。次のごとく棄却。

「然レドモ、Xガ本件家屋ヲ判示ノ如ク不法ニ占拠シタル事実ノ存スル以上ハ、其ノ占拠当時ニ於ケル該家屋ノ相当賃料ニ相当スル損害金ノ支払ヲ為サザルベカラザルコト当然ナリ。而シテXガ右家屋ニ付所論ノ如キ修繕増築等ヲ為シタルコトニ因リ所論ノ如キ費用ヲ支出シタル事実アリトセバ、Xハ家屋ノ所有者ニ対シ費用償還等ノ請求ヲ為ス権利ヲ取得スルニ至ルモノナルヲ以テ該権利ヲ行使スレバ足ルモノニシテ、右修繕増築等アルガ為該家屋ノ不法占拠ニ因ル損害金ノ算定ハ、所論ノ如キ方法ニ依リテ右修繕増築等ナカリシ状態ニ於ケル家屋ヲ対象トシテ之ヲ為サザルベカラザルモノニ非ズ」（大判昭一四・一一・二四判決全集七・四・二七）。

大審院には、さらに、耕作地の不法占拠が全耕作期間にみたぬ場合の損害額算定につき、日割計算でと主張する上告を認めなかつたものがある。

【124】 Yの先代Aは、Bから昭和一〇年六月二〇日に本件土地の所有権を売買予約完結によつて取得し、同日登記もすませたが、Xが「同日以降継続シテ昭和一一年ヲ通ジ右所有者Aニ対抗シ得ベキ正当ナル権原ナクシテ該土地ヲ不法ニ占有耕作」していた。判旨は、右認定に続いて、損害およびその額の算定に移り、「Aハ之ガ為メ其ノ小作料トシテ一カ年四等玄米一石二斗、二カ年分二石四斗（価額六六円余）ヲ収得スル

コトヲ得ザリシ結果、右同額ノ損害ヲ蒙リタルモノト云ハザルベカラズ。従テ、昭和一〇年度分ノ損害額ハ、所論ノ如ク同年六月二〇日以降不法占有期間ノ日割ヲ以テ積算スベキモノニ非ズシテ、同年度ノ小作料ニ相当スル金額ヲ以テ其ノ損害額ト算定スベキモノトス」(大判昭一五・一・三〇判決全集七・五・一八)。

近時の下級審には、土地の不法占有(＝建物の売渡担保権者が、敷地占有につき正権原を有しなかった)による「損害は特別の事情のない限り、本件土地の相当賃料に該当する」と述べ、借地人が借りたその日に転貸したケースについて、転貸賃料額を当時における相当賃料額と認定した例がある(東京高判昭三一・一〇・二七下級民集七・一〇・二七八五(該当頁は二七九〇))。また、被告が正権原なく占有するため、所有者が他から家賃を払って借家していたケースについて、右家賃をもって「通常損害」と認めた例もある(名古屋地判昭三七・七・二一判時三〇六・二二)。

損害額の算定標準を問題とした最高裁判例は、店舗部分のみを無断転借(＝不法占拠)した者の損害賠償をめぐってである。

【125】　Yから本件木造家屋を無償で借りていたA(一審のみ被告)が、階下部分を無断でXに転貸したので、Yは昭和二七年一一月Aとの使用貸借を解除したが、Xは二九年一一月に右部分から退去するまで占有を続けていた。問題はその間の損害賠償であるが、第一審は、一カ月五千円の割りでのYの請求を認めた。そこで、Xは、階上階下合わせて貸されたもので、併用住宅として地代家賃統制令により賃料を算定すべし、と控訴。大阪高裁は「本件家屋の階下部分は床面積約五坪であるが、Yが昭和二〇年一一月Aに対し貸与した当時から現在に至るまで店舗として使用しうる構造を有し、これを右Aは小鉢物料理業の、又Xはゴム用品販売業の各店舗として使用していたことが認められるので、右階下部分だけを階上部分とは別箇に店舗の

用に供することは相当な利用方法となすべく、これを独立して賃貸するにおいては地代家賃統制令の適用なきことが同令二三条二項三号により明らかである。」「家屋の一部を他の部分と別箇に店舗として利用しうる場合に、該部分だけを賃貸することは世上屢々見られる事柄であつて、これを他の部分と併せ家屋全体としてこれを賃貸すべきものとする理由を見出し難い」と、これまたYの請求額を認容。Xは、統制令の適用と、鑑定によらざる認定を争つて上告。棄却。

「……原審は所論のように、Yが従前より右階下部分を含めて本件家屋全体をAに対し所謂併用住宅として賃借せしめていたとの事実は何ら認定しておらず、所論は原審の認定していない事実関係を前提とする主張であつて、この点において失当であるばかりでなく、前記原審の認定した事実関係の下においては、原審が本件損害金をXとAとの間の約定賃料額を標準として算定したことは正当……。損害額の算定は必ずしも鑑定の結果をまたなければならないものではなく、原審の認定した事実関係の下においては、原審が本件損害金の算定につき所論の約定賃料額を標準としたことには、所論の違法は認められない」（最判昭三四・七・三〇民集一三・八・一二〇九）（植林・民商四二巻一二一頁、鈴木・最高裁判例解説一八二頁）。

ここでも、前掲高裁（東京高判昭三一・一〇・一二）と同じく、転貸賃料額を標準に算定してよいとされている。本件では、或る時点まではAXに月五千円ずつ、それ以後はAに月一万円請求しているので、Xだけについてみると、転貸賃料一万二千五百円よりずつと低くなつている。

(三)　地代家賃統制令に関するケース　まず、大審院の破棄判例。

【126】　賃貸借期間満了後、賃借人たりしXが明渡さなかつたため、家主Yから提訴された「家屋明渡並損害賠償請求事件」。原審が一ヵ月九円五十銭の割合で損害金の支払を命じたので、Xは、本件相当賃料額が月

四円五十銭であり、原審は統制令違反だと上告。損害金に関する原判示部分は、いわゆる特別事情と統制令の二段がまえで、破棄差戻となつた。すなわち、

「建物ノ賃借人ガ賃借期間ノ満了後建物ヲ明渡サズシテ依然之ヲ占有スル場合ニ於テハ、特別ノ事由ナキ限リ従前ノ賃料ニ相当スル金額ヲ以テ其ノ不法占拠ニ因ル賃貸人ノ損害額ト推認スルヲ相当トスベケレバ、原判示ノ如クXガ本件建物ヲ不法ニ占拠セルニ因リY先代ニ於テ従前ノ賃料一カ月四円五十銭ノ倍額以上ナル一カ月九円五十銭宛ノ損害ヲ被ルベキモノト推認セムニハ、須ク斯ル多額ノ損害ヲ被ルベキ特別ノ事由ノ判示ヲ要スルモノト謂ハザルベカラズ。然ルニ……鑑定書ヲ閲スルニ鑑定理由ヲ附セズ単ニ現在ノ相当賃貸価格年百十四円ト在ルノミニテ……如何ナル理由ニ依リ二年後ニハ一躍其ノ倍額以上ニ騰貴シタルモノト認メザルベカラザリシカ全ク不明ナルガ故ニ……Y先代ニ於テ即時一カ月九円五十銭ノ賃料ニテ更ニ之ヲ他人ニ賃貸シ得タルモノト速断スル事ヲ得ズ。従テ、右鑑定ノ挙示ノミヲ以テハXノ不法占拠ニ因リYガ該金額ノ損害ヲ被ルベキ特別ノ事由ノ判示アルモノト做シ難ク、原判決ハ既ニ此ノ点ニ於テ不法……。

仮ニY先代ニ於テ本件建物ノ賃貸期間満了ノ際即時一カ月九円五十銭ノ賃料ニテ之ヲ他人ニ賃貸シ得タルモノトスルモ、右勅令ニ則リ此ノ家賃増額ニ付、地方長官ノ許可アリタル場合ハ格別、然ラザル限リハ昭和一四年一一月以降ノ分ニ付従前ノ賃料タル一カ月四円五十銭ニ回復スルコトヲ要スベク、従テXノ不法占拠ニ因ル家主ノ被害額ハ之ヲ一カ月九円五十銭ノ割合ニ依リ算定シ難キモノ……」（大判昭一六・六・三 新聞四七三八・一二）。

近時の下級審には、次のような事例がある（【129】は高裁の上告審判決）。——まず、従来の公定地代に拘束されない場合を判示したケースについて。

【127】 公定地代は月四百九十五円だつたが、地主Xは不法占拠者Yに対し月千五十円の割合で損害賠償を

訴求。裁判所は、不法占拠による「損害はXがその土地を利用して得べき利益を基準とし通常地代を基礎として金銭的賠償を求むるの外なく、従つてXが地代相当の損害金を求めることは正当」との一般論を述べてから、次のごとく原告の請求を認容。

「地代家賃統制令二三条二項二号は昭和二五年七月一一日以後建物を新築する場合敷地の地代を定むるについては統制を受けない旨を規定したもので、ただこの場合は建物を新築する場合に限り然らずして、右期日前に存在した建物をそのまま目的とする場合においては、新しく地上権を設定しまたは新しく賃貸借を締結する場合においても従来存在した公定価格の拘束を受くるものと解すべきではあるが、XはYがY所有の建物を収去してX所有の敷地を明渡すときは通常直に自ら使用するかまたは新築する建物のため賃貸し或は地上権を設定して地代を取得することのできることは明であるから、Xは従来の公定価格に拘束せられることなくその得べき地代相当の損害金を請求できる」（京都簡判昭二七・二一・一九 下級民集三・一一・一六一五）。

次は、占有規定と不法行為規定の関係に関してすでに出てきたが（本書一五八頁）、「建物占有者がその一部を他に間貸して地代家賃統制令に違反する間代を取得している場合と悪意の占有者としての果実返還義務の範囲」（判示事項の二）を、ここで採り上げる（判示事項三については【130】）。

【128】 統制令の適用あるX所有家屋を、不法占拠者Yが、他に間貸して違反賃料（月五千五百円）を取得していた。民法一九〇条によるYの償還義務の範囲として、これが問題になつたが、判旨は、

「本件建物は、地代家賃統制令の適用がある……から、Yは、多くとも家賃の範囲内の間代しか取得してはならなかつたものというべく、右五千五百円のうち家賃を超える金額は、Yが、法規にそむいて不法に取得したものといわなければならない。そして民法一九〇条一項にいう果実とは、法律の認めるものに限ると解

するのを相当とするから、Xは、Yに対し家賃を超える部分の間代の返還を求めることは許されない」（仙台高判昭三二・一・二九下級民集八・一・一四三）。

次は、不法占拠者（解除された家屋無断転貸人）Xが、統制令の適用ある事実を主張しなかった事案。

【129】「Xは、原審において……右家屋に対する地代家賃統制令適用の基礎たる事実関係につき主張しなかったのであるから、原審が右家屋の不法占有による損害金算定の基礎として相当賃料を認定するに当り、同令の適用を顧慮しなかったことは違法とはいえない」（東京高判昭三三・四・二六判時一五二・二九、東京高時報九・六六）。

三　その他賠償内容に関する事例

（一）慰藉料の許否　財産権侵害の場合に慰藉料請求が許されるか否かについては（なお、次掲【130】によれば、こういう訴訟は稀らしい）、その財産権が「主として経済的な価値のあるに止まるとき」には、財産上の損害賠償以外に特に慰藉料を払わせる必要がない（千種「慰謝料額の算定」本叢書民法4二三〇頁）、また「財産権侵害の場合には、一般には、精神的損害は財産的損害の裏に隠れており、財産的損害が賠償されれば精神的損害もいちおう回復されると見るべき」だ（加藤・不法行為二三〇頁）、というふうに説かれる。したがって、不法占拠のごときにあっては、ふつう消極的解答が出ると思われるが、次の下級審二件もやはり否定している（なお私の読み落しがなければ、植林・慰藉料算定論一七七頁以下には、次掲【130】を補なわねばならぬ）。

一つは、前出【128】の判示事項三。

【130】「他人の財産を害したため、民法七〇九条の規定によって損害賠償の責に任ずる者は、財産以外の

損害に対してもこれを賠償しなければならないことは、同法七一〇条の明定するところである。財産を害されたために被むる財産以外の損害とは、多くの場合、精神的苦痛である。そうして精神的苦痛を被つたかどうかは、財産侵害の動機・方法・態容・程度のほか、健全な社会常識・一般国民感情に考えて、客観的にこれを判断すべきである。もちろん不法に権利を侵害された以上、被害者が多かれ少なかれ精神的苦痛を被むることはいうまでもないが、侵害された権利の種類によつて苦痛の程度に差異のあることもまたいうまでもない。通常、生命・身体・自由・名誉・貞操など、人格権的な権利侵害の場合は、高度の精神的苦痛を被むるが、財産侵害の場合のそれは、軽度であると考えられている。前者は精神的苦痛そのものの慰謝を求めるほか途がないのに反し、後者は、侵害された財産に対し金銭賠償を受けることができるのであるから、その被害はこれによつて十分に満足され、したがつて精神的苦痛も、前者に比し、はなはだ薄いからである。それで、一般的に財産侵害の場合には、その財産が被害者と感情上特殊の関係があるとか、または財産侵害の方法が公序良俗に反するとか、の理由で、侵害された財産に対する金銭補償だけでは被害者の精神的苦痛が慰謝されないと認められるような場合は格別、そうでない限り、被害者は、これによつて法の保護に値するほどの精神的苦痛を被つたものとすることはむずかしい。財産侵害による慰謝料請求訴訟のまれであることも、この間の消息を物語るものといえよう。

本件では、Xは、財産を侵害されたため精神的苦痛を被つたというのか、あるいは、侵害に対する救済を訴訟に求めたため訴訟追行の上において精神的苦痛を被つたというのか、必ずしも明らかでないが、Yが、Aらと共謀して本件建物の詐取を企てたものと認め得ないことは、既に認定したところであり、また……Xは、本件敷地の地代や本件建物の固定資産税の支払をしなかつたため、Xから依頼されていなかつたにしても、本件建物に居住していたXの異母弟Aが、これを支払つたものであり、Yは、たとえ不注意であつたとはいえ、本件建物を右Aの所有であると信じて、これを買い受けたものである。事態が訴訟にまで発展した今日では、Yは、Xと同様、むしろ被害者といつても言い過ぎではなく、Xの財産侵害の主役はAであると認定される。また、Xが、本訴追行のため日夜苦心苦労したであろうことは、本件訴訟の経過から十分にこれをうかがうことができるが、この種の苦心・苦労は、ひとりXに限らず訴訟当事者のひとしく味わうところであり、しかもXは、その労苦が報いられて、本訴で、侵害された財産を回復し、その被つた損害の賠償を得たのである。以上認定の諸般の事実を総合して、Xは、未だ法の保護を必要とするほどの精神的苦痛を被つたものとは認めがたい」（仙台高判昭三二・一・二九下級民集八・一・一四三）。

もう一つも、原告Xの請求を棄却している。

【131】　物納家屋の払下げをめぐる事件であるが、Xの主張によれば、Y_1Y_2は本件家屋を不法占有して、Xが仮処分申請や明渡訴訟などの措置を採らざるをえないようにし、またXの提出した本件家屋の払下申請書をY_2の申請名義に変えるなど、不法行為を働いたため精神的損害の賠償を求めた。裁判所は、合理的一般人を標準として精神的苦痛は考えよ、とする一般論を述べ、

「XがYらの不法占有（かりにX主張のとおりであるとして）に対し、X主張のような措置をとらざるを得なくなつたとしても、そのことだけではY_1Y_2に対し賠償を命ずべき精神的損害をこうむつたとは考えられない。また……Y_2に対する本件家屋の一部の売渡が私法上の売買と解すべきであつて、Xはこれが売払を受ける期待権すら有しない……ことから考えても、Y_1Y_2らにこれを賠償せしむべき精神的損害をこうむつたとは解し難い」（東京地判昭三二・九・二六判時一三三・七）。

（二）　賠償請求権の時効消滅　　これは、いわゆる「継続的不法行為」という概念をたてる実益が

ある焦点的問題――民法七二四条における時効の算定方法――であるが、現在となっては、先例【132】の内容（＝最初に損害を知った時から損害全部の消滅時効が進行するものではない）に注意さえすれば、大した問題ではない（なお乾「継続的不法行為と時効」民法演習I一九四頁以下）。右判旨は同時に通説でもある（加藤・不法行為二六四頁参照）。なお、【132】は連合部判決であって、旧先例（大判大九・六・二九民録二六・一〇三五）（批判を兼ねた論文として末川「不法行為による損害賠償請求権の時効」民法論集二七四頁以下参照）の採った見解（「侵害行為ノ性質上之ヲ廃止セザル限リ自然ノ趨勢ニ於テ損害ガ継続シテ発生シ漸次堆積逓加スル場合ト雖モ、右時効ハ被害者ガ最初ニ損害及ビ加害者ヲ知リタル時ヨリ其損害全部ノ賠償請求権ニ付キ進行スルモノト解スルヲ相当トシ、加害者ガ加害行為ヲ廃止セザルガ為メニ損害ノ継続シテ発生スル間、時時各別ニ進行スルモノト解スベキニ非ズ」）を改めたが、ともに土地を正権原なく占拠していたケースである。

【132】　Yは A会社の土地を使わせてもらっていたが、Aは、昭和八年三月一四日その土地をXに売り、同月一四日に右譲渡をYに対し書面で通知した。ところが、Yは明渡さないので、Xは、昭和一一年一二月にいたり土地明渡と不法行為による損害賠償とを訴求。原審は、賠償請求につき、Yの責任を肯定しつつも、旧先例に従って三年経過分はもちろん継続中の部分もすべて時効消滅した、と判示。しかし大審院は、加害行為が終止して損害のみが継続する場合と、不法行為そのものが継続している場合とを区別し、後者について次のごとく判示して原判決を破棄した。すなわち、

「不法行為ソレ自体ガ継続シテ行ハレソレガ為メニ損害モ亦継続シテ発生スルガ如キ場合ハ……其損害ノ継続発生スル限リ、日ニ新ナル不法行為ニ基ク損害トシテ民法七二四条ノ適用ニ関シテハ、ソノ日ニ新ナル其各損害ヲ知リタル時ヨリ別個ニ消滅時効ハ進行スルモノト解セザルベカラズ。蓋シ……カクノ如キ損害ヲモ被害者ニ於テ当初ヨリ予想シ得ベキモノト為スガ如キハ社会通念上当ヲ得タルモノト為シ難キノミナラズ、若シカクノ如キ損害ニ付テモ当初其損害ノ一端ヲ知リタル時ヨリ時効進行スルモノトセンカ、不法行為ハ尚現ニ継続セラルルニ拘ラズソノ日々ニ発生スル損害ハ既ニ時効完成ノ為メ之ガ賠償ヲ求ムルヲ得ザルノ結論

ニ達シ、其不合理ナル結果ハ到底之ヲ認容シ得ベキトコロニアラズ、カクノ如キハ同法ノ短期時効制定ノ趣旨ニモ背馳スルコト固ヨリ多言ヲ要セザレバナリ。

今本件ニツキ観ルニ、Yハ何等ノ権原ナクシテ昭和八年三月以降X所有ノ本件土地ノ上ニガラ焼釜場・石炭置場其他ノ工作物ヲ所有シテ不法ニ右土地ヲ占有シ、爾来継続シテXヲシテ右土地ノ使用収益ヲ為スヲ得ザラシメ、ソノ不法ナル状態ガ原審口頭弁論終結ノ当時尚現ニ持続セラレタルコトハ原審ノ確定スルトコロナリ。カクノ如キ場合ニ於テYノ不法行為ハ最初不法ニXノ土地ヲ占拠シタルニ因リテ始マリ、其後ハ該工作物ヲ除去シテ其不法占拠ヲ廃罷スベキ義務アルニ拘ラズ之ヲ為サザルニ因リテ継続セラレ、之ガ為メニXハ日々ソノ土地ノ使用収益ヲ妨ゲラレ其損害ハ日ニ新ニ発生スルモノト云フベク、従テ其賠償請求権ニ対スル前叙消滅時効ハ上来説示スルトコロニ従ヒ被害者之ヲ知ルト共ニ日ニ新ニ進行スルモノト解スルヲ相当トス。而シテ……本訴提起前既ニ三年ヲ経過シタル損害ノ賠償請求権ハ時効ニ因リテ消滅シタルモノト為スベキモ、ソノ然ラザルモノニ付キテハ未ダ時効ハ完成セザルモノト解スベキモノトス」（大民連判昭一五・一二・一四民集一九・二四・二三二五、判決全集八・四・一七、新聞四六五三・五）（野田・判民一二七事件、末川・民商一三巻九五七頁）。

なお、右の野田評釈は、本件事案（譲渡通知だけが、しかも譲渡人Aからなされたにすぎない）との関連で、適法占拠マイナス契約イクォール不法占拠という式は、利得帰属についてのみ妥当するのであって、本件Yの用益は、ただちに不法行為を成立させる違法性という意味での不法占拠にはならない（いわば適法から違法へ移行する白紙の状態が存する）のではないか、としている。――これは、不法占拠なる言葉の多義性ないし包括性から生ずる批判的提言である。

（三）　その他のケース　まず、占有回収請求事件において、(イ)家屋を侵奪されたとして右請求をしたYの原告適格を認め、(ロ)占有回復までの継続賠償を命ずる判決も差しつかえない、とする棄却判決。

【133】「占有物侵奪ノ為メ被リタル損害ノ賠償ヲ命ズルニハ被害者ガ現ニ占有セル物ヲ侵奪シタル事実アルヲ以テ足ルモノニシテ、必シモ其占有ガ正権原ニ依ルモノナルヤ否ノ事実ヲ確定スルヲ要スルモノニ非ズ。而シテ原審ハYガ曾テAノ家族トシテ本訴家屋ニ住居シ侵奪ノ当時マデ建物ノ占有ヲ離レザリシモノトノ事実ヲ確定シタルガ故ニ、此事実ハ本訴損害賠償ノ基礎タルコトヲ得ベキモノナリト謂ハザルベカラズ。又占有ヲ侵奪セラレタル者ハ占有物ノ返還アルマデハ占有物ヲ利用スルコトヲ得ベキモノナルコトヲ通例トスルガ故ニ、原判決ニ於ケルガ如ク其侵奪者ニ対シ之ヲ返還スルマデ継続的ノ損害賠償ヲ命ズルコトハ之ヲ不当ト謂フヲ得ズ」(大判大四・九・二〇民録二一・一四八一)。

次は、転付命令の移転的効果が及ぶ物的範囲に関する判決であって(吉川・判例転付命令法一五五頁、中務「取立命令と転付命令」民訴講座IV一一九一頁参照)、その点からすれば本書の対象外であるが、賃料と賃貸借終了後の不法占拠損害金との関係を知る一資料として掲げておく。

【134】Xら三名は、Aから遊戯場を昭和一一年一一月から翌年一月末まで三カ月賃料百二十円で賃借したが、昭和一二年八月まで使用を続けていた。ところで、Yは、右Aへの貸金債権の弁済にあてるため、AがXらに対して有する賃料債権七百円余につき差押・転付命令を得た。原審は、Xらを不法占拠者と認定し、かつ本件差押えるべき債権は賃料債務たると賃了後の損害賠償債務たるとを問わぬと判示した。そこでXらは、差押債権の範囲がさような程度にまで拡大されえぬゆえんを述べて上告した。大審院は、次のごとく述べて、原判決を破棄差戻。

「Yハ結局AトX等トノ間ニ存続シタル賃貸借契約ニ基ク昭和一二年二月一五日以降同年八月一五日迄ノ賃料債権中七百四円五十銭ノ債権ヲ目的トシテ差押及転付命令ヲ得タルコトヲ主張シ、之ヲ原因トシテ本訴請求ヲ為スモノナリト云ハザルヲ得ズ。而シテ差押及転付命令ノ効力ハ該命令ノ目的トシタル債権ノ種類及数額ノ限度ニ於テノミ生ズルモノナルガ故ニ、Yノ得タル差押及転付命令ノ目的ニシテ前叙七百四円五十銭ノ賃料債権ノ範囲ヲ出デザルモノトセバ、原判示ノ如ク其ノ目的債権ハ賃貸借終了後ニ於ケル目的物ノ不法占拠ニ基ク損害賠償ノ債権ニ迄及バザルコト明ナルニモ拘ラズ、原審ハYノ為シタル右釈明補述ヲ軽視シ且Y弁論ノ全趣旨ニ副ハズシテ、本件差押及転付命令ノ目的ノ中ニハ右損害賠償ノ債権ヲモ包含スルモノナリト独断シタルノミナラズ、該命令ノ目的範囲ニ付審究ヲ遂グルコト無ク右独断ノ通リナリト做シタルハ審理不尽……」（大判昭一四・八・一〇判決全集六・二六・一六）。

近時の下級審の一つは、不法占有者に対して訴えるのに弁護士に支払った謝金などを、賠償請求できるとしたもの（不法訴訟を中心として整理された便利な解説に、川島・ジュリスト判例百選八四頁、山主・判例演習（債権法2）二七〇頁がある）。

【135】　Xらは、Aから土地を賃借したが、うち八坪をBに適法転貸。Bはそこに建物を建てて、土地利用についてはXらの承諾を得ることなく、右建物をY先代Cに譲渡。この場合、Cが不法占拠者になることは前述したが（三節三款）、Xらはこの明渡訴訟でM弁護士に九万円を払った。判旨は左のとおり。

「CはX等及びAに対抗しうる正当な権限がないのに本件土地八坪に前示建物を所有して右土地を不法に占有し、右Aの土地所有権を侵害し、かつ、X等の賃借権に基く土地の使用収益を妨害したもの」であつて「不法行為であることが明らかである。」そして「X等が訴訟代理人たるM弁護士に支払つた右九万円は……着手金・報酬金として相当な額であると認められるので、右報酬金等は結局Cの前記不法行為によつてX等の蒙つた通常の損害であるといえるから、X等はその賠償を求める権利を有する」（大阪地判昭三二・二・一四不法行為下級民例集（昭三二・下）一一九六）。

もう一つは、「造作代金債権と家屋賃貸借終了後の不法占有に基づく損害金債権との相殺の許否」（判示事項の一）。

【136】　Xが不法占有者になつたのは、賃貸人Y側に、賃貸借の更新拒絶につき正当事由ありと判断されたためである。裁判所は、Xが本件家屋に加えた修繕改造工事を借家法五条の造作に該当すると認定したが、家屋の留置権はこれを否定し、次いで、Xからの相殺抗弁につき左のごとく判示。

「賃貸人の造作代金支払義務と賃借人の造作物引渡義務とは同時履行の関係に立つものであるところ、同時履行の抗弁権は二個の相対立する債権を以て同時に交換的に満足せしめることを目的とする権利であるから、同時履行の抗弁権を以て対抗せらるべき造作代金請求権を以て家屋の不法占有によつて生じた損害賠償請求権と相殺することが許されるとすれば、賃貸人は未だ造作物の引渡を受けざるに拘らず、先づその代金を先きに支払わねばならぬこととなるべく、故なく同時履行の抗弁権を奪われることとなるから、かかる相殺はこれを認め難い。しかしながら一方賃借人（X）が造作物を現実に引渡した後でなければ造作代金請求権を以て、賃貸人の賃借人に対して有する他の債権と相殺し得ないとすることはこれ亦造作物の引渡義務につき相殺者（賃借人）の有する同時履行の抗弁権を奪う結果となり公平に反するから、賃貸人・賃借人双方の公平を図ろうとすれば、相殺者（賃借人）は反対給付（造作物引渡義務）を現実に履行するに至らずとも、その履行の提供をすれば、相殺の意思表示をなすことができ、相手方（賃貸人）が右履行の提供を受領するか又は故なく受領を拒絶した結果受領遅滞に陥ることにより相手方（賃貸人）の有する同時履行の抗弁権は消滅し、これと共に相殺の効力も生ずると解するを相当とする。従つて、本件においてもXが……相殺するには賃貸人たるYに対し、反対給付たる造作物引渡義務の履行の提供を要すると解すべきところ、Xがその提供をしていないことは口頭弁論の経過に徴し明らかであるから、Xの相殺の意思表示はその効力を生じない」（福岡高判昭三三・七・五下級民集九・七・一二三八）。

一〇 特殊問題

一 複数者の不法占拠

（一） 序言　複数人が何らかの程度・形で不法占拠に関わりをもつ場合（私はこれを「不法占拠への関与」と呼ぶ）、これをまず占有態容の面で眺めると、共同占有・代理占有・占有補助という三つの態容のいずれに属するかが問題となる。次に、これを不法占拠の基本的効果に嚙み合わせると、回復請求と賠償請求の双方について、さような関与者たちの被告適格性が問題となる。これらの点のあらましは、先例【77】【78】の理解と関連させて、**六**節**四**款(二)で或る程度まで説いておいたが（本書一一六頁以下）、損害賠償請求は、さらに、全額単独責任の人的範囲に関してはもちろん、量的範囲にも時には及んで、民法七一九条つまり「共同不法行為」の一場合を組成する。

この共同不法行為判例については、今からみると不十分だが、いちおうの整理を試みており（椿「共同不法行為」本叢書民法12参照）、ことに最近には「要件論」に関するすぐれた総合的吟味がなされている（川井「判例共同不法行為法」法律時報三四巻一一号一三頁以下)。が、不法占拠という一特殊類型に即して、今一度、判決例を(イ)一般複数者の場合、(ロ)妻の場合、(ハ)特殊な場合、にわけて検討しておきたい。

(二)　一般複数者のケース　最初は、その設例（＝傍論）でよく知られている大審院判例（判決要旨＝「他人ノ建物ヲ不法ニ賃貸シタル者ト、其ノ情ヲ知リテ賃借シタル者トハ、其ノ間ニ意思共通ノ有無ニ拘ラズ共同不法行為者トシテ其ノ責ニ任ズ」）。

【137】　Xは、Yが競落した（登記も終えXに所有権取得の通知もした）建物を、依然としてAに賃貸し家賃を受け取っていた。そこでYは、まずAに対して明渡と賠償を訴求し、勝訴判決が確定。Aは退去する。次いで、Xに対して、自分の所有権取得からAの退去までの賃料を返せと訴求（第二審で損害賠償請求と改めた）。――大審院は、本件賃貸行為は無過失ゆえ不法行為にならぬとするXの上告に対しては「少クトモ過失ニ因リYノ建物所有権ヲ侵害シ損害ヲ生ゼシメタルコトハ明カ」だと判示し、また、すでにAに対する損害金請求の勝訴判決が確定しているから、Aに強制執行すれば十分で、Xに賠償請求をするのは失当だとする上告理由に対しても、次のごとく判示して、結局棄却。

「共同不法行為ハ行為者間ニ何等ノ意思共通アルヲ要セズ。例ヘバ甲乙各製造所ヨリ流出スル毒物ガ相合シテ始メテ下流ニ於ケル人畜ヲ害スル丈ケノ毒力ヲ出シタル場合、又ハ各製造所ヨリ流出スルモノノミニテモ優ニ被害ノ因ヲ成シタル場合ニ、各製造者ハ相互ノ事情ニ付キ全然関知セザリシトキト雖亦共同不法行為者タルヲ失ハズ。況ンヤ本件ニ於テ、Aハ直接ニ本件家屋ヲ占有スルコトニ依リテ不法ニYニ損害ヲ与ヘ、Xハ前記Aニ不法ニ本件家屋ヲ賃貸スルコトニ依リテ其ノ不法行為ノ因ヲ成シタルニ於テ、両者ノ共同不法行為者タルハ論ヲ俟タズ。Yガ各自ニ対シ全額ノ損害ニ付キ其ノ責ヲ問フヲ得ルハ所謂請求権ノ競合ニ外ナラズ、一方ニ対シ確定判決ヲ得タルコト直チニ請求権ノ満足トナラザルニ於テ、原審ガXノ賠償義務ヲ肯定シタルコトニ何ノ違法カコレアラム。唯Yノ各請求権ノ孰レカガ弁済其ノ他ノ事由ニ因リ満足ヲ得タル場合ニ、他ノ請求権ノ当然ニ消滅スルハ所謂目的ノ達成ニ因ルモノ、所論ハ採用スルニ足ラズ」（大判昭一〇・一二・二〇民集一四・二三・二〇六四—椿・前掲書【31】【60】）（戒能・判民一三八事件、末川・民商三巻一一五一頁）。

(イ)まず、判旨冒頭の汚廃液放流に関する説示は、いわゆる相当因果関係と関連して、右両評釈をはじめ学説からは批判・非難を浴びている（椿・前掲書一三七頁、川井・法律時報三四巻一一号一七頁参照）。この例は、たぶんエネクチェルスの教科書から転用したものと思われるが（なお、或る時期までの判例を理解するには、大審院判事の読んだであろうドイツ・フランスの主要な学説にも留意する必要があろう）、ドイツ共同不法行為論の構成的特徴（＝わが判例理論との構成的差異）ことに右著者の理論構造に対する検討抜きで直輸入してきた点に、そもそも問題がある（椿「共同不法行為理論の再検討」法律時報三四巻一一号四頁以下・一一頁）。のみならず、誰がみても明らかに傍論であって、裁判所が時折用いる説得技術——ヨリ大なる場合を前面化させることによって、ヨリ小なる場合（＝当該事案）を正当づけようとする——の一つだともいえる。(ロ)次に、本判決の先例価値を考えてみよう。本件判旨は、もともと、Aへの勝訴判決でそちらへ執行すれば十分、というXの免責主張を斥ける（＝Xの責任を肯定する）ために、登場してきた。その際、大審院は、満足をともなわないかぎり各自の全額単独責任が維持さるべきこと（いわゆる異主体における請求権競合）を強調しているが、これは、もっと個別化していえば「判決の相対的効力」にほかならず、その結論は、AとXの共同不法行為→連帯債務（椿・前掲書【57】）→民法四四〇条という推論によって得られる（もちろん、共同不法行為責任を「不真正連帯債務」とみても、この点は同じ）。しかも本件では、Xの過失・違法・因果関係は明らかであり、Aもまた過失ある加害者だとすれば（なお判決要旨は、Aをもって「其ノ情ヲ知リテ賃借シタ」としているが、どういう事実からそう認定したか明らかでない。民法一八九条二項における「悪意」の翻訳ならば、必ずしも故意過失に直結しないとされており（たとえば前出【106】参照―ただし本書一六八―九頁）、また、Xの競落と起訴とのあいだに間隔があれば、その間は右条文では片づかない）、一個ないし同一の損害に対する共同原因（周知のとおり、わが判例では、客観的共同原因説は、その機能方向は別として、大正末期にはすでに確立した判例理論となっている（椿・前掲書【9】参照））ということに何の困難もない。――かような意味で、本判決を共同不法行為の要件ことに因果関係に関する先例と読むことは（川井・右掲）、もとより差しつかえないが、私はむしろ、共同不法行為の効果ことに一人に対する判決の効力に関する先例と理解しておきたい（なお連帯債務そのものとしても、判決の効力に関する明確な先例はない（椿「連帯債務」本叢書民法16七八頁参照））。

次の二つは最高裁関係。第一の事例は「数人による家屋不法占有と共同不法行為の成否」（判示事項）についてである。

【138】　Aは、Yら三名の先代から本件家屋を賃借していたが、大戦末期に疎開する際、遠縁のX_1に右家屋を無断で転貸した。X_1は、二階の一室をみずから使用し、他の数室をそれぞれX_2X_3およびＢＣ（＝一審のみ被告）に無断再転貸。Yは、Aに対して無断転貸を理由に賃貸借を解除し、X_1らに対しては占有部分の明渡と家屋全体の統制賃料相当額損害金の連帯支払とを訴求する（なお原賃貸借を解除しているから、六節三款の問題は生じない）。原審は、解除を有効と認め（賃料不払の事実も認定）、かつX_2X_3は非従属的な不法占有者として右損害金を連帯して支払えと命じたので、X側は、全部無断転借人X_1と一部無断再転借人X_2X_3とでは、X_2X_3占有部分についてなら共同不法占有があるとしても、ＢＣらの占有部分についてまでX_1とX_2X_3のあいだに共同占有が成立するいわれなし、と上告。この部分は原判決を破棄差戻。すなわち、「原判決は、X等を共同不法占有者として連帯して右金額（引用者註―本件家屋全体の統制賃料額）を支払

う義務ある旨を判示しているのであるが、家屋の一部占有者に過ぎないX_2及びX_3が、何が故に、X_1と連帯して、右家屋全部についての賃料相当額を支払う義務があるかについては、原判決は何ら説示するところはないのであつて、この点において、原判決は、理由不備の違法あるを免れ」ない（最判昭二九・四・二民集八・四・七九四―椿・本叢書民法12【33】）（明石・民商一巻二九〇頁、三淵・三最高裁判例解説五八頁）。

判旨は理由欠除を突いただけとも読めるが、三淵解説は、占有部分と賠償範囲を直結している。明石批評は、共同占有の意思的要件と日本家屋の構造を考えて、本件は（単純）共同占有とみらるべきでないか、共同占有が不成立でも意識共同の範囲では共同不法行為を認むべし、と反対評釈を加えた。が、川井説は、破棄後の事実審理如何で全部責任が認められる可能性もあるが、この【138】は「行為者を酷にすぎることのないようにしようとの配慮がうかがわれ、まことに妥当な判決」だとみる（川井・前掲一九頁参照）。

第二の事例は、前出【113】の判旨後半であつて、X_2らの占有使用とYの損害とのあいだには特別事情なきかぎり相当因果関係なしと述べたあと、すぐ続けて次のようにいう。

【139】「さらに、仮りに特段の事情があつてX_2らもまたYの本件土地の使用収益を妨げたものと解すべきものとしても、X_2らは本件建物の各判示部分を占有使用するに過ぎないこと前記の如くである以上、土地の占有も原則としてその全部には及ばないと解せられるにかかわらず（原判決は、右X_2らが共同して本件宅地を占有していることは当事者間に争がない旨判示したが、記録によれば、X_2らは本件建物中判示各部分を占有する事実を認めたに過ぎず、共同して本件宅地の全部を占有する事実を認めた形跡はうかがわれないから、

右判示は誤りである)、原判決がX_2らに対しX_1と連帯して本件土地全部についての賃料相当額の損害金を支払うべき旨を命じたのは、損害賠償の責任の範囲を定めるについて法律の解釈を誤ったもの」(最判昭三一・一〇・二三民集一〇・一〇・一二七五―椿・本叢書民法12【17】)(評釈類は【113】参照)。

柚木批評は、占有割合による賠償という点について、X_2らは一棟の建物の一部を占有しており、「その一人または数人がその賃借部分を占有使用する限り、その建物は全体として収去不能となり、その限りにおいて全体としての土地の利用が妨げられることとなる」から(傍点は引用者)、むしろ原判示のほうを正当とみる。来栖評釈も、地上権者Yの「土地の権利の実行を困難ならしめ、地上権者に損害を加えた限度で」X_2らは賠償すべしとする。山中批評は、この点では判旨に賛成。川井説は、さような数量的な現われが共同不法行為の成立範囲を画する決定的規準たりうるか、を疑う(川井・前掲二一頁)。

さて、【138】では建物の一部再転借人が全部無断転借人と並んで、また【139】では不法占拠地上の建物一部賃借人が賃貸人(＝土地不法占拠者)と並んで、おのおの損害全額について賠償責任を負うかが問題になっているが、われわれは、ここで、二系統の判例法理――占有態容の如何と責任の成否(本書一一六頁)および責任の成否と因果関係(本書一六九頁以下)――の接合にもとづく解釈論の展開をみることができよう。もう少し詳説すると、【138】や【139】では、【137】におけるXのごとき独立的ないし主役的な加害者でなく、いわば従属的もしくは間接的な加害者と評価できる者の共同不法行為責任が問題となっており、最高裁は、占有(↓侵害)の量的差異(一部占有と全部占有)ないし質的差異(敷地に対する間接的関係と直接的関係)なる形式的標準によつて、責任を制限しようとする態度を示しているようである。この標準自体には批判の余地もかなりあるが、実はさような表見的「理由づけ」を通して、最高裁は、すでに古い大審院先例【77】にみられる評価態度（本書一一六頁参照）を、間借人やケース賃借人にも及ぼし、しかも賠償範囲を限定しようとするのだろう。その際に恰好な武器は因果関係論であって、これら両判決は、さような先例として理解できる。――元来、共同不法行為責任の法的目的は、各自に全額単独責任を課すことによって被害者の保護（権利追行における安全と便宜）を厚くする点に存するが、七一九条の適用要件を緩和し（共謀必要説から客観的共同原因説へ、時には単なる不法行為の併存でも可とし）かつ効果を厳格にする（真正連帯から不真正連帯へ）ほど、その方向は強められる。その結果が加害者にとって酷にすぎ公平を失すると判断されるとき、共同不法行為は、その成立（＝オール・オア・ナシング）だけにとどめず、いわゆる「全額」を量的に制限することも考えられるはずであり、このことは、事案・事実の多様性に応じうる段階的・類型的な解決策として是認されうるものと考える（なお、論理必然的な連関はないが、前述した転借人の「従属的地位」の緩和が進行すれば、その裏返しとして、責任の強化も考えられぬではない）。

（三）妻に関するケース　不法占拠による損害賠償に際して、妻（法律婚と準婚の基本的な差異を「相続効果」に求めるならば、内縁の妻を今の問題で区別する必要は、もとより存しない）は共同不法行為者としての責任を負うか（なお内縁夫婦が明渡請求の共同被告になった例は、前出【55】）。――これについては、内縁の妻や使用人を「目するに不法占有者を以てすべからざるは言を俟たず」（大判昭六・一二・一二法学一・四・五一八）とか、内縁の妻は「特別ノ事情ナキ限リ同居ニ依リ主宰者ト共同ノ関係ニ立チテ家屋ニ対スル他人ノ所有権ヲ侵害スルモノト云フコトヲ得」ず（東京控判昭七・三・二九評論二一民法五五六）というような例のほか、次の大審院判例がある。

【140】 X_1X_2夫婦が子女三人とともに、Yの買った家屋を不法占拠していた。原審が両人の連帯賠償を命じたので、X側は、妻は夫に従って本件家屋に入ったもので、原判決は理由を明示せずに共同不法占拠による賠償を命じていて違法、と上告。

「我国ノ社会事情ニ顧レバ、特別ノ事情ナキ限リ妻ハ単ニ夫ニ従ヒテ之ト同居スルニ過ギザルモノト推認スベク、斯カル場合ニ於テハ、妻ノ居住ハ夫ノ占有ノ範囲内ニ於テ行ハレ独立ノ占有ヲ成スモノト云フコトヲ得ズ、従テ夫ノ占有ガ不法ナル場合ニ於テモ不法占有ノ責任ハ夫ノミ之ヲ負フベク、妻ガ之ト共同不法行為ノ関係ニ在ルモノト謂フヲ得ザルモノトス。原判決ハ用語妥当ヲ欠クモノアリト雖モ、判文ノ全旨ヲ援用ノ証拠ニ対照シテ其ノ真意ノ存スル所ヲ察スルニ、X_2ハ単ニ夫ニ従ヒテ本件家屋ニ同居シタリト云フガ如キ関係ニ非ズ、却テ夫X_1ノ本件家屋ノ不法占拠ニ加担シ共ニ与ニYノ所有権ヲ侵害シタルモノト認メ、之ニ連帯賠償責任ヲ負担セシメタルモノナルコトヲ推知スルニ難カラズ。従テ、原判決ニ所論ノ如キ不法アリト為スコトヲ得ズ」（大判昭一〇・六・一〇民集一四・一二・一〇七七―椿・前掲書【36】）（末延・判民六五事件、木村・民商二巻一〇二八頁）。

この【140】は、判旨の論法に従えば「特別ノ事情」が認められて妻の連帯責任を肯定したのであるが、妻の加担・共同の事実が判例集のうえで全く不明なのは遺憾とされ（末延評釈）、破棄して特別事情を再審理させるべきだった、と評される（木村批評）。また末弘説は、本判決を一つの素材として、いわゆる「家団」論をさらに展開している（末弘「家団の不法行為（民法雑記帳47）」法律時報一二巻八七九頁）。

昭和二二年の民法改正によって婚姻像が全面的に改められてからは、次のような下級審判例がある。

【141】 内縁の夫婦Y女とA男とが、三年あまりの同棲中、X所有の家屋を不法に占拠したとして、Xから、賠償債権の執行を保全するため、Y所有動産に対する仮差押を申請。第一審は、YがAの家族として占有を

ともにするだけだとしたため、Xは、両人が法律上の夫婦ではない、Yは自己名義で美容室を経営したことがある、と主張して連帯責任を否定した部分の取消を求める。抗告は次のごとく容れられた。

「占有権とは、物に対し事実上支配しうる関係を法が保護したものであるが、家族や雇人等は、その居住家屋又は事務所において、家庭の主宰者や主人のため、その意思にしたがつて、目的物に対する支配を行うものにすぎないから、そこでは家庭の主宰者や主人の直接の占有権が存するにすぎず、家族もしくは雇人に対しては通常独立の占有権は認められないこと、原決定のゆうとおりである。しかしながら、右家族の居住家屋に対する事実上の支配の関係が右のとおりである以上、相手方が、その内縁の夫の占有権を行使するため、これと共同して損害の原因たる行為をしたものとするになんら妨げるものではない。民法七一九条二項では、教唆者及び幇助者を共同行為者と看做しているが、相手方の右の関係は、共同行為を現実になすものであるから、故意もしくは過失の意思責任があるかぎり、同条一項にあたると考うべきである。したがつて、原決定が、相手方は、家族として本件家屋を占有するものにすぎないことのみを理由として、ただちに相手方に対するこの間の家屋不法占有にもとづく損害金債権についての本件申請を、容認しなかつたのは失当である」(大阪高決昭三二・六・二〇民集一〇・四・二四九—椿・前掲書【37】)(乾・立命法学二二号一一九頁)。

【142】 賃料不払のために家屋の賃貸借を解除された夫婦が、依然として占有を続け妻名義で金物店を経営していた(実質的には共同で営業しているものと認定されている)。妻Yだけが、解除前の延滞賃料および解除以後の損害金につき、家主Xから訴求された。裁判所は、日常家事債務(民七六一)を理由とする請求も、共同不法行為を理由とする予備的請求も、これを認めず、延滞賃料の支払のみを妻に命じたが、共同不法行為に関しては次のごとく判示している。

「本件において共同の不法行為と言うがためには、先ず夫婦双方が独立して本件家屋につき不法占有を構成することが必要なのであるが、通常家屋の賃貸借の場合においては、賃借人に非らざる妻はただ夫に随つて居住するもので、その占有は独立性をもたず夫の占有を補助するに過ぎなく、従つて不法占有者たる責任は夫のみこれを負担し、妻は共同不法行為者とならざるを原則とすると解すべきところ、本件の場合前示の事実のみによつては未だYの行為が独立の不法行為としての価値あるものとは認め難く、その他Xの全立証をもつてしても、Yの行為が独立の不法行為としての価値あるものなることを肯認するに足りる特別の事情の存在は認められない」（札幌地判昭三二・九・一八下級民集八・九・一七二二―椿・前掲書【38】）。

先例【140】の一般論や近時の下級審【142】によれば、妻は、独立占有者（→共同占有者）でなく単なる占有補助者であることが、彼女の共同不法占拠による共同賠償責任を否定する理由づけとされているが、これと同様な考え方は、使用人の責任に関する最高裁先例【78】にもみられる。もつとも、下級審【141】のように、占有態容と損害賠償とを切断しようとするやにみえる考え方もあり、右乾批評は「共同不法占拠は共同不法行為の要件を満たせば成立するのであつて、占有権の成立如何とは無関係である」と述べている。乾説は、もつぱら損害賠償の要件として不法占拠の概念を理解するわけであろう。

さて、妻にも不法占拠賠償の被告適格を認むべきか否か。これは、そう簡単には決められないように思う。まず、先例【140】当時の諸ファクターを考えてみると、(イ)妻は制限的行為能力者であつた、(ロ)日常家事債務につき夫の代理人とみなされていた、(ハ)妻は夫と同居しなければならなかつた、(ニ)妻が財産を所有する例外的場合にも、管理収益権は通例夫の手にあつた、(ホ)妻は実家における家督相続（主な財産の承継は、いわゆる遺産相続よりも、こちらのほうで行なわれた）のチャンスがまずなかつた、(ヘ)さらに婚姻の実態は、圧倒的にいわゆる主婦婚（Hausfraueheだつた。かような妻の従属的地位や無資力からすると、彼女を占有補助者とみることは、構成として不適切でなく、賠償無責任という結論においても妥当であろう。だが、現行法のもとでは、右(イ)ないし(ニ)が全面的に改められて、妻は夫と平等かつ独立の法的地位を取得するにいたつた。また、(ホ)に関しても、兄弟たちと何ら法上は差別されなくなつた。かかる変更や民法一条ノ二を、不法占拠賠償においても強調するならば、先例【140】の一般論を棄てて妻の共同占有（↓共同不法行為責任）を認める、という考え方が出てくる（柚木・判例物権法総論二八六―七頁、鈴木・物権法講義一五七頁参照）。しかし、(ホ)の実態や(ヘ)の現状を考えるとき、これは形式的にすぎるともみられぬではなく（椿・前掲書一四三頁、椿・家族法講義（序論・親族法）一八頁参照）、また、共同不法占拠責任を占有態容に結びつけることに対しては、前述のように乾批評が反対している（もっとも、独立占有がないと裁判所がいう場合、それは妻や使用人の賠償責任を否定する「理由づけ」にすぎぬことを忘れてはならぬ）。

ところで、右のような議論は、どちらかといえば観念的ないし学者的な視角から生ずる。実際問題としては、原告側の弁護士が少し注意して、妻だけを訴えるようなヘマをやらず、夫を共同被告にしておいて、もし共同不法行為が認められないならば夫に単独的請求をするとしておけば、まず変な結果にはならぬはずである（なお【141】のように、内縁関係がかつて存在したが今は解消している、という場合に十分気をつけるべきだ）。そこまで手を打つてなお請求棄却となれば、その場合は賠償請求それ自体が否定的に判断されているのであつて、もはや今の場合の問題ではない。

（四）　特殊なケース　一つは、建物譲渡人（特に登記と関連して三節二款参照）の連帯賠償責任を肯定した非公式先例。

【143】 地主YはAに本件土地を賃貸し、AはBに転貸。Bは該地上に建物を所有していたが、Xがそれを競落。Yは、Aの賃料延滞にもとづいて契約を解除し、Xに対して収去・明渡・賠償を訴求した。Y勝訴判決が確定したけれども、Xは、右訴訟継続中に右建物をCに売却し、即日登記・引渡もすませた。おそらく、自分は現在の所有者でないから賠償責任なし、と上告したのだろうが、

「叙上原審の認定したる事実に依れば、XはCの本件土地を不法に占有し来りしことに付、之を幇助したるものと認むべきものなるを以て、本件建物の譲渡行為が縦令権利行為なりとするも、Xは右Cの為す不法占拠に付、共同不法行為者として責に任ずべきは勿論なりと謂ふべく、原審が同趣旨の判示を為したればとて所論の如き違法ありと為すを得ず」（大判昭一二・五・七法学六・九・一二二一―椿・前掲書【54】）。

もう一つは、近時の下級審であって、判示事項に掲載されておらぬが、債務不履行のため賃貸借を解除された（→不法占拠者となった）Aの家族で構成される同族会社Xに、Aとの連帯賠償を命ずる際に、Xや従業員に独立の占有を認めた例がある（東京高判昭三一・八・一七下級民集七・八・二二一三）（本判決については、広瀬・借地借家法の諸問題八九―九〇頁も参照）。

二　留置権関係

（一）　民法二九五条二項　　同条項によれば、留置権は「占有カ不法行為ニ因リテ始マリタル場合」には成立しないと書かれているが、周知のとおり、判例は、賃貸借ケースを中心として正権原が消滅した（＝言葉の国語的ないし本来的な意味では不法行為といえぬ）場合へも、右規定を拡大適用しており（判決例は薬師寺「留置権」本叢書民法19一二頁以下）、多くの学者はこの方向を是とする（我妻・担保物権法二五頁、石田・担保物権法論・下六六二頁など）。――そのリーディング・ケースは、次掲【144】である。

【144】　家主Aは、借家人Xが全然賃料を払わないので、契約を解除したが、Xは依然として居すわり、解除後数ヵ月経って家屋を修繕。Yは、Aから右建物を買い、Xに対して明渡と賠償を訴求。これに対しXは、原審で、右修繕費につき留置権を主張したが、解除以後は「不法ニ右建物ヲ占有スル」者だとして斥けられたので、本件は占有が不法行為で始まつた場合ではないと上告する。しかし、結果は棄却。

「民法二九五条二項ニ所謂占有ガ不法行為ニ因リテ始マリタル場合トハ、不法行為ニ因リテ他人ノ物ノ占有ヲ取得シタル場合、即占有ヲ取得シタル行為自体ガ不法行為ナル場合ヲ指称スルモノナレバ、不法行為ニ因リテ他人ノ物ノ占有ヲ取得シタルニ非ザル場合ニハ、占有者ノ善意ナルト悪意ナルトヲ問ハズ同条項ヲ適用スベキ限ニ在ラザルガ如シト雖モ、法ガ不法行為ニ因リテ始マリタル占有ノ場合ニ占有者ニ留置権ヲ与ヘザル所以ノモノハ、如此占有者ハ其占有ノ不法ナルガ為メ之ヲ保護スルニ値セズト為スニ外ナラズシテ、占有ガ不法行為ニ因リテ始マリタルニ非ザル場合ト雖モ、占有スベキ権利ナキコトヲ知リナガラ他人ノ物ヲ占有スル者ニ在テハ其占有ハ同ジク不法ナルヲ以テ、類推解釈上、斯ル占有者モ民法二九五条ニ依リ留置権ヲ有セザルモノト為サザル可ラズ。

是故ニ、他人ノ物ヲ賃借シタル者ハ、賃貸借ノ解除セラレタル後ニ賃借物ノ為メ費シタル金額ノ償還請求権ヲ担保スルガ為メニ賃借物ヲ留置スルコトヲ得ズ。何トナレバ、賃借人ハ賃貸借ノ解除セラレタル以上ハ賃借物ヲ占有スベキ権利ナク又其権利ナキコトヲ知リタルモノト推定スベキハ当然ナレバナリ」（大判大一〇・一二・二三民録二七・二一七五—）（末弘・判民・薬師寺・前掲書【6】）（一八九事件）。

末弘評釈は、本判決を、賃貸借終了後の損害賠償について債務不履行と不法行為の競合を認めた先例【104】の応用だと解し、(イ)悪意占有だけでなく善意・有過失の占有も同様に扱うべきだ、(ロ)留置権を生ずべき債権が、借家の占有が不法占拠となる以前すでに存在していたら、賃貸借終了後も留置権は存続し、その場合には占有の違法性が阻却されるから、その後の債権も留置権の根拠たりうるとみるべきではないか、などと注意する。

右の判決を先例として引くものに、既出【61】のケースがある（そこで紹介したように、Xが売渡抵当の設定者らしいとすれば、彼は改めて賃借している場合もあるわけだが、不明）。

【145】 Xの上告理由は、悪意占有の場合には二九五条二項の適用を受けない、というのだが、

「占有ガ不法行為ニ因リテ始マリタルニ非ザル場合ト雖、占有スベキ権利ナキコトヲ知リナガラ他人ノ物ヲ占有スル者ニ在テハ其ノ占有ハ同ジク不法ナルヲ以テ、民法二九五条二項ヲ類推適用シテ斯ル占有者モ亦同条一項ノ留置権ヲ有セザルモノト為スベキコトハ、夙ニ当院ノ判例トスル所ナリ（【144】参照）」（大判昭六・五・三〇新聞三二九三・一二―薬師寺・前掲書【7】）。

しかし、先例の解釈論に従わない破棄判決もある（軽過失のときは留置権ありとする立場から反対――勝本・担保物権法下一〇二―三頁）。これは非公式先例だが、

【146】 Xの賃借家屋が家主の県税滞納により公売処分を受け、競落人Yが登記もすませてXに明渡を請求。原審は、本件賃貸借がもはや更新不能となつて、二回目の更新満了をもつて終了したと判断し、以後において該建物のために支出した費用にもとづき建物を留置しえないと判示。X上告。

「占有ガ不法行為ヲ構成スル場合ヲ除キ、他人ノ物ノ占有者ガ其物ニ関シテ生ジタル債権ヲ有スルトキハ、其弁済ヲ受クル迄其物ヲ留置スル権利ヲ有スルコトハ民法二九五条一、二項ノ規定ニヨリ明ナル所ナリ。X

ノ本件家屋ノ占有ガ正当ナル権限ナキモノナレバトテ、直ニ之レヲ目シテ其占有ガ不法行為ヲ構成スルモノト為スヲ得ズ。不法行為ニハ故意又ハ過失ヲ必要トス。Xハ本件占有ガ正当ノ権限ナキモノナルコトヲ了知シタルヤ又ハ之レヲ了知セザルニ付キ過失アリタルヤ否ヤニ付テハ、原審ノ説示スル所一モ見ル可キモノナシ。左レバ原審ハ、前記民法二九五条二項ヲ無視シテ裁判ヲ為シタル不法アルモノニシテ、原判決ハ全部破棄ヲ免レズ」（大判昭一三・四・一六判決全集五・九・九一薬師寺・前掲書【8】）。

近時の高裁上告審判決には、【144】の末弘評釈に従つて、過失ある善意占有者にも二九五条二項を適用したものがある（なお薬師寺・前掲書一五頁は、この判決が右【146】の趣旨に従つたと解説しているが、そういう読み方には賛成しがたい）。

【147】 Y所有家屋につき、昭和二五年九月YとAB間で、二六年末までに後者が明渡す旨の調停が成立したが、二五年一〇月Xは権利金を払つてABから賃借権を家主に無断で譲り受けた。二七年二月になつて、Xは、Yより家屋明渡の執行を受け、請求異議の訴を提起。われわれに関係があるのは、原審でXが出した留置権抗弁であるが、上告審でもXの主張は通らなかつた。すなわち、

「民法二九五条二項……は、占有取得行為自体が占有の侵奪とか、詐欺・強迫とかによる場合にかぎらず、留置権によつて担保せられる債権の債務者に対抗し得る占有の権原がなく、しかも、これを知り又は過失により知らずして占有を始めた場合をも包含するものと解するのが相当である。蓋し、後の場合も前の場合と同様、占有者に留置権を認めて、その者の債権を特別に保護しなければならないなんらの理由がないからである。そして、Xが原審で主張した留置権はYに対する費用償還請求権を被担保債権とするものであること記録上明白であり、本件建物に対するXの占有取得が上記原判示のとおりであるから、前示民法の条項によつて、XはYに対し留置権を以て本件建物の引渡を拒むことができない」（東京高判昭三〇・三・一一民集八・二・一五五―薬師寺・前掲書【9】）（田中（整））

民商三七巻一二三頁）。

以上四例につき、若干の註釈を加える。(イ)これらの事案は、【145】を除けば、賃貸借ケースであり、かつ争点は、いうまでもなく、明渡すべき賃借人（ないし賃借権譲受人）が、家屋の所有者または取得者に対し、費用償還との引換履行を求めうるかに関している。ところで「費用償還」については期限許与（＝交換給付の否定）を認める規定が別に存していて（民一九六Ⅱ但書や六〇八Ⅱ但書）、それらからの影響も考えられるし、なかんずく「引換給付」の許否という面を採り上げれば、公平→利益較量→個別事情審査のモメントが、おのずと前面化しやすいはずである。かような観点から眺めると、先例【144】のごとく、家賃を当初から全く払わなかった借家人が、解除された後で家屋を修繕した事案について、裁判所が引換給付（償還請求権そのものではない！）を否定したことは、きわめて妥当である。とともに、【146】が、公売のために更新不能と判定された事件につき、留置権を否定した原判決に対して、かなり消極的な態度を示して（だけし、先例に比し、右条項の適用場合を狭める一般論に立脚しているから）再審理を要求したことも、妥当と考える。(ロ)もっとも、家主に無断で賃借権を譲り受けた者が家屋改修費を出した【147】は、もし彼が全く事情を知らなかったとすれば、せめて引換給付くらいはということも考えられぬではないが、やはり一般には尻は賃借人にもって行かすべきだろうか。むしろ問題とされているのは、【144】【145】と異なり、悪意占有者のみならず過失ある善意占有者へも引換給付の否定を拡大している【147】の「構成」であって、これに反対して段階的取扱いを推す示唆に富む学説がある（柚木・担保物権法二三頁（今の問題に限定して紹介すれば、過失ある善意の占有者には、留置権を認めることこそ公平にかなうとする））。(ハ)次に、【144】【145】では、悪意占有と不法占有とは、同じ意味の言葉として使われているようにみえるが、この用語法を是認するときには、留置権効果の付与が問題となつている場合であることに十分注意しなければならぬ。損害賠償では、前出【106】その他にみられるとおり、両者をうつかり混用すると、破棄の口実にもなる。これも、不法占有・不法占拠という言葉の多義性が現われている一場合である。(二)なお、【145】が売渡抵当ないし譲渡担保だとすると、設定者Xが目的物の譲受人Yに対し留置権を主張できるか、はそこでも問題の一つになつている(四宮「譲渡担保」本叢書民法17二〇四頁・二三六頁参照)。そして、最高裁には「不動産を売渡担保に供した者は、担保権者が約に反して担保不動産を他に譲渡したことにより、担保権者に対して取得した担保物返還義務不履行による損害賠償債権をもつて、右譲受人からの転々譲渡により右不動産の所有権を取得した者の明渡請求に対し、留置権を主張することは許されない」(判決要旨)とする棄却判決がある(最判昭三四・九・三民集一三・一一・一三五七)(我妻・法協七八巻三四五頁、柚木・民商四一巻三五八頁、真船・最高裁判例解説二三五頁、椿・判例演習(物権法)一六九頁)。

(二)　借地上建物賃借人の敷地留置権　かかる者の法的地位一般については、すでに**四**節で取り扱つたが、表題の問題について。

【148】　Yは所有地をAに賃貸し、Aはそこに建てた建物を昭和四年秋Z(被告・上告人)に売つたが、この前後に家屋はXら六名に賃貸された。ところが、YA間の借地契約が大正一四年暮に特約上の義務違反によつて解除されており、Yは、Zに対しては、Aから建物を買つた当時すでにAの賃借権がなかつたとして、建物収去・土地明渡ならびに不法占拠中の損害賠償を、またXらに対しては家屋からの退去を、訴求するにいたつた。――われわれの問題に関係するのはXらであつて、原審で、右借家人に修繕費などを支出したから

建物に対する留置権でY所有地も留置できると主張したが、認められなかつた。上告審でも、

「民法二九五条ニ依レバ、留置権ハ他人ノ物ノ占有者ニ於テ其ノ物ニ関シテ生ジタル債権ヲ有スル場合ニ限リ其ノ物ヲ留置シ得ベキ権利タルニ過ギズ。……然ルニ、X等ハ本件地上ノ建物ニ関シテ生ジタル債権ヲ有スル事実ヲ主張スルノミニ止マリ、該土地ニ関シテ生ジタル債権ヲ有スル事実ヲ主張スルモノニ非ズ。又X等ハ右建物ノ賃貸人ニ対シテ債権ヲ有スル事実ヲ主張スルノミニ止マリ、本件土地ノ所有者タルYニ対シ債権ヲ有スル事実ヲ主張スルモノニ非ズ。然ラバ、X等ハ其ノ主張スル債権ノ為メニ本件建物ニ付留置権ヲ有スルモノト仮定スルモ、其ノ敷地ヲモ留置シ得ベキ権利ヲ有スルモノト解シ難ク、且他ニ建物ニ付留置権ヲ有スル者ハ当然ニ其ノ敷地ニ付テモ留置権ヲ有スルモノト解シ得ベキ根拠ナキガ故ニ、結局原判決ノ所論説明ハ相当……」(大判昭九・六・三〇民集一三・一六・一二四七―薬師寺・前掲書【33】)(吾妻・判民九三事件、浅井・民商一巻三一〇頁、薬師寺・志林三七巻五一三頁)。

浅井批評は、土地と建物のように本来切り離せない関係において、右判旨の結果は利用権保護上問題だとみたが、柚木説は、近時、建物留置権が有名無実になるとの理由で、建物留置権の反射的効果として敷地の明渡も拒絶できる、と改説するにいたつた(柚木・担保物権法二〇頁参照)。——本件事案に即してみていくと、吾妻評釈も指摘したとおり、建物買受人＝賃貸人Z自身が無権原占有者だから、Zよりの借家人Xらもまた無権原の土地占有者である。しかも、本件では、Z自身の建物買取請求は、建物取得がAの賃借権の消滅より後だつたため、否定されている(なお、Zが行使できるのにそうしない場合、Xらの代位行使が許されるかについては、本書五六頁)。さらに、YAの関係は合意解除によつて消滅したのでもない。とすれば、判旨結論は、改廃されがたい安定性をもつようにみえる。

（三）　留置権ある借家人の利得償還　建物買取請求後の利得償還義務については、前述したが（三節三款(二)参照）、ここでも同様に肯定されている（なお【149】の名称問題については前出【117】【118】も参照）。

【149】　建物買主Yの明渡・賠償請求に対して、借家人Xは賃借中に加えた必要費・有益費につき留置権を主張したが、Yはさらに民法二九八条によつて消滅請求をする（最後の点は、本判決によつて大判昭五・九・三〇新聞三一九五・一四の見解が改められたが省略—明石・判例演習・物権法一八〇頁以下など参照）。原審は、留置権行使としての居住は不法占有でないから、Xには家賃相当の賠償義務なしと判示したが、大審院は次のごとく破棄差戻。

「留置権者ガ留置家屋ヲ占有スルハ不法占有ニ非ザルヲ以テ、之ニ対シ其ノ占有期間内ノ損害金ヲ請求スルヲ得ザルヤ論ヲ俟タズト雖、留置権者ガ其留置スル家屋ノ保存ニ必要ナル方法トシテ之ニ居住使用スルハ、固ヨリ不法占有ニ非ザルヲ以テ損害賠償ノ義務ナキハ勿論ナレドモ、其ノ居住使用ニ因リテ当然享クル利益ハ之ヲ所有者ニ償還スベキ義務アルモノト解スルヲ妥当トス。……Yノ本訴請求ノ趣旨ハ、要スルニXノ本件家屋ノ占有期間内一カ月六円宛ノ割合ニ依ル金員ノ支払ヲ訴求スルニ在リテ、損害金トハ単ニYガXノ居住ヲ以テ不法占拠ナリトスル自己ノ法律上ノ見解ニ基ク主張タルニ過ギズシテ、若シ不法占有ニ非ズトスルモ同一金額ノ弁償ヲ受クルコトヲ得ベシトセバ、敢テ必シモ損害賠償ノ名目ニ拘泥固執スルコトナクシテ其償還ヲ訴求スルノ意思ナキモノト即断スルヲ得ザルモノアリト云ハザルヲ得ズ。故ニ原審ハ……釈明権ノ行使ヲ怠リタルモノ」（大判昭一〇・五・一三民集一四・一〇・八七六—薬師寺・前掲書【43】）（我妻・判民五三事件、柚木・民商二巻八五八頁）。

この「償還スベキ義務」は不当利得にほかならず、我妻評釈も判例がそういうことを希望していた。ただし、右【149】を先例として引く棄却判決（大判昭一五・五・一三評論二九民訴二三九）は、まだ何ともいわず、次掲【150】が始め

て不当利得だと明言するにいたつた。すなわち、

【150】「留置権ハ留置権者ガ自己ノ債権ノ弁済ヲ受クル迄留置ノ目的物ヲ引続キ占有シ得ル権利ニ外ナラズ。故ニ家屋ノ賃借人ガ其ノ賃借中支出シタル有益費ノ為留置権ヲ有スル場合、ソノ権利ノ行使トシテ賃借権消滅後モ引続キ右費用ノ償還ヲ受クル迄当該家屋ヲ店舗或ハ住居トシテ使用シ得ルモノハ、単ニ其使用ガ右家屋ノ保存ニ必要適切ナルガ為ニシテ、賃借人タリシ留置権者ニ積極的ニ利益ヲ得セシムルコトヲ趣旨トスルモノニアラズ。従ツテ、当該家屋ノ使用ニ依ツテ留置権者ノ受クル実質的ノ利益ハ、之ガ為当該家屋所有者ニ損失ヲ及ボス限リ不当利得トシテソノ家屋所有者ニ返還スベキモノト解スルヲ相当トス」（大判昭一七・一〇・二七法学一二・五・四二一—薬師寺・前掲書【64】）。

三　換地処分との関係

換地処分は、実際上わりあい出会う問題であるが、理論上も、いわゆる私権形成的公法行為（der privatrechtsgestaltende Staatsakt）という印象的な言葉が示すとおり、公法と私法が交錯し時には衝突する重要な「限界領域」問題であるように思われる。これに私法学の側から手を染めようと考えてより六、七年経つが、まだ全く見通しが得られていないので、ここでは、不法占拠と関連するかぎりにおいて、若干の事例を並べる程度にせざるをえない。

まず、損害額の算定方法（＝どちらの坪数によるか）に関する大審院判例（川島評釈は、判旨正当かつきわめて当然と評する）。

【151】Xら七名は、Y所有地を借りて建物を建築所有していたが、関東大震災で右建物が焼失したので、Yに頼み二年間の約束でバラックを建てた。ところが、期限がきても明渡さぬのみか、さらに特別都市計画

による右土地の換地をも占有するにいたつたので、Yは明渡と賠償を訴求。原審は、明渡請求を認め、かつ換地前の坪数を標準とする賠償を命じた。大審院で、旧地を標準とした点が破棄差戻となる。すなわち、

「……特別都市計画ニ付キ準用セラルル耕地整理法一七条ニハ、換地ハ之ヲ従前ノ土地ト看做ス旨規定スルモ、其ノ法意ハ従前ノ土地ニ対スル権利関係ニ付テノミ右両地ノ同一性ヲ認ムルニ過ギズシテ、例ヘバ不法占有ノ関係ニ於テモ亦換地ヲ従前ノ土地ト看做スモノニ非ズ。今本件ニ付キ之ヲ観ルニ……本件土地ニ付キ……換地処分アリテ従前ノ土地ヨリモ其ノ坪数減少シタルコト当事者間争ナキ所ニシテ、該換地処分ノ数年前……既ニ業ニ本件賃貸借契約終了シ爾後X等ガ正当ノ権原ナクシテ該土地即従前ノ土地次デ換地ヲ占有スルモノナルコト原審確定ノ事実ナリ。故ニ、前記ノ理由ニ依リX等ノ該不法占有ニ付テハ、右両地ハ同一性ヲ有セズ。X等ハ仮令借賃減額ノ請求（筆者註—民法六一一条の）ヲ為サズトスルモ、換地ノ不法占有ニ基キ当然ニハ従前ノ土地ノ借賃ト同額ノ損害金ヲ支払フベキ義務ヲ負担スルコトナシ。然ラバ則チ原審ガ……賃貸借ハ換地処分ノ前後ニ亙リ同一性ヲ失ハザルガ故ニ賃借人タルXニ於テ民法六一一条ニ依リ減額ノ請求ヲ為サザル限リ賃料ハ当然減額セラレザルモノナリト前提シ……タルハ……違法……」（大判昭八・六・三〇民集一二・二〇・一九七九）（川島・判民一三四事件）。

次は、換地予定地を無権原で占拠する者に対して、従前の土地の所有者がなす明渡請求につき、それを認容した最高裁判決。

【152】 Yは昭和二一年一一月Aから土地を買つたが、その土地は二二年九月区画整理の対象となり、本件土地を換地予定地とする旨の通知が従前土地の名義人Aになされた。Aはその後二五年九月に右換地予定地をBに賃貸し、Bは、そこに家を建てて$X_1X_2X_3$にこれを譲渡するとともに、X_4には右土地の一部を転貸した。Yは、二五年末、従前土地の所有権移転登記をして施行者に異動を申し出、Xらに対して建物収去・土地明

渡を訴求。他の争点は省略するが、原審でYの妨害排除請求資格が認められたので、X側は、特別都市計画法（昭二一法一九）による使用収益には妨害排除のごときは含まれない、と上告。しかし、

「換地予定地の指定の通知があつた場合、その換地予定地の全部又は一部につき、従前の土地に存する権利の内容たる使用収益と同じ使用収益ができる（前記法律一四条一項）。従つて、従前の土地に所有権の存する場合においては、換地予定地に対する使用収益権は所有権と同一の内容を有すると共に、第三者が権原なくしてこれを不法に占有する場合には、これに対し所有権にもとづく物上請求権と同様の権利を行使し得るものと解すべきである。しからば、本件の場合において、建物収去・土地明渡請求をなしうることは当然……」（最判昭三三・九・一一民集一二・一三・二〇〇八）（原島・民商四〇巻六二七頁、川添・最高裁判例解説二四四頁）。

なお、下級審には、区画整理にあたり従前の土地の賃借権を整理組合に届けなかつた賃借人（被告）が地主（原告）に一括して換地予定の指定がなされた後で、勝手に建築しようとした事件について、被告は不法占有者だから土地明渡・損害賠償の義務を負うとした判決が存する（東京地判昭二九・六・二六下級民集五・六・九四三）。また、法律（特別都市計画法一四条三項、土地区画整理法九九条二項）にもとづいて、換地予定地上に第三者の建物などがあるときはその移転まで換地予定地を使用してはならぬ、と定められている場合、それは「二重使用を禁止する丈の趣旨ではなく、換地予定地上に従前の正当な権利者が建物等を有する場合に之を保護するため、右正当な権利者が建物等を撤去又は移転するまで換地予定地権利者の換地予定地の使用を禁じた関係上、換地予定地権利者の従前の土地使用を許容したものと解すべきである。従つて、不法占拠者に対しては右に拘らず換地予定地権利者は換地予定地の使用収益をなし得る」とする判決もある（名古屋高判昭三四・六・一五下級民集一〇・

六・一二三）。

二 補足資料——先例応接

改めていうまでもなく、わが国では「先例の拘束性」という法律上・制度上の原則は存在しない。にもかかわらず、それがかなり肯定的に議論されるのは（もっとも、今春の比較法学会における甲斐道太郎の報告（比較法研究二六号掲載予定）は、安易な肯定ムードに対し相当冷たい水をぶっかけたものである）、予測可能性したがってまたさような意味での法的安定性への配慮にもとづくものと思われる。そして私も（むろん民事事件だけを対象にしてだが）、法の発展ないし変革のモメントを抑制しすぎないように慎重な考慮が同時に必要だけれど、そう簡単に条文上の根拠というようなことで片づけられるべきではない、むしろ、最高裁は大審院の連合部判決（我妻・連合部判決巡歴Ｉのはしがきによれば「連合部判決は、正に、旧大審院の知能の結晶である。最高裁判所としても、十分敬意を表して然るべきであろう」とされる）のみならず一般各部判決に対しても——なかんずく、或る見解・結論がそこで堆積している場合には——応接を怠るべきでない（もちろん、単純に従えなどというものではない）、と考える一人である（なお、判例研究論で参照すべき近時の外国文献として **Esser, Grundsatz und Norm in der richterlichen Fortbildung des Privatrechts** (1956) と **Gross, Precedent in English Law** (1961) ことに前者を推しておきたい）。

ところで、問題は、先例尊重を Sollen としてだけ主張するのでは片手落ちだ。裁判所自体がこの点についてどういう態度を示してきているか、という Sein もまた検討してかからねばなるまい。しかも、これは、単に従ったとか従わなかったとかいう結論を指示するだけでは不十分であって、問題の判決に対する徹底的な「判例理解」をともなわなければならないが、ここでは、もはやそのいとまもないから、すでに検討したことにもとづいて、簡単なメモを掲げる程度にしておく。その際、特に重点を置こうとするのは、最高裁が自身または大審院の先例にどう応接しているか、である（大審院時代にも、みずからは公表しなかった先例を後日引用した例（前出【106】参照）、傍論を先例として引用した例（前出【35】と【34】）、判決要旨だけで先例を理解した例（前出【68】に対する【82】ことに【83】）、傍論的説示を訂正するために連合部を開いた例（前出【104】）など、問題となる場合はかなりある）。――なお、私の記憶では、本書所掲の最高裁判決で、大審院の非公式先例に直接応接した例はなかったようである（ただし【101】では、公式先例と抱き合わせで掲げられている）。

（一）　最【8】は、大【88】を引用する上告に対し「本件と事案を異にし、本件に適切でない」という。

最【8】は、借地人の地代滞納で賃貸借が解除されて転借権も消滅し、地主が転借地人に明渡を請求した事件。これに対し、大【88】は、墓地の転借人が、賃借人の代位権をさらに代位して不法占拠者に妨害排除請求をした事案。だから、全然違っていて問題にならない（もっとも上告人側も、【88】のようならば賃貸人と転借人のあいだに直接関係を認めたことになる、といいたいのだが、基礎たる関係があるとないとでは、もちろん別問題）。――かかる場合にも、最高裁は大【88】を先例として確認した、というべきであろうか？

（二）　最【9】は、大【10】を「本件につき原審の確定した事実関係には適切なもの」という。

最【9】は、転借地上建物の賃借人に対し、地主が賃貸借契約が解除された以上は自分に対抗できぬ（→明渡せ）と主張しており、大【10】では、電話加入権の再転貸借において、返還さるべき敷金の有無を決するために、転貸借の終了時期が問題となったもの。この先例応接に対しては、すでに本文で論評しておいた（本書二一―二頁参照）。

（三）　最【18】は、大【13】を引く上告に対し「所論引用の判例は、本件には適切でない」と答えたが、最【19】のほうは、原審が右【13】の適用場合でないとし、上告人は【13】を援用しているのに、全く先例応接をしていない。

【18】【19】とも、合意解約に関する判例法理の例外をなす場合であるが、かえって【19】の事案のほうが【18】よりも【13】に遠いとさえいえる（↓適切ならずといいやすい）のであって、応接と無視のどちらになるかは判事の肚や気分だけで決まるのか。

（四）　最【14】は、大【13】を事実上踏襲しているが先例応接はなく、かえって最【49】が大【13】を参照判例とする（なお本書八一頁末尾も参照）。

二つの最高裁先例は、前者が適法（＝暗黙の承諾のあった）転貸借、後者が借地上建物の賃貸借であるが、この差異をイレレヴァントとみることは、もとより不可能でない。――むしろ問題は、最【49】が必ずしも一般には利用の容易でない最【14】を引く点だ。この【14】は、判例発展史上、重要な位置を占めるものと考えられ、しかも後に先例として引くくらいなら、なぜ判例集に登載しなかったのか。

（五）　最【25】の多数意見（＝判例）は、大【22】が不当と上告したのに対し、それを参照先例として掲げている。

先例引用の仕方が、私にはよくわからない。つまり最【25】は、収去・明渡の被告適格についてのみ大【22】を引き、損害賠償については引いてない。ところが、【22】は、上告審での争点を考慮すれば、損害賠償に先例価値の中心がある。もし引用慣例が、二個所に引用すべきものがあるときは前のほうに置くというのなら（この点は教えて頂きたいが）、あまり問題はない。が、譲渡時期が前で全然賠償しなくてよいとの結論でも同じなのに、無視したのなら、理由がわからぬ。

（六）　最【32】は、買取請求者の不当利得返還義務につき大【29】を引いて「いまこれを変更する要をみない」とし、無断転借人に対する賠償請求を肯定するのには、大【28】【30】と他の公式先例（大判昭九・一〇・一八）とを引いている。

問題は後の点である。右大判は、地主と借地人（＝建物譲渡人）との争いで、しかも借地権消滅後とされた問題についてである。【28】は傍論だが、【30】は解除のあった事案。これらを本書五八―九頁でみたように操作したのだが、いかにもギコチない感じがする。

（七）　最【71】は、不法占有者へ対抗するには登記不要とする結論を、「大審院の不変の判例で、当裁判所も是認する処」と理由づける。

（八）　最【100】は、大【89】【93】の後継者と考えられるが、それらを全く引いていない（本書一四五頁参照）。

（九）　最【101】は、大【89】【93】を引く上告に対して、「論旨援用の判例は本件に適切でないことおのずから明らか」とし、最【97】【99】などを先例として引く。

その意義については本文で述べた（本書一四七頁）。

（一〇）　最【102】も大審院先例を参照判例とする。

（一一）　最【114】は、最【113】を「所論引用の判例は本件に適切のものではない」という。

このこと自身には問題はないが、【114】の態度には論評を加えておいた（本書一七五―六頁参照）。

（一二）　高裁上告審【147】は、大【144】に何ら応接せず留置権が否定される場合を拡大した。

高裁判事には、最高裁を批判することが目的だという人さえあるという話だから、大審院先例を無視することは当然かもしれない。

地方裁判所判例

簡易裁判所判例

最高裁判所判例

控訴院判例

高等裁判所判例

判　例　索　引

大審院判例

著者紹介

椿　寿夫（つばき　としお）　大阪市立大学助教授

総合判例研究叢書　民法（25）

昭和40年1月25日　初版第1刷印刷
昭和40年1月30日　初版第1刷発行

著作者　椿　寿夫

発行者　江草四郎

東京都千代田区神田神保町2～17
発行所　株式会社　有斐閣
電話（261）0323・0344
振替口座 東京370番

印刷局 朝陽会・稲村製本

総合判例研究叢書 民法(25)
(オンデマンド版)

2013年1月15日　発行

著　者　椿　寿夫

発行者　江草　貞治

発行所　株式会社 有斐閣
〒101-0051　東京都千代田区神田神保町2-17
TEL　03(3264)1314(編集)　03(3265)6811(営業)
URL　http://www.yuhikaku.co.jp/

印刷・製本　株式会社 デジタルパブリッシングサービス
URL　http://www.d-pub.co.jp/

AG478

ISBN4-641-91004-9　Printed in Japan